DE FATALE TWEELING

Oorspronkelijke titel *Die Zwillingsfalle*
© Oorspronkelijke tekst GRAFIT Verlag GmbH, Dortmund
© Nederlandse vertaling Marga Caljé en
uitgeverij de Rode Kamer 2008
Redactie Ton Lelieveld
Omslagontwerp Rolf van Kammen
Lay out Rough Design, Haarlem
Druk- en bindwerk Uniprint International, Budapest
1e druk maart 2008
ISBN/EAN 978 90 78124 13 9
NUR 305

www.rodekamer.nl

Horst Eckert
De Fatale Tweeling

LITERAIRE THRILLER

Vertaald door Marga Caljé

Uitgeverij de Rode Kamer

Steeds weer geneigd alles op te geven
kwam ik tot de conclusie
dat ik het ongelooflijke
niet kan verklaren, hoogstens zo goed mogelijk navertellen.

Ik jaagde steeds grimmiger en werd zelf opgejaagd.
Gruwelijke beelden die ik nooit meer kwijtraak -
de gezichten van de slachtoffers zullen nooit ouder worden.
Destijds: tot krantenkoppen geronnen sensaties.

Kille zinnen voor de dossiers.
De waarheid erachter -
de schreeuw naar de zin ervan houdt me in leven,
terwijl alles om me heen uiteenvalt.

In memoriam Rolf Nowak   † 1997

Deel één
Actie

"... dat al het menselijk handelen lijkt op de getijden die op jacht gaan naar de maan."

Joseph Wambaugh, *Floaters*

Donderdag, 27 juli, *Morgenpost*, plaatselijk nieuws:

POLITIE ZOEKT GELE TERREINWAGEN

Twee dagen na de brandstichting in een discotheek in het oude centrum van Düsseldorf spitst het onderzoek van de politie zich toe op een terreinwagen, die een ooggetuige op het moment van het misdrijf in de nacht van maandag op dinsdag zegt te hebben gezien. Concrete aanwijzingen over de daders zijn er tot nu toe niet. Vermoedens dat de brandstichting verband zou houden met soortgelijke brandstichtingen in de laatste weken, zijn gisteren door de officier van justitie die de zaak in behandeling heeft, spe- culatie genoemd.

Sinds de opening, drie maanden geleden, ontwikkelde de disco- theek 'Power House' in de Bolker Strasse zich tot een geliefde ontmoetingsplek voor jongeren. Zelfs wanneer de verzekering de schade - die in de miljoenen loopt - vergoedt, betekent de brand- stichting voor eigenaar Andreas Schalk (31) vermoedelijk het einde. De inrichting en de technische installaties zouden nog niet zijn afbetaald. 'Eén maand geen inkomsten en ik kan de rente al niet meer opbrengen', aldus Schalk die in de scene van het oude centrum ook bekend staat als 'Dr. House' en naam heeft gemaakt als diskjockey. Schalk hoopt nu op de welwillendheid van de banken.

Een uur nadat de discotheek was gesloten, hebben onbekenden in de nacht van maandag op dinsdag de toegangsdeur opengebro- ken en verscheidene brandbommen naar binnen gegooid.

Een taxichauffeur die om die tijd op de weg zat, beweert te heb- ben gezien hoe een gele terreinwagen met hoge snelheid uit de voetgangerszone kwam, de Hunsrückenstrasse insloeg en in zui- delijke richting wegstoof. Getuigen die dit voertuig eveneens hebben gezien, wordt verzocht zich te melden. Voor tips kunt u met de politie bellen via nummer 8700.

In juni is het eveneens in het oude centrum gelegen restaurant 'Zur Keule' (het voormalige 'Notorious') enkele weken na de ope- ning ook al in vlammen opgegaan. Zes weken daarvoor was er brand geweest in een fitnesscentrum in de wijk Pempelfort. Volgens informatie van de Morgenpost zijn de daders in beide gevallen nog steeds niet opgespoord. Er raakte, net als bij de laatste brand, niemand gewond.

1

De wereld vertoonde gaten waar hij in viel, om vervolgens op plekken op te duiken waar hij nooit en te nimmer had willen zijn. Een eerste vermoeden daarvan kreeg Leo Köster in de vroege middag van de 27ste juli, een donderdag.

Het was een routinezaak, maar Leo had er vanaf het begin geen goed gevoel over. Hij stapte in zijn klimgordel en trok het masker over zijn gezicht en zijn kortgeknipte, naar rood neigende haar. Hij begon meteen te zweten - de stof, Nomex geheten, was brandwerend. Hij zette zijn helm op, vijf kilo staal met een kogelvrij vizier, oorbeschermers en een ingebouwde koptelefoon.

Olli, zijn maat, deed vervolgens hetzelfde. De piloot stak zijn duim op, Leo en Olli werkten zich naar buiten, gingen op de leggers van het landingsgestel staan en maakten zich met de karabijnhaak vast aan hun abseil-materiaal. De kraag van zijn kogelvrije vest schuurde tegen Leo's kin.

Hij had het al duizend keer eerder gedaan. Het was een deel van zijn leven. Over de luidspreker in zijn helm klonk de stem van zijn collega: 'Kom je ook naar het feestje?'

Leo bedacht dat hij nog geen cadeautje had. De helft van zijn leven was zondag voorbij, verzuchtte Olli te pas en te onpas. Zijn eigen vijfendertigste verjaardag had Leo drie maanden geleden zonder gejammer doorstaan. Hij hoopte ouder te worden dan zeventig.

'Komt Brigitte ook?' vroeg Leo op zijn beurt.

Olli keerde zijn vizier naar hem toe. 'Zou het voor jou een reden zijn om niet te komen?'

'Nee, natuurlijk niet. Je tuin is groot genoeg.'

'Heike vindt dat jullie alles eens moeten uitpraten, Brigitte en jij.'

Er valt niets uit te praten, dacht Leo. Gescheiden is gescheiden.

Hij keek naar beneden. Het platte dak van het gebouw waarop ze moesten afdalen bevond zich op dat moment precies onder hen, ertussen hing ongeveer dertig meter trillende zomerhitte. Leo merkte dat zijn rechterhand beefde, iets dat hem al dagen ergerde - hij klemde het afdaalmechanisme stevig in zijn hand.

Afgelopen jaar was er een keer een touw door wrijving gesmolten, de rem was geblokkeerd en hij was halverwege hulpeloos in de lucht blijven bungelen. Als nummer één van zijn team wilde hij zo'n afgang niet nog eens beleven.

'Klaar voor actie', kraakte de stem van de commandochef. Leo drukte op de inspreektoets van de communicatieapparatuur, die via een spiraalkabel van twee meter met zijn helm was verbonden, en antwoordde door de knop tweemaal te laten klikken - als teken dat ze er klaar voor waren.

De straat was leeg, niemand op het dak van het gebouw. Op het terrein stonden enkele auto's geparkeerd, droog struikgewas groeide langs de omheining. Geen mens te zien.

'Actie', beval commandochef Adomeit.

Leo liet zich vallen. Het touw ontrolde zich snorrend, hij telde de seconden, toen ving hij zichzelf op door de remhendel over te halen - zijn laarzen kwamen hard op het grind neer. Bijna tegelijkertijd landde Olli naast hem. Ze maakten hun karabijnhaken los.

Leo nam het in kaart gebrachte terrein op: op twaalf uur de positie van de opbouw van de liftinstallatie, op zes uur bevond zich het doel - de westelijke rand van het dak. Uit hun zakken trokken ze het tweede touw en maakten een dubbele knoop aan de borstwering. Abseilen naar het balkon van de eerste etage - de hotelverdieping. Tot zover geen probleem.

De glazen deur stond open. Daarachter een kleine ruimte. Allerlei rommel, houten borden, schoonmaakspullen. Leo haalde zijn zaklamp tevoorschijn en het dienstwapen, de Sig Sauer P226 - vijftien kogels in het magazijn, één in de loop. Olli nam het machinepistool van zijn schouder en mompelde grimmig de lievelingsspreuk van de commando-eenheid:

'We doen ook huisbezoeken.'

Leo opende de volgende deur. Het trappenhuis. Ze luisterden aandachtig - niets, alleen hun eigen hartslag en het ademen van twee mannen die uit de lucht waren komen springen.

Achter de derde deur begon de duisternis. Een lange gang zonder ramen.

Ze klapten hun nachtvizier naar beneden. Leo probeerde zich in het groenige flikkerlicht te oriënteren. De laser op Olli's machinepistool tastte als een groene straal de gang van het hotel af - als hij met zijn helverlichte punt ergens op stuitte, lichtte de omgeving daar op. Een kort hoestje van zijn collega klonk in zijn helm als een doffe dreun. Leo schakelde de zaklamp met de infraroodkijker in.

Tien deuren aan elke kant van de gang.

Links nummer één. Leo posteerde zich frontaal voor de ingang, Olli dekte hem door zich schuin achter hem op te stellen en zijn wapen op de deur te richten. Leo trapte op de plek onder de deurklink, de deur sprong open en Olli liep naar binnen.

'Niemand', hoorde Leo zijn collega zeggen.

Nummer twee: nu zorgde Leo voor dekking. In zijn linkervuist hield hij de zaklamp, op de pols rustte zijn andere hand met het wapen, dat gericht was op de lichtvlek op de deur. Olli trapte, Leo sprong naar binnen - een langharige blonde man stond nog geen vier meter van hem vandaan en hield vanuit de heup een wapen op hem gericht.

'Verdachte in zicht', riep Leo en vuurde tweemaal.

Drie: een onschuldig uitziend type - met in zijn hand slechts een colablikje.

Nummer vier en vijf waren leeg.

Zes: een gangster hield een gijzelaar - een vrouw - met een mes op haar keel in bedwang. Van de man waren alleen zijn hoofd en een arm te zien - weinig oppervlak om op te richten. Leo was aan de beurt en liet er geen gras over groeien. Hij vuurde de gebruikelijke twee schoten af.

Zeven tot negen: een dader met een baard, een kale schutter, daarna een man die een bos bloemen in zijn hand hield en geen kogel verdiende.

Vlot werkten ze de kamers af tot aan het eind van de gang.

Voordat Adomeit in de glazen gang boven hen het licht aandeed, schakelden Leo en Olli beiden hun kijker uit en klapten hun vizier omhoog. Ze rukten hun helm en masker af en wisten het zweet uit hun ogen. Sinds het hoogzomer was geworden, was het ondraaglijk heet onder hun overall en vest, zelfs in de verduisterde ruimte van het oefengebouw.

De neonlampen flitsten aan. De twee leden van de Mobiele Eenheid liepen terug en controleerden de schietschijven.

Triplexborden waarop posters waren geniet - daarop verschillende figuren op ware grootte. Een Belgische tekenaar zou ze hebben bedacht. Zogeheten 'overlaps' veranderden gewapende mannen in onschuldige voorbijgangers. Op de figuur met het fototoestel had Leo niet geschoten, die met het pistool had Olli tweemaal geraakt. De plastic oefenmunitie was perfect door hoofd en borst heengegaan.

De volgende kamer: Leo was onaangenaam getroffen - ernaast geschoten. Beide keren. Hij was in Noordrijn-Westfalen kampioen serieschieten en had graag de driehonderd punten ook nog vol gemaakt.

'Trek het je niet aan', zei Olli toen ze verder liepen. 'In het echt had die vent een alarmpistool, dus heb jij juist gereageerd en word je niet door nabestaanden aangeklaagd. Geen schorsing, geen schandaal in de media.'

In nummer zestien had Leo ook niet raak geschoten.

'Iedereen heeft wel eens zo'n dag', probeerde Olli hem gerust te stellen.

Maar dat was nog niet alles. Slechts één enkele keer waren Leo's twee schoten raak geweest. Toen hij de dubbele schietschijf met de gijzelnemer controleerde, wist hij dat hij een serieus probleem had: hij had de dader buiten gevecht gesteld, maar tevens de gegijzelde met een schot in de hartstreek gedood.

Commandochef Bertram Adomeit stond zonder iets te zeggen achter hen op zijn nicotinekauwgom te kauwen.

'Stress als gevolg van de scheiding', verklaarde Olli met een blik op Leo. 'Komt wel weer goed.'

'Jawel', antwoordde Adomeit.

Leo's hand trilde nog altijd. Hij stak hem gauw in zijn broekzak.

2

Haffke zat *Sex Bomb* te zingen, vals maar hard, toen hij de tweede zijstraat na de *Grossmarkt* insloeg, terwijl hij de dienstauto slechts met twee vingers bestuurde. Martin Zander vond dat zijn jonge collega weer eens overdreef: een kakelbont Hawaïhemd, een zonnebril met spiegelende glazen, te veel gel in zijn achterovergekamde haar.

Waarschijnlijk had Arnie Haffke juist op dit moment een vrouwelijk publiek in gedachten en voelde hij zich nog onweerstaanbaarder dan de jonge Tom Jones: 'Baby you can turn me on!'

'Bedoel je mij?' vroeg Zander.

Zijn collega haalde zijn hand door zijn haar. 'Ik bedoel alles wat niet meteen in de boom zit.'

'Rijd eens wat langzamer.' Zander kneep zijn ogen samen om de voorbijvliegende huisnummers te kunnen lezen.

'Koop eens een bril, boss.'

'Elf, dertien … Stop. Hier moet het zijn.'

'Ik haat inbraken', zei Arnie Haffke.

'Die OC is geen bedenksel van mij', antwoordde Zander. OC stond voor onderzoekscommissie, en het idee om alle wijkteams van de stad drie maanden lang uitsluitend in te zetten bij inbraken, omdat het aantal opgeloste zaken bij dit soort delicten te laag zou liggen en de kranten zich daarover hadden beklaagd, kwam van het hoofd Veiligheid/Berechting. OC-Woninginbraak - zo hadden de hoge heren in de vesting het project gedoopt, wat inhield dat voor alle bedriegers, tasjesdieven en dealers op wie Zander en zijn collega's gewoonlijk jacht maakten, paradijselijke tijden waren aangebroken. Voor de gepassioneerde dealerjager Haffke een bijzonder onverdraaglijk idee - Arnie was zijn loopbaan ooit begonnen bij de narcoticabrigade en in gedachten maakte hij daar nog steeds deel van uit.

Hij remde en stuurde de auto over de stoeprand. Het bonkte geweldig en de auto helde dan weer naar de ene, dan weer naar de andere kant over. Zander was bang dat de rechtervoorband van de poepbruine Opel Vectra het niet zou houden.

'Het sociale paradijs', was het commentaar van Haffke toen ze uitstapten bij het vreugdeloze flatgebouw uit de jaren zestig. Grauwe gevel, half vergane kozijnen waar nog slechts enkele sporen verf op zaten. Ertegenaan leunde een voornamelijk uit triplex opgetrokken patatkraam, waarvan de eigenaar ook tijdschriften en sigaretten verkocht. *Victors Voordeelkraam* stond er in rode plakletters boven het loket. De overige ramen van de kiosk stonden vol met coverfoto's: siliconenborsten, gekroonde hoofden, verzonnen sensationele nieuwtjes. Op de krantenstandaard stond het belangrijkste boulevardblad van de stad:

BRANDSTICHTER VLUCHT IN GELE TERREINWAGEN
AANSLAG UIT JALOEZIE?

De meeste bellen hadden geen naambordje. Ernaast was een bericht van vermissing opgeplakt: *Weggelopen: Kater Schnurri*. Die heeft een beter adres gevonden, dacht Zander.

'Weet jij op welke etage die vrouw woont?' vroeg zijn collega. Zander schudde zijn hoofd. In het trappenhuis rook het naar kool en pis. Een ongeschoren knul die afval naar buiten bracht, wist het: eerste verdieping.

De bewoonster deed meteen open toen er geklopt werd. Een bleek meisje met grote ogen en een kilo metaal in haar gezicht. Gescheurde jeans, een topje met afgegleden bandjes, de bh eronder was donkerblauw.

'Sina Dorfmeister?' vroeg Zander.

'Zijn jullie smerissen?'

'Ja'.

'Eindelijk. Kom binnen.'

Zander dacht aan zijn dochter Pia, die maar een paar jaar jonger was dan dit meisje. Pia zat in haar rebelse fase, wat niet altijd gemakkelijk was. Maar ze hield tenminste niet van piercings.

De huurster liet Zander en Arnie binnen in haar eenkamerwoning met meubels die van het grof vuil afkomstig leken. Een waterkraan drupte, twee kookplaten vertoonden roestplekken. Op de muren van de bouwval zaten vochtvlekken, deels bedekt door posters:

15

reclamemateriaal voor een winkel met de naam *Skin Bizarre*. Modellen in lak en latex, schijnwerpers zorgden voor lichtreflexen op de nauw sluitende kunsthuid en een enorme hoeveelheid ringetjes. De vrouw aan de muur met het meeste zilver in haar vel leek op het bleke kind dat Zander en Arnie naar het geopende raam bracht.

Het kozijn vertoonde splinters en bijna twee centimeter brede sporen van een breekijzer. De inbreker was via het platte dak van de *Voordeelkraam* gekomen.

Arnie pakte de sporenset uit: een veren kwastje en plakfolie. Hij pompte roetpoeder uit het handvat in de veren en begon het glas en het kozijn te bestuiven.

Zander wist dat het niets zou opleveren. Een klote-inbraak in een nog grotere klotewoning. En daarvoor moesten twee agenten doen alsof ze de boel serieus namen en verslagen maken die niemand zou lezen.

'Mist u iets?' vroeg hij.

'Ondergoed.'

'Pardon?'

'Ik had een body van latex. Die is weg. En twee slipjes. Speciale slipjes.'

'Juist', zei Zander met een blik op de poster.

Het meisje wees op kisten die als kast dienst deden. De kisten waren van hun plaats onder het bed vandaan getrokken en de inhoud was omgewoeld. Zander zag bh's, wit kant, goedkope roze broekjes. De dief had het voorzien op rubberen spulletjes.

Boven hem hoorde hij iemand lopen, er klonk radiomuziek - onwillekeurig keek hij omhoog en staarde naar bruine randen en afbladderend stucwerk. Zijn gedachten gingen weer naar zijn dochter, die sinds kort op kamers wilde. Nooit zou hij Pia in zo'n krot laten wonen.

Het meisje zei: 'Ik heb expres niets veranderd. Vanwege de sporen.'

'Mooi.'

'Vreemd dat ze de tv hebben laten staan.'

Elk slachtoffer dacht altijd dat er meer daders waren. En allemaal beschouwden ze hun televisie als het meest waardevolle stuk - alsof inbrekers interesse zouden hebben voor die oude kastjes waarvan je de helderheidschakelaar op tien moest zetten om nog iets van het beeld te zien.

'Geld, sieraden?'

'Alles is er nog.' Het meisje trok een la open en haalde er een met fluweel bekleed bijouteriekistje uit: antieke hangers, ringen, oorstekers, een amulet. Zander dacht aan Schmiedinger, zijn partner bij zijn nevenactiviteiten - de oude man zou direct zien of de stenen echt waren.

'Mooie dingen', zei Zander.

'Heb ik van mijn ma geërfd.'

'Hebt u enig idee wie het op uw broekjes heeft voorzien? Een opdringerige aanbidder misschien?'

Sina Dorfmeister sperde haar ogen nog verder open en schudde haar hoofd. Zander besloot niet door te vragen. Hij zou haar maar bang maken.

'Ik heb hier iets wat op een hand lijkt', zei Arnie.

'Is het er een of niet?' Arnie zat bijna met zijn neus op de ruit. Hij streelde het glas met de veren van de kwast. 'Een complete linkerhand, zou ik zo zeggen. Maar geen papillairlijnen.'

'Papi-wat?' vroeg het meisje.

Zander bekeek de afdruk. Zijn jonge collega had gelijk. Geen oneffenheid te bekennen.

'Hoe kan dat?' vroeg Arnie.

'Misschien droeg hij handschoenen. Weet ik het.'

Sina Dorfmeister zei: 'Die moeten me in de gaten hebben gehouden. Ze zijn precies op de tijd dat ik niet thuis was naar binnen geklommen.'

Natuurlijk, dacht Zander. Iedereen denkt altijd dat hij in de gaten wordt gehouden.

'Misschien komen ze wel terug?'

'Onwaarschijnlijk.'

'Het is een rot gevoel om in je eigen huis niet meer veilig te zijn', zei het meisje.

'Dat gaat wel weer over. Echt.'

'Denkt u dat u de daders zult vinden?'

Arnie keek niet op. Hij pakte de sporenset in. Zander noteerde wat hij nodig had voor de aangifte: naam, adres, hoe de dader was binnengekomen, soort en aantal van de gestolen slipjes. Een broekjesdief - zoiets geks was Zander in de zesentwintig jaar dat hij bij de politie zat, nog niet tegengekomen.

'Wat is er eigenlijk zo bijzonder aan dat rubberen spul?' vroeg hij.

'Latex draagt als een tweede huid. Temperaturen voelen dan heel anders aan. Je ervaart je omgeving heel anders.'

'Heb ik niet nodig. Jij, Arnie?'

Haffke duwde het raam dicht. Het bleef niet vastzitten.

De jonge vrouw zei: 'Moet u ook de rest van de flat niet op sporen onderzoeken? Ik heb expres niets aangeraakt.'

Zander zei: 'Ik geloof niet dat hier nog meer sporen zijn. Als we een inbreker pakken die uw body of uw broekjes in zijn bezit heeft, krijgt u bericht, mevrouw Dorfmeister.'

'Ik kan u een beschrijving geven van de gestolen spullen.'

Wat een onzin allemaal. Zijn collega's van de recherche in de vesting zouden zich hier nooit mee inlaten. Zander had honger. Hij zei: 'Ja natuurlijk. Mijn collega zal dat noteren.'

Haffke had er geen bezwaar tegen. Zander wist dat zijn partner van de gelegenheid gebruik zou maken om de huurster te vragen naar haar contacten in de drugsscene. Geen kleine dealer of hij kreeg hem te pakken en geen drugsspuitende vrouw die lang door Arnie werd bewerkt of ze ondernam een poging om af te kicken.

De patat was als hij hoort te zijn: heet en vettig. Zander had de helft van zijn portie op, toen Arnie de flat uit kwam.

Zander vroeg: 'Waar blijf je zo lang? Je hebt haar toch niet gepakt, of wel soms?'

'Ik wed dat die kleine aan de coke is', antwoordde Haffke.

'Laat toch zitten.'

'Misschien zouden we eens bij de anderen moeten navragen of zij soortgelijke zaken hebben', zei Arnie.

'Beschouw je dit als een zaak? Een latex lor en twee broekjes? Nu begrijp ik waarom ze jou bij drugsbestrijding niet meer wilden hebben. Je verspilt je energie, jongen.'

'De dader moet behoorlijk geschift zijn. Ik bedoel op seksueel gebied.'

'Past bij dat meisje. Heb je die posters gezien?'

'Ze zegt dat ze als model werkt voor zo'n winkel die die fetisjistische mode zelf maakt.'

'Dat bedoel ik. Geschift.'

'Ergens heb ik medelijden met die kleine.'

'Die moet niet in de buurt van een magneet komen.'

'Wat ben je toch een ouwe zak. Die piercings draagt iedereen tegenwoordig. Zelf heb ik er ook bijna een laten zetten. Dat was toen ik een tattoo kreeg. Wil je die eens zien?' Haffke draaide opzij en trok aan zijn broekband.

'Nee, laat maar.'

'Een rode draak.'

'Het is al goed, echt.' Zander voelde zich in zijn mening bevestigd. Zo iemand als Arnie zou hij nooit ook maar in de buurt van Pia laten komen.

Haffke graaide een frietje uit Zanders bakje en vroeg: 'En wat heeft Victor ervan gemerkt?'

Het duurde een seconde voordat Zander begreep dat Arnie doelde op de eigenaar van *Victors Voordeelkraam.*

'Het moet gisteravond na tienen zijn geweest. Anders had hij iets gehoord, zegt hij.'

'Tussen twee tweehonderd en nul zeshonderd dus.' Arnie had onlangs in de bioscoop een film over Amerikaanse militairen gezien. Hij knikte alsof hij over de consequenties daarvan zat na te denken. Daarna pikte hij nog een frietje. 'Ze is hartstikke trots op die foto's. Ik denk dat ze het wel kan.'

'Wat kan?'

'Geld verdienen met haar figuur.'

'Als hoertje misschien. Laat die kleine toch.' Zander verfrommelde het lege patatbakje en likte zijn vingers af. 'Heeft iemand eigenlijk wel eens tegen je gezegd dat je er uitziet als een derderangs badmeester?'

'Ja, boss. Jij. Elke dag.'

MEMO

van: Inspecteur Bertram Adomeit, commandochef ME 1
aan: Hoofdinspecteur Markus Enders, chef speciale eenheden
betr: Leonid Köster, lid ME 1
datum: vrijdag 28 juli

Markus,
Ik deel je opvatting dat elk lid van een aanhoudingseenheid altijd in topvorm dient te zijn, zodat hij - als het werkelijk om een serieuze situatie gaat - als een onderdeel van een raderwerk functioneert. Daartoe behoort ook de trefzekerheid. Het is juist dat Leo Köster donderdag niet voldoende heeft gepresteerd en bij twee daaraan voorafgaande schietoefeningen niet present was.

Ik zie echter nog geen noodzaak om de nummer één van mijn team daarom een andere plaats binnen de commando-eenheid te geven. Leo Köster heeft vijftien jaar ervaring bij de ME. Hij heeft bewezen zeer stressbestendig te zijn en kan zich als geen ander flexibel opstellen in veranderde situaties. Wat hij aankan, ligt zelfs voor iemand van de ME ver boven het gemiddelde. Hij was tot nu toe steeds een van de beste schutters van Noordrijn-Westfalen.

Voor zijn afwezigheid bij twee oefeningen heeft hij een reden opgegeven (afspraken bij zijn advocaat en de voogdijraad resp. rechtbank). Zijn slechte prestaties bij de laatste toets zijn te wijten aan spanningen ten gevolge van privé-omstandigheden (echtscheiding zojuist uitgesproken door de rechtbank). Omdat dit van voorbijgaande aard is, zie ik hierin geen reden tot bezorgdheid. De teamgeest en de collegialiteit in de commando-eenheid zijn m.i. beter dan in welke familie dan ook en in staat om in crisissituaties steun en geborgenheid te geven. Ik ga er daarom vanuit dat Leo Köster snel kans zal zien weer volledig geconcentreerd te werken.

Volgende week zullen we de prestatietoets herhalen.

Groet, Bertram Adomeit

3

Toen de telefoon ging, zat Ela Bach in bikini op haar balkon haar teennagels te lakken. In de kastanje, die schaduw gaf op de binnenplaats aan de achterzijde, maakten de spreeuwen ruzie, de geur van een barbecue bereikte Ela's neus. Achter de tegenoverliggende daken staken de herkenningstekens van de Rijnoever de lucht in: de communicatietoren, de hoogbouw van *Geminag*, *Lamberti* en de nieuwe glazen toren van *Victoria*. Daarboven hing alleen nog trillende nevel, de voorbode van een warm avondbriesje.

Het schrille geluid van haar mobieltje klonk - een elektronische variant op *Eine Kleine Nachtmusik* - en Ela wist dat het met haar zondagsrust gedaan was. Ze keek op de klok: tien voor zes.

Snel streek ze met het kwastje over de laatste twee nagels, daarna liep ze de kamer in. Op de klapstoel naast het bed lag een stapel kleren waaruit ze de telefoon tevoorschijn haalde en met een druk op de knop de tonenreeks abrupt onderbrak.

'Bach.'

'Ritter, meldkamer recherche, zei een mannenstem die haar bekend voorkwam. 'Spreek ik met Moordzaken?'

Ela liep de keuken in en probeerde zich de man voor te stellen die bij de stem hoorde. 'Wat is er aan de hand?' vroeg ze en drukte met haar vrije hand een tablet caroteen uit de strip. Als ze dan niet zou kunnen zonnen, wilde ze toch in ieder geval op deze manier bruin worden.

'We hebben hier een dode oma. De huiseigenaar zegt dat hij haar niet kent. Hij zegt dat ze aanbelde, binnenkwam en omkiepte. De zaak komt ons merkwaardig voor. Die gozer is gewond. Hij zegt dat hij zich heeft gestoten.'

'En de dokter?' Ze liep terug naar de slaapkamer. Het mineraalwater waarmee ze de tablet wilde doorslikken, stond naast haar bed.

'Wil geen definitieve uitspraak doen, zoals gebruikelijk. Er zijn zo te zien geen tekenen van geweld.'

'Bij de oma.'

'Ja.'

Ze nam een slok. Lauw. 'Hoe gaat het met die huiseigenaar?'

Bloedt uit zijn neus als een rund. Zegt dat hij tegen de glazen deur is gelopen. Is mogelijk, misschien ook niet.'

'Oké. Zorg dat hij daar blijft.' Ze vroeg om naam en adres en noteerde alles op de rand van een catalogus voor studiereizen die ze toch nooit zou maken. Daarna toetste ze het nummer van Thilo's telefoon in.

'Becker'. Op de achtergrond zong iets Latijns-Amerikaans. De Bossa Nova, een gouwe ouwe.

'Geef je meisje maar een afscheidskus en stap in je auto.'

'Wat?'

'Stel niet zulke domme vragen. We zien elkaar hier.'

'Heb je mijn gebeden eindelijk verhoord?'

'Idioot.'

Ela bukte zich naar het afhangende dekbed - nagellakvlekken. Ze vervloekte haar gewoonte om bij het telefoneren rond te lopen. Ze wilde niet ook nog eens haar spijkerbroek verpesten, koos voor shorts en stapte in sandaaltjes. Ze woelde in de stapel kleren en vond een ruimvallend, zwart T-shirt. De zomer was met tweeëndertig graden Celsius in topvorm. Ela scheurde de bladzijde met het adres uit de catalogus en verzamelde alles wat ze nodig had: mobieltje, sigaretten, de holster met haar P6 en de kleine rugzak van zwart leer waar ze alles in propte.

Ze wachtte beneden in de schaduw van de ingang. Het duurde nog geen vijf minuten. Fiat Barchetta, open dakje. Op de bestuurdersstoel zat Thilo Becker naar haar voeten te staren.

Ela liep om de auto heen en stapte in. '*Zooviertel, Faunastrasse* negen, de naam is Larue', zei ze terwijl ze de cataloguspagina in het zijvak van het portier stopte.

Thilo sloeg de *Kaiserstrasse* in en verhoogde de snelheid terwijl hij in noordelijke richting reed. Zijn blonde lokken zagen eruit alsof ze nog nooit een kam hadden gezien.

'Ik moet ineens aan mijn eerste vriendin denken', zei hij.

'En?'

'Op groene teennagels knap ik af. Daar kan ik niets aan doen. Zij had die soms ook.'

'Houd op met die onzin.'

Thilo sloeg af, de *Kleverstrasse* in en gaf gas. ' Groen', kreunde hij. 'Aaah, let's go, baby!'

De straat was leeg, half Düsseldorf was op vakantie in Nederland of op Ibiza. Ela genoot van de warme wind. Dat de noodarts geen natuurlijke doodsoorzaak had geconstateerd, zei niets - ze was nog nooit een dokter tegengekomen die een verklaring had ondertekend zonder dat hij de overledene kende. In 95 procent van alle gevallen waar de politie aan te pas kwam, bleek het na lijkschouwing en ruggespraak met de huisarts en familieleden om een natuurlijke dood te gaan. 'Een dode vogel' noemden de mensen van de recherche zulke gevallen en ze vielen Moordzaken daar in de regel niet mee lastig.

Wat papierwerk en binnen een uur zou Ela weer op haar balkon in de avondzon witte wijn zitten slurpen.

Op haar mobiele telefoon klonk Mozart, nog in de eerste maat had Ela de juiste toets te pakken. Collega Ritter live van de plaats delict. Hij had het lijk geïdentificeerd: het was de buurvrouw van de huiseigenaar. Ze had ingrediënten voor een taart willen lenen. Ze was gestresst door het aanstaande bezoek van haar kinderen en ze had aan een hartkwaal geleden.

Een dode vogel.

'Wij zouden het schrijfwerk voor jullie kunnen doen, maar ik vrees dat de volgende zaak al weer op ons wacht', zei de stem in haar mobieltje.

De cabrio was het ijsstadion gepasseerd. *Brehmplatz.* Thilo gaf aan dat hij linksaf wilde.

'Laat maar, we zijn er zo', zei Ela.

Thilo vroeg: 'Is die oma weer opgestaan?'

'Nee. Waarschijnlijk een hartaanval. Wij doen de lijkschouwing en dan kan jij weer naar je meisje. Morgen gaan we wel bij de huisarts langs.'

Thilo liet de cabrio in de *Faunastrasse* tot stilstand komen. Hij keek Ela van opzij aan. 'Wanneer draait je film?'

Drie weken geleden had een team van de WDR haar een dag lang op haar werk gevolgd. Een reportage over vrouwen bij de politie - de verslaggeefster was jong, zag er goed uit en wist wat ze wilde. Ela had het leuk gevonden - aan de camera en de microfoon was ze snel gewend geraakt.

'Het is niet mijn film. Geen idee wanneer ze hem uitzenden.'

'Sommige collega's zijn nu al jaloers.'

'Laat ze maar jaloers zijn.'

'Er zijn geruchten over jou in omloop.'

'Vanwege die film?'

'Nee, vanwege Engel. Omdat hij jou beschermt.'

'Doet hij dat?'

'Ze zeggen dat je met die lange naar bed gaat.'

'Met Engel? Wie vertelt er zulke bullshit?'

De man met de blonde haardos antwoordde niet. Hij trok de sleutel uit het contact.

Ela vroeg: 'Gerres?'

'Zomaar een gerucht. Maar dat de lange jou graag als zijn opvolgster zou willen als hij naar de politieacademie gaat, is duidelijk.'

'Daar weet ik niks van.'

'Echt niet?'

Ela zweeg.

Thilo zei: 'Sinds de zaak met die kannibaal ben jij het lievelingetje van de hoge omes. Dat is een feit.'

'Hoe kom je daarbij?'

'Jij was de grote heldin, je hebt alle ellende zonder een haarscheurtje overleefd. Zelfs in het ziekenhuisbed heb je nog een goed figuur geslagen. De lange is dol op jou. En dan nou ook nog deze film.'

'O ja, natuurlijk, dat komt omdat ik met iedereen naar bed ga. Met Engel, met de hoge omes, tot de hoofdcommissaris en de redactrice van de *WDR* aan toe.'

'Hé, ik heb dat gerucht niet verspreid! Ik zou het prima vinden als jij chef werd.'

Ela klom uit de auto. Ze speculeerde er inderdaad op Engel te kunnen opvolgen als afdelingschef van RA11, de elfde rechercheafdeling. Er werd gezegd dat de politietop de vrijkomende functie aan een vrouw wilde geven en Ela vond dat dat ook hoog tijd werd.

Becker sloot de auto af. 'Overigens zit er thuis bij mij geen meisje op me te wachten.'

Ela zocht naar huisnummer negen.

Ze wist dat het de politietop niet om haar persoonlijk ging, maar omdat ze wilden voldoen aan politieke eisen: een bepaald quotum aan vrouwen in leidinggevende functies bij de overheid. Engel had een week geleden meegedeeld dat hij per 1 september naar de politieacademie in *Münster-Hiltrup* zou gaan. Sindsdien was de sfeer onder de ruim twintig werknemers van RA11 vergiftigd. Concurrentiestrijd. Ela ondervond steeds vaker vijandigheid - er waren mannen die al veel langer dan zij bij RA11 zaten en die meenden dat ze door deze ruimere ervaring eerder in aanmerking zouden moeten komen.

Ze dacht aan de zaak van de kannibaal, twee jaar geleden. Ela Bach, de heldin - natuurlijk had de korpsleiding deze legende alleen maar de wereld in geholpen om te kunnen pronken met die jonge vrouwelijke brigadier bij de recherche.

Of Thilo Becker haar inderdaad steunde of alleen maar bij haar in het gevlij wilde komen, maakte haar niets uit. Uiteindelijk zou ze het toch op eigen kracht moeten zien te redden. En die was niet onbeperkt.

Alle ellende zonder een haarscheurtje overleefd - dat zou mooi geweest zijn.

Ze stapten de koelte in van een herenhuis in jugendstil. Wapens van stucwerk aan de muur, een spiegel met een gouden rand. Ela liet de lift links liggen - ze wisten niet op welke etage ze moesten zijn. Ze liepen naar boven over een rode traploper die op zijn plaats werd gehouden door messing roeden.

Een man van rond de veertig wachtte in het tweede trapportaal. Ela herkende hem nu. Met deze Ritter had ze op het laatste zomerfeest gesproken over bijverdiensten - hij speculeerde in aandelen en deed in onroerend goed, terwijl zij meer overuren verzamelde dan ze kon opnemen. Met zijn snor zag hij eruit als een goedkope imitatie van Tom Selleck in de tv-serie *Magnum* - maar hij was niet onaantrekkelijk. Zijn geruite, fel gekleurde overhemd hing slordig over zijn broekriem en bedekte maar nauwelijks de holster met het pistool. Hij keek naar haar blote benen zonder te laten merken wat hij daarvan vond.

'Moordzaken' groette Thilo. 'Waar ligt de dode vogel?'

Ritter vroeg aan Ela: 'Hoe gaat het met jou?'

Ze ging er niet op in. 'Hier binnen?'

'Ja. Tragisch geval.'

Haar collega hield de deur open. Het lijk lag op het parket van de grote hal, een elegante vrouw met witte haren. Buikligging, het hoofd naar rechts gedraaid, de linkerarm in een hoek. Ze droeg een dennengroen broekpak van een stof die op zijde leek, gouden kettinkjes om haar hals en linkerpols, aan haar voeten pantoffels. Ritter overhandigde Ela het rapport van de dokter en drie polaroidfoto's met daarop de plaats waar ze was gevonden.

Een corpulente, oude heer in een rolstoel had de dode zijn rug toegekeerd en staarde naar de muur alsof hij bezig was de houtskooltekeningen te bestuderen die naast de kapstok hingen.

'Larue?' vroeg Ela.

'Nee', zei Ritter. 'Anton Niehaus, de buurman van hier tegenover. Nadat we jullie op de hoogte hadden gebracht, belde hij aan omdat hij wilde kijken waar zijn vrouw bleef.'

De oude man draaide zich om naar Ela. Zijn ogen leken op knopen, wat nog versterkt werd door de dikke brillenglazen. 'Morgen is ze jarig. Ze was helemaal opgewonden vanwege de kinderen. Ik zei nog dat ze beter in een hotel konden gaan slapen en dat we in een restaurant zouden kunnen eten, maar Klara wilde dat niet. Al dat werk. Filet Wellington, abrikozentaart, daar is het toch veel te warm voor.'

'Detailfoto's van de vindplaats heb ik al gemaakt', zei Ritter. 'Die hebben jullie morgen vroeg op je bureau.'

Niehaus zei: 'Ze wilde alleen maar snel even een ei gaan lenen.'

'Larue is daarbinnen.'

Door de glazen deur naar de woonkamer, waar het licht in brede bundels naar binnen viel, zag Ela een man op een oranje bank zitten. Ritters collega was bij hem en typte iets op een laptop die op zijn knieën stond. Achter in het appartement klonk geruis dat leek op dat van een douche.

Ritter zei: 'De mensen van de begrafenisonderneming hadden er al moeten zijn.'

De man in de rolstoel gaf een ruk aan de wielen. Bijna was hij tegen het lichaam aan gereden.

'Is daar iemand aan het douchen?' vroeg Ela.

'De vrouw van Larue. Dat duurt al zolang we hier zijn. We hebben haar nog niet als getuige kunnen horen.'

'Dat doen wij wel.'

Er werd gebeld, Ritter keek op het scherm van de videofoon en drukte op de knop om de buitendeur te openen. Zijn collega kwam de woonkamer uit, de dichtgeklapte laptop onder zijn arm.

'Wat is Larue voor iemand?' vroeg Ela.

'Voornaam Christoph, geboren in 1962 in Remscheid. Van beroep mediaplanner, vraag me niet wat dat is. Hij en zijn vrouw Verena wonen hier pas sinds een paar dagen. Daarom heeft hij zijn buurvrouw niet herkend.'

De twee begrafenismedewerkers kwamen de woning binnen, ondanks de hitte in een donkerblauw pak - ze roken enigszins naar zweet. Ze namen de ambiance met een waarderend knikje in zich op, zetten de draagbaar op de grond en openden de ritssluiting van de lijkenzak. Het geluid herinnerde Ela aan kampeervakanties uit lang vervlogen tijden.

De oude man in de rolstoel riep: 'Ik wil dat ze bij mij blijft!'

Thilo en zijn collega's probeerden hem te kalmeren.

Ela liep door de openstaande glazen deur - geen bloedsporen op de ruit. Larue stond op van de bank.

'Ela Bach', recherche, zei ze.

'Vreselijk, om zo je nieuwe buren te leren kennen', antwoordde de huiseigenaar.

Hij was niet groter dan Ela, slank en tanig. Zijn neus was rood en gezwollen, de dokter had er watten in gestopt. Ela zag dure vrijetijdskleding: een T-shirt van Versace, een ruimvallende broek, allebei zwart. Leren slippers, geen sokken.

Ze vroeg: 'Hebt u nog iets toe te voegen aan de verklaring die u tegenover mijn collega hebt afgelegd?'

'Nee.'

'Ik zou graag even met uw vrouw spreken.'

'Dat is echt niet nodig.'

Ela keek om zich heen. De begrafenismedewerkers droegen het lijk weg, Thilo duwde de weduwnaar met zachte hand terug naar zijn woning. De collega's van de meldkamer waren intussen vertrokken.

De douche ruiste onverminderd voort.

Ela liep naar de deuren achter in de kamer.

'Dat is totaal overbodig', zei Larue. 'Verena heeft van de dood van de buurvrouw helemaal niets gemerkt.'

Een van de deuren leidde naar de keuken. Verbaasd stond Ela stil: openstaande hangkastjes, de terracotta vloertegels waren bezaaid met glasscherven. Overal lag wit poeder verspreid - op de grond, in de gootsteen, op de werkbladen, minstens een kilo meel of zout, schatte Ela. De rest leek onbeschadigd, rekjes met kruiden, op een vensterbank antieke flesjes. Midden in de ruimte stond het fornuis, kraakhelder alsof het nog nooit was gebruikt. Daarboven een futuristisch vormgegeven afzuigkap.

Ela ging op haar hurken zitten, doopte haar vinger in de witte kristallen en proefde: suiker.

Achter de andere deur leidde een gang naar de slaapkamer. Door glazen bouwstenen drong daglicht binnen, verder naar rechts bevonden zich nog meer deuren: een wc voor logés en een rommelhok. Larue liep achter Ela aan. 'Verena was helemaal niet ...'

Toen Ela de volgende deur opende, sloeg de waterdamp haar tegemoet. 'Mevrouw Larue?'

In de nevel zag ze de contouren van een glazen douchecabine. De waterstraal geselde een naakte gestalte die op de grond zat, de knieën met beide armen tegen haar lichaam gedrukt.

Larue stond achter Ela en zei niets.

Ze schoof de deur van de cabine opzij en deed de kraan dicht. Verena Larue deinsde achteruit en drukte zich als een aangeschoten ree tegen de tegelwand. Ela zag bloeduitstortingen op de armen, benen en in het gezicht van de vrouw - haar bovenlip was gesprongen.

'Een handdoek', eiste Ela.

Larue reikte haar die aan. Ze gaf hem door aan de vrouw, die aarzelend opstond en hem voor haar lichaam hield. Ze was erg slank, het leek bijna of ze aan anorexia leed. Met haar lange, natte haar en de uitgelopen eyeliner zag ze eruit als een meisje.

Ongeveer vijftien jaar jonger dan haar man, schatte Ela.

'Ik ben van de politie', zei ze. 'U hoeft niet bang te zijn.'

Thilo stapte de badkamer binnen. Ela wachtte tot hij de situatie scheen te begrijpen, daarna stuurde ze de mannen naar buiten en sloot de deur van de badkamer.

'Verena?'

De vrouw knikte, zonder aanstalten te maken om zich af te drogen. Op het badkamerkleedje lag ondergoed. Een kapot gescheurd T-shirt. Op het slipje zaten verse bloedvlekken.

Verena Larue ging met haar tong langs haar kapotte lip.

Ela ontdekte een badjas, sloeg die om de jonge vrouw heen en nam haar in haar armen.

'Wilt u me vertellen wat er is gebeurd?'

De vrouw begon te trillen.

Geen dode vogel.

Toen Ela terugkwam in de woonkamer, zat Thilo in zijn notitieboekje aantekeningen te maken. Christoph Larue zat op de oranje bank en staarde naar buiten in het groen. Als dit een verhoor was, dan verliep het maar moeizaam.

Ela bekeek de inrichting. Weinig meubelen, de meeste leken zo van de fabriek te komen. Een staande lamp waarvan de kap op een verfrommelde zak leek, daarnaast een beeld van oud hout en spijkers. Aan de muren hingen nog meer tekeningen, dezelfde als in de hal.

Op het tapijt zaten vlekken - Ela had het gevoel overal bloed te zien.

Ze wendde zich tot haar collega: 'Wat heeft hij gezegd?'

'Twee onbekende daders, de een had een handvuurwapen, een pistool of revolver, de ander een afgezaagd geweer of zoiets. Ze wilden geld en omdat er niet genoeg in huis was, hebben ze hun woede op zijn vrouw afgereageerd.'

'Ze droegen een soort muts', verklaarde Larue. 'Van zwarte wollen stof.'

Ela viel tegen hem uit: 'Waarom hebt u dat niet meteen gezegd?'

'Verena wilde het niet.'

Ela haalde diep adem. De vrouw had gezegd: *Mijn man dacht dat dat geen zin had. De politie zou die inbrekers toch nooit te pakken krijgen.* Alsof het hier slechts om een gewone inbraak ging.

Ze moest ineens aan de chaos in de keuken denken. 'Bewaart u uw geld in een suikerpot?'

'Ja, het huishoudgeld.'

'En wat was dat nou met uw buurvrouw?'

'Toen er gebeld werd, gingen die twee ervandoor en renden die oude vrouw bijna omver. Ze deed nog een paar stappen de gang in en …' Larue maakte een onbestemd gebaar met zijn rechterhand.

Ela duwde de blonde Thilo Becker de kamer uit, de gang in. Ze deed de glazen deur dicht, door de ruit hield ze Larue in het oog. Op haar werktelefoon koos ze het nummer van het hoofdbureau, noemde het codewoord van die week om zich te identificeren en gaf de naam van de mediaplanner en zijn jonge vrouw door. Daarna bracht ze de technische recherche op de hoogte.

Tegen Thilo zei ze: 'Begrijp jij die vent? Eerst beweert hij dat zijn vrouw niets gemerkt heeft en daarna blijkt dat ze verkracht is.'

'Ze wilde geen aangifte doen.'

'Ach wat, die klootzak had het *moeten* aangeven.'

'Wind je niet zo op, Ela.'

'Jij hoeft me niet te vertellen waarover ik me moet opwinden! Je gaat nu naar binnen en laat je door hem nog eens de exacte toedracht vertellen. Misschien kan hij ons op een spoor zetten.'

'Luister eens …'

'Onderbreek hem niet, ook niet als hij breedsprakig wordt. Doorvragen werkt niet, begrijp je?'

'Ela, ik ben geen beginneling.'

'Ga pas in op details als hij met zijn verhaal klaar is. Let op de passages waarbij hij nerveus of overkomt. Laat hem morgen naar de vesting komen om zijn verklaring te tekenen. Als de mensen van de identificatiedienst er zijn, ga je navraag doen bij de buren.'

'Lieve collega, over seksuele delicten gaat - zoals je weet - de 12de. En over roofovervallen de 13de, voor het geval je dat vergeten mocht zijn.'

'Het is zondag, 18.42 uur. Tot acht uur morgenvroeg is het onze zaak.'

'Pas maar op dat de ambitie niet uit je oren loopt.'

Haar mobiele telefoon ging - het hoofdbureau. Christoph en Verena Larue hadden zich nog niet ingeschreven, hun oude adres was *Krahkampstrasse* in *Volmerswerth*. Ze bezaten een Porsche en een limousine van het merk Jaguar. Autofreaks. Het paar kwam niet voor in het politieregister: geen strafblad, geen overtredingen.

Verena Larue kwam de woonkamer binnen, in haar hand een reistas. De jonge vrouw had schone kleren aangetrokken. Lange rok, kousen, bloes, een jasje - teveel voor een warme zomeravond. De echtelieden bewaarden afstand tot elkaar. Van troost zoeken of geven was geen sprake.

Ela opende de glazen deur. De jonge vrouw liep naar haar toe.

'Waar wil je heen, Verena?' vroeg Larue.

Ela leende Thilo's autosleutels en zei: 'Naar het ziekenhuis.'

'Moet dat echt?'

Op weg naar het ziekenhuis dacht Ela aan Verena te merken dat ze blij was het huis te kunnen verlaten. Haar nieuwe huis - sinds deze zondagmiddag de plek van de ergste verschrikking van haar leven.

4

'Waarom trouwt ze niet met hem?' vroeg Leo aan de kleine.

Dani beet een stuk van zijn hamburger af, liet de ketchup van zijn kin druipen en antwoordde met volle mond: 'Thomas heeft ook een ex. Hij moet al zijn geld aan haar uitgeven. Hij zegt dat hij niet met mamma kan trouwen omdat wij op jouw poen zijn aangewezen. Daarom.'

'Dat noem je een duivelskring.'

'Wat?'

31

'Een kat die in zijn eigen staart bijt.'

Er liep een groep lawaaiige tieners voorbij. Aan het tafeltje naast hen zaten twee vrouwen boven hun milkshake geanimeerd te praten. Ze droegen jeans en felgekleurde topjes en hadden allebei haar tot op hun schouders. Leo schatte hen op begin twintig.

Dani vroeg: 'Gaan we volgende week zondag weer naar de pinguïns?'

'Als het weer net zo is als vandaag, kunnen we beter naar het buitenbad gaan.'

De tieners stonden in de rij voor de balie, het viel Leo op dat ze bijna allemaal rookten.

Zijn blik dwaalde weer naar de vrouwen aan het tafeltje naast hen. Die met haar rug naar hem toe was donkerblond met lichte strengetjes erdoorheen. De ander, die honingkleurig haar had, gebaarde met haar rechterhand waarin ze tevens een sigaret hield. Ze streek een lok van haar voorhoofd. Een moedervlek onder het linkeroog. Een gezicht dat niet beantwoordde aan welk gangbaar schoonheidsideaal dan ook, maar Leo bleef naar haar kijken tot ze zijn blik heel even beantwoordde.

'Of we gaan kanoën op de *Unterbacher See*', zei hij tegen Dani. 'Net als in *De laatste der Mohikanen*.'

Hij begreep zijn zoon niet. In plaats van zelf te bewegen, keek de jongen liever hoe de robben en pinguïns hun baantjes trokken in het betonnen bassin. De kleine was veel te tenger voor zijn leeftijd.

'Ik ben pas nog met Thomas naar het meer geweest', zei Dani. 'Thomas is een zeurmannetje.'

'Een wat?'

'Hij werkt op een kantoor.'

'O, je bedoelt een burgermannetje.'

'Jij zegt altijd dat wie naar kantoor gaat, een zeurmannetje is.'

'Nee, een burgermannetje, een saaie man.'

'Ik wil later geen zeurmannetje worden.' Zijn zoon dronk langzaam van zijn cola. Hij slikte luid, alsof er in zijn keel iets kantelde. Toen hij zijn glas neerzette, zat er nog bijna evenveel in als daarvoor.

Leo keek in de richting van de blondine en was ervan overtuigd dat zij net zomin van burgermannetjes hield als hij.

Dani vroeg: 'Heb je dienst vandaag?'

'Nee.'

'Waarom mag ik dan niet bij jou blijven slapen?'

'Dani, je weet dat dat niet gaat. Je moeder wil het niet.'

Leo besloot om ook de volgende zondag te doen wat Dani wilde. Met een bezoekregeling van acht uur per week mocht hij blij zijn dat de kleine hem nog pappa noemde. Weer naar de waterdierentuin dus.

Een blik op zijn pols: zeven uur. Brigitte of haar vriend kon elk moment opduiken voor de vreettent van McDonalds. Leo keek spiedend door de ramen: slechts een paar voorbijgangers, geen witte GTI te zien. Hij dacht na. Als Thomas de kleine afhaalde, betekende dat dat Brigitte naar Olli's verjaardagsfeestje ging.

Zijn zoontje schilderde met een stukje friet ketchupcirkels op het dienblad. Naar Leo's smaak veel te hard zei hij: 'Mamma heeft iemand aan de haak geslagen.'

Het meisje aan het tafeltje naast hen keek op en glimlachte.

Leo voelde hoe zijn pols sneller ging kloppen. Hij streek met zijn hand teder door de bezwete haren van zijn zoontje. 'Dat mag je niet zeggen, Dani. Anders zegt ze weer dat ik je dat heb ingefluisterd.'

'Maar jij hebt toch ook zelf gezegd dat ze iemand aan de haak heeft geslagen.'

Leo greep de kleverige hand van zijn tienjarige zoon. Een pienter kind dat, ondanks de scheiding, op school niet minder presteerde. Na de vakantie zou hij naar het gymnasium gaan. Slechte cijfers had hij alleen voor gymnastiek. Leo had tegen Brigitte gezegd dat ze Dani bij een voetbalclub moest opgeven. Ze luisterde niet naar hem.

'Pappa, je trilt.'

Leo trok zijn hand terug.

Van buiten klonk een kort getoeter. Dani gleed snel van zijn stoel en sloeg zijn armen om de rugzak met het Batman-teken. 'Kun je Thomas niet doodschieten, met zo'n precisiegeweer?'

Met het servet veegde Leo de kin van de jongen af.

'Ik mag nooit tv kijken. Niet eens naar *Star Trek*. Dat is niet eerlijk.'

Leo drukte hem tegen zich aan. Een kwetsbaar klein mensje, nauwelijks vlees op de botten. 'Denk aan de krokodillen. Die laten zich er ook niet onder krijgen. Waar of niet?'

'Waar.' Dani sperde zijn mond wijd open en hapte in de lucht alsof hij de gevaarlijkste van alle alligators was.

De honingblonde keek weer naar hen. Leo knipoogde terug. Wellicht gold haar glimlach niet alleen het lieve jongetje.

'Bij jou is het het leukst. Mamma en Thomas maken alleen maar ruzie.'

Ze wilde een burgermannetje - nu heeft ze er een, dacht Leo. Hij zei: 'Vergeet nooit dat pappa van je houdt.'

De kleine drukte een kus van ketchup en cola op zijn wang. De claxon, voor de tweede keer. Mijn auto, dacht Leo. Mijn kind.

Hij zag hoe Dani op een sukkeldrafje naar buiten liep en nog eenmaal naar hem zwaaide voor hij in de Golf GTI stapte. Een legale ontvoering.

Brigitte zat achter het stuur.

Een zwarte man kwam bij Leo's tafeltje staan en verzamelde het afval, op zijn hoofd een belachelijke papieren muts.

De twee vrouwen van het tafeltje ernaast waren opgestapt.

5

Vanuit het ziekenhuis reed Ela met de cabrio van Thilo naar het universiteitsterrein. De portier gaf haar de sleutelbos van de barak van het forensisch instituut.

Ze deed alle lichten aan en trok de baar met de dode Klara Niehaus uit de koelruimte. De oude vrouw was nu naakt, haar broekpak en ondergoed lagen slordig opgevouwen op haar onderbenen.

De vragenlijst op het formulier afwerkend had ze vijf minuten nodig om het lichaam te beschrijven. Op de heup ontdekte ze rode plekken die ze als zichtbare verwondingen kon interpreteren. De verklaring van Christoph Larue: *Ze renden de oude vrouw bijna omver.*

Als ze het woordje *bijna* wegliet, was het doodslag.

Ze belde de baas van RA11, haar directe chef. Ela's stem weerkaatste tegen de wit betegelde wanden toen ze de stand van zaken beschreef.

'Rustig', antwoordde Benedikt Engel. 'Die oude vrouw is en blijft een dode vogel.'

'Maar de hematomen op haar heup ...'

'Kan ze opgelopen hebben toen ze viel. De daders hebben hen beroofd en haar verkracht. Dat is duidelijk. Maar voor mishandeling met de dood tot gevolg heb je toch nauwelijks bewijs tegen hen. Zoals je me de zaak nu hebt beschreven, is die bij de 12de in goede handen.'

'Larue wilde geen aangifte doen. Hij wilde niet dat zijn vrouw onderzocht zou worden. Iets deugt er niet. Ik heb het gevoel dat ze hem op de een of andere manier de schuld geeft van wat er is gebeurd. En dan is er nog die zaak met het geld.'

'Welke zaak?'

'Hij zegt dat de dieven in de suikerpot in de keuken naar geld hebben gezocht. Zijn vrouw wist daarvoor niets van die die geheime plaats. Terwijl zij de huisvrouw is.'

'Waar wil je naartoe, Ela?'

'Ik weet het nog niet.'

Een ogenblik was het stil aan de andere kant van de lijn. Toen vroeg Engel: 'Hoe erg zijn de verwondingen van de vrouw?'

'Ze is verkracht. Is dat niet voldoende?'

'Niet alleen zaken met lijken vallen onder onze bevoegdheid. Ook zware mishandeling.'

Ela begreep het. 'Dank je, Ben.'

'Het is natuurlijk mogelijk dat de 12de de zaak toch wil hebben. Uiteindelijk beslist de groepschef dat.'

'Poetsch? Die gifkikker haat me.'

'Niet alleen jou. Ik zal het morgen in de vergadering van de recherchechefs ter sprake brengen. Misschien dat het nieuwe hoofd de gifkikker negeert. Het zou natuurlijk wel goed zijn als jij intussen iets tastbaars in handen zou hebben.'

Ela dacht na. Bij de databank en de geautomatiseerde dossieradministratie was op dit tijdstip niemand aanwezig, een vergelijking van dit delict met soortgelijke roof- en verkrachtingsgevallen zou pas morgen mogelijk zijn - te laat. Ook de rechercheafdelingen van de diverse districtsbureaus zouden haar pas morgen verder kunnen helpen met gegevens over informanten en andere zegslieden.

'Beloofd', zei ze.

'Daarmee zou je bij het hoofd van de recherche, Dresbach, nog meer punten kunnen verzamelen.'

'Ik doe het niet alleen daarom.'

'Natuurlijk niet.'

Ela schoof de dode terug in de koelruimte. Op enkele uitschuifbare leggers lagen vanwege plaatsgebrek twee lijken, naam en datum waren met viltstift op de witte bovenbenen aangebracht. Een verkoold slachtoffer van een brand lag in de daarvoor karakteristieke, gekromde houding.

Met haar telefoon in de hand, waaruit Mozart klonk, liep Ela door de roestvrijstalen deur terug de warmte in. Het was Thilo. 'Is mijn auto nog heel?' vroeg hij.

'Is er nog nieuws?'

'De lui van identificatiedienst denken dat ze een vingerafdruk hebben en een buurman beweert twee mannen te hebben gezien.'

'We zien elkaar bij de buurman. Ik ben er over een kwartier.'

'Op nummer elf. En rij voorzichtig. Ik heb mijn Fiat nog niet afbetaald.'

6

Een windvlaag joeg flarden rook van de barbecue naar hem toe. Leo zag de gastheer aan de andere kant van de tuin bier tappen. Olli was zijn bijnaam, op zijn legitimatiebewijs stond de naam Heinz-Dieter Olschweski. Zijn collega had gevraagd om een gift voor het maatschappelijk werk van de politie, maar Leo had toch maar een cadeautje gekocht. Hij drukte het platte pakje tegen zijn lichaam en zigzagde tussen de schare collega's en hun vrouwen door. Uit de twee boxen die Olli in de appelbomen had gehangen, klonk het jengelende geluid van een nummer van The Police. De lampions staken steeds feller af tegen de avondhemel, die in het westen oranjerood kleurde.

Heike Olschweski omhelsde Leo. 'Fijn, dat je gekomen bent. Sinds jullie uit elkaar zijn, zien we jullie zo weinig.'

'Is zij er ook?'

'Nee. Ze zegt dat ze jouw plezier niet wil bederven.'

'Plezier? Als die kleine op zondag bij haar in de auto stapt, is het gedaan met mijn plezier.'

'Jullie scheiding was een fout en dat weet Brigitte ook.'

'O ja?'

'Ik denk dat ze er alleen maar op wacht tot jij de eerste stap zet.'

'Bijvoorbeeld door te stoppen met mijn werk bij de ME?'

'Misschien zou je eens met haar moeten praten.'

'Je bent lief, Heike.'

Leo dacht aan de laatste vakantie met zijn vieren. Lange fietstochten in Death Valley, etappes van 80 kilometer door de woestijn van Californië. Zwaar benenwerk voor de mannen op de kale hoogvlakte tussen Amargosa en Panamint Range - de vrouwen reden vooruit met de camper. Het maakte niet uit in welke richting ze trapten, ze hadden altijd wind tegen. Hij had gehoopt dat hij alles even zou kunnen vergeten. Na die eindeloos lijkende klim naar Dante's View kwam het toen des te harder aan. De vrouwen serveerden vruchtensap en Isodrinks, 1.800 meter boven de zoutkorst van Bad Water - een grandioos uitzicht. In de verte schemerde Mount Whitney.

Heike en Olli waren steeds aan het zoenen en Brigitte praatte met Amerikaanse toeristen, terwijl Leo wachtte tot ze weer verder zouden gaan. Hij had zich nog nooit zo eenzaam gevoeld.

Ze hadden de reis geboekt toen hij nog niet vermoedde dat er tussen zijn vrouw en die Thomas iets gaande was. Later hield hij vast aan de reis omdat hij, net als Brigitte, te koppig was om de vakantie met hun beste vrienden te annuleren. De ergste twee weken van zijn leven - elke avond op de camping stond in het teken van Heikes bemiddelingspogingen.

Al twee dagen na hun terugkeer uit Amerika hadden ze een afspraak op de rechtbank.

Leo zei: 'Laat ze haar Tom maar naaien tot ze erbij neervalt.'

'Als jij niet zo koppig was geweest, zou het helemaal niet zover zijn gekomen', antwoordde Heike.

Leo merkte dat hij het pakje stond te kneden - het cadeaupapier was helemaal verfrommeld.

Olli moest het biervat al naar voren kiepen - het feest duurde al de hele middag. Leo feliciteerde hem en gaf hem het pakje.

Zijn maat scheurde het open - er kwam zwarte stof tevoorschijn, daarop een opdruk in politiegroen: *Wij doen ook huisbezoeken.*

Olli hield het T-shirt voor zijn buik en lachte zich rot. Hij trok het aan. Hij had binnen zijn team de meeste spiermassa - achter in de kleine tuin stond een schuurtje dat hij had omgebouwd tot zijn privésportschooltje.

'Wat wil je drinken?' vroeg Olli terwijl hij twee jeneverflessen uit een doos hengelde.

Leo koos voor sap en pakte het glas met zijn linkerhand aan.

'Hoe was het vrijdag bij de Raad voor de Kinderbescherming?'

'Het kind hoort bij de moeder, zeggen ze. Als vader ben je de lul. Ze hebben me behandeld als een kinderverkrachter.'

'Als je eens wilt praten, ik bedoel, je kunt altijd …'

'Dat weet ik. Dank je Olli.'

Leo ging de rest van de groep gedag zeggen. Op een handjevol mensen na kende hij iedereen. Leden van de Mobiele Eenheid vertelden zelfs niet aan hun buren bij welke afdeling van de politie ze werkten, met als gevolg dat ze ook in hun vrije tijd meestal onder elkaar waren. Die eenheid smeedde hen samen. En hoe gevaarlijker het werk, hoe onbesuisder de drankronde erna. De elitemanschappen waren de beste zuipers.

Leo bediende zich bij de barbecue. Rolf, een collega van het tweede team, sprak hem van opzij aan: 'Klopt het dat jij kort geleden een gegijzelde vrouw hebt omgelegd?'

'Ander onderwerp.'

'Oké. Zou je vandaag mijn dienst kunnen overnemen?'

Leo zag dat zijn collega al een beetje aangeschoten was en ging akkoord. De rest van de nacht in ruil voor hele aanstaande zondag. Hij zou met Dani naar de waterdierentuin kunnen gaan zonder bang te hoeven zijn opgeroepen te worden.

'Ik zal tegen de centrale zeggen dat ze onze diensten moeten omwisselen', zei Rolf en gaf zijn pieper aan Leo.

Ze hadden besloten Massimo te dopen terwijl De *Stones* het nummer *Saint of me* speelden. Massimo stribbelde tevergeefs tegen, hij - de jongen met het lange, zwarte haar en een Italiaanse vader - werd vastgehouden terwijl er uit diverse flessen sekt over hem werd uitgegoten.

Vrijdag was zijn proeftijd van drie maanden voorbij en het team had bepaald dat Massimo Buonaccorso mocht blijven. Ongeveer een derde van alle mensen die bij de Mobiele Eenheid wilde werken, doorstond de fitnessproeven niet of strandde tijdens de opleiding; weer een derde werd getroffen door een veto van de collega's. Alle elf medewerkers moesten de nieuweling zien zitten. Massimo was fit, schoot redelijk en ze hadden vooral het gevoel dat hij in het team paste. Ze noemden hem 'het kuiken'.

Het werd donker. Alleen in het westen was de hemel nog turkoois gekleurd; de uit de richting *Lohausen* binnenkomende vakantiejets weerkaatsten als vallende sterren het licht van de ondergaande zon.

Leo schatte zijn kansen bij de aanwezige vrouwen in en trok de conclusie dat bij elk van hen een collega hoorde. Het kuiken kwam naar hem toe, kleddernat, zijn arm om een vriendin. 'Ivana, ik wil je graag voorstellen aan Leo. Mijn grote voorbeeld.'

Massimo's vriendin was een opgetut kind met hoog opgestoken, gepermanent haar. Ze straalde, zo trots was ze op haar kerel, die gewichtig rondliep in een mouwloos T-shirt terwijl hij voortdurend zijn aan elkaar geplakte haren naar achteren streek. Leo moest er onwillekeurig aan denken dat hij net zo was geweest toen hij zo oud als het kuiken was. Het duurde drie jaar voor een nieuwe was uitgegroeid tot een volwaardig lid van de eenheid.

'Leo is onzer nummer één. Naast Adomeit is hij degene met de meeste ervaring in de hele Mobiele Eenheid.'

'Je vriend overdrijft een beetje, Ivana.'

'Heb je wel eens iemand moeten doodschieten?' vroeg ze.

'Aan de lopende band. De laatste keer was afgelopen donderdag.'

Het meisje staarde hem aan.

Massimo lachte. 'Dat was een oefening. Een doelwit, geen mens. Maar als het eropaan komt, moet een lid van de ME net zo makkelijk een mens kunnen doodschieten als zijn collega op straat een boete uitschrijft.'

'We streven ernaar', verklaarde Leo, 'een eind te maken aan een gevaarlijke situatie zonder dat het tot schieten komt.'

'Hij praat nu als een burgermannetje' zei Massimo. 'Maar eigenlijk is hij heel anders.'

Het meisje gaf het kuiken een arm. Ze leek volgens Leo een beetje op zijn ex toen die nog Ivana's leeftijd had. Brigitte was erg veranderd, dacht hij en dat was niet alleen een kwestie van leeftijd.

Olli ging rond met een fles bruine rum en vulde de glazen bij. Leo bedankte.

'Kom op, je hebt geen dienst.'

'Jawel. Ik heb geruild met Rolf.'

'Hoe is het met je hand?'

Zijn maat was de enige die hij in vertrouwen had genomen. Leo keek even om zich heen - er luisterde verder niemand. Hij stak zijn hand omhoog en spreidde zijn vingers. Het beven was bijna verdwenen. Het kwam en het ging.

Olli keek bezorgd.

'Ik drink een tijdje geen alcohol', zei Leo. 'Bij de volgende oefening schiet ik weer raak.'

'Natuurlijk.'

'En jij?' Leo maakte met zijn hand een drinkbeweging. Ook Olli was nuchter.

'Ook dienst', zei zijn maat. 'Ik heb zomaar het gevoel dat we er nog op uit mogen. De laatste tijd roepen ze voor elke scheet de ME op. En weet je wat zo misselijk is? Voor die heren van de recherche zijn wij altijd alleen maar de domme rambo's.'

'Maak je niet dik, Olli. Ze zijn alleen maar jaloers.'

'Op het zomerfeest in de vesting heb ik met zo'n trutje van de recherche gedanst. Ik heb haar verteld bij welke afdeling ik werk. Daarna zag ze me totaal niet meer staan, zelfs niet met haar kont.'

'Ze houden niet van ons, maar ze hebben ons nodig. De eik heeft toch geen jeuk ...'

'... als een zwijn zich ertegenaan schurkt. Je hebt gelijk, Leo.'

'Was het tenminste een lekker kontje?'

'Een tutje, een echt huppelkutje', grijnsde Olli en probeerde een danspasje.

Ze lachten en gingen bij Bertram Adomeit staan die met een paar mannen stond te praten over een *downhill race* waaraan de halve eenheid dit voorjaar had meegedaan. Adomeit gaf er hoog van op en beschreef hoe ze met meer dan tachtig kilometer per uur in de Franse Alpen op speciale, gehuurde fietsen over velden met losliggende stenen, over weilanden en modderig geworden bospaden het dal in waren gevlogen. Het hoogtepunt was natuurlijk het daaropvolgende feest geweest. 'Met biertjes in plaats van Isodrink', zei de commandochef terwijl hij op zijn nicotinekauwgum kauwde - sinds twee weken rookte hij niet meer.

Hij legde zijn arm om Leo's schouder. 'Weet je nog?'

'Waarom zou ik dat niet meer weten?'

Adomeit ontwaarde het kuiken en legde uit: 'Massastart op de Pic-Blanc-gletsjer op 3.300 meter hoogte. Dertig kilometer naar beneden, naar het dorp. Terwijl alle anderen afstapten en hun fiets voortduwden, raasde onze Leo voorbij alsof het om een gewoon landweggetje ging.'

Van de meer dan zeshonderd deelnemers was Leo vijfde geworden.

Adomeit vertelde: 'In Thüringen is een voormalige zoutmijn waar nu op duizend meter diepte wielerwedstrijden worden gehouden. Het zout is zo glad als ijs. Het is er donker als de nacht en je ziet alleen maar wat zich binnen het schijnsel van je voorlamp bevindt. Dat zou iets voor jou zijn, Leo.'

Mike, die zijn voorband op de Alpe d'Huez al na honderd meter door de scherpe stenen aan flarden had gereden, zei: 'Ze zouden bij de prestatietoets het schieten moeten vervangen door fietsen.'

'Laat hem met rust', antwoordde de commandoleider.

'Moeten we het daar nou weer over hebben?' vroeg Rolf, wiens pieper nu aan Leo's riem hing. Hij lalde een beetje.

Adomeit zei: 'Leo heeft last van stress ten gevolge van zijn echtscheiding. Wie dat nog niet mee heeft gemaakt, die staat het nog te wachten, jongens.'

Het irriteerde Leo dat iedereen over zijn echtscheiding praatte. Zijn collega's moesten hem wel een zacht ei vinden - dat hij zo snel de zenuwen kreeg van een relatiecrisis.

Massimo grijnsde alsof het onderwerp hem niet aanging. Zijn Ivana stond verderop bij de vrouwen. Een typisch ME-feestje: twee groepjes, gescheiden naar geslacht. En minstens de helft van de mannen was bezig flink zat te worden. Althans, iedereen die geen dienst had.

Mike vroeg: 'Hebben jullie gehoord wat er met Herbert aan de hand is?'

'Een motorongeluk', zei Olli. 'Die zit voortaan in een rolstoel, net als Stephen Hawking, maar dan zonder diens brein.'

Massimo zei: 'Ik zou mezelf liever doodschieten als ik er zo bij hing.'

Rolf schonk zichzelf nog eens in, verloor zijn evenwicht, stapte opzij en hervond zijn balans. 'Volig jaal leed'ie nog met ons op de motol dool de Eifel, weet je nog, Olli?'

'Bij het paragliden was hij ons allemaal de baas. Bij het surfen ook. Nu kan hij niet eens meer alleen eten.'

'Ik zou mezelf met mijn dienstwapen doodschieten', herhaalde het kuiken. 'Dan ben je tenminste iemand nog van nut als orgaandonor.'

Ook dit onderwerp beviel Leo niet.

Mike zei: 'Misschien kan hij zich nog laten pijpen.'

'Er schiet me een mop te binnen', zei een collega. 'Wat hebben het huwelijk en een wervelstorm met elkaar gemeen?'

De mannen wachtten op het antwoord.

'Het begint met zachtjes blazen en ten slotte is je huis weg.'

Het viel Leo op dat de gelukkig getrouwde stellen het hardst lachten. Hij had er spijt van dat hij met Rolf van dienst had geruild. Hij had zich nu graag een stuk in zijn kraag gedronken.

7

De buurman heette Danziger. Hij had 's middags tussen half vijf en half zes het gras in de voortuin gemaaid en de heggen water gegeven. Hij had gezien hoe twee onbekenden op nummer negen naar binnen waren gegaan en twintig minuten later weer vertrokken - kort voordat de politieauto's, de noodarts en rechercheurs van de meldkamer aan waren komen rijden.

Danziger bracht Ela en Thilo naar zijn terras. Op de tuintafel en vensterbanken stond een groot aantal windlichten te flakkeren. Mevrouw Danziger serveerde *Apfelsaftschorle*, appelsap met spuitwater, en haar man wilde zijn verklaring graag herhalen voor Ela. Hij was eigenaar van een kleine drukkerij. Hij vond het merkbaar spannend om getuige te zijn.

De mannen zouden uit de richting van de *Tiergartenstrasse* zijn komen lopen. Ze droegen spijkerbroeken en een kort hemd of T-shirt en verder sportschoenen, en waren volgens Danziger ongeveer halverwege de twintig. De grootste van de twee had iets gegeten dat eruit zag als een broodje en had het zakje op het trottoir gegooid. Lomp gedrag, vond Danziger - dat was dan ook de reden waarom hij zich de twee mannen herinnerde toen Thilo bij hem aanbelde. De tweede man had een kale kop. De eigenaar van de drukkerij schatte de milieuvervuiler op één meter tachtig, de kale op één zeventig.

Ela stond op, liep drie passen naar achteren en vroeg: 'Hoe lang ben ik?'

'Eén zesenzestig.'

Hij zat er één centimeter naast. 'Is u aan die twee nog iets opgevallen?'

Danziger aarzelde.

'Hadden ze iets bij zich toen ze naar buiten kwamen?'

'Die ene had iets zwarts in zijn hand, een opgerolde trui of zoiets. Ook al toen ze naar binnen gingen.'

De mutsen, dacht Ela. Met daarin hun wapens gewikkeld. Het afgezaagde geweer had een inklapbare kolf of het handvat van een pistool in plaats van een kolf. Dan paste het.

'En verder?' vroeg ze.

'Ze hadden haast om bij hun auto te komen.'

Thilo vroeg: 'Hebt u de auto dan gezien?'

'Nee, maar de kleinste van de twee had een sleutel in zijn hand. Ik dacht dat het een autosleutel was.'

Ela dacht na. Veel konden de daders dus niet hebben meegenomen. Niet meer dan je in een broekzak kon steken of in die wollen mutsen kon wikkelen. Mogelijk inderdaad alleen het geld uit de suikerpot.

Ze vroeg: 'Wat dacht u dat ze hiernaast gingen doen?'

'Ik dacht, misschien gaan ze op bezoek bij dat echtpaar dat een paar dagen geleden hier is komen wonen.'

'Waarom bij de familie Larue?'

'In het weekend is het hier rustig, op de wandelaars in het park van de dierentuin na zie je hier geen vreemden. Behalve dat nieuwe echtpaar, wonen op nummer negen alleen oudere mensen en daarvan ken ik de kinderen. Aan inbrekers heb ik in ieder geval niet gedacht, want ze hebben aangebeld. Iemand moet de deur voor hen hebben opengedaan.'

Ela bedankte Danziger en maakte een afspraak om zijn verklaring schriftelijk vast te leggen.

Naar het broodzakje hoefden ze niet lang te zoeken. Het was van wit papier met een langwerpig venster van cellofaan. Geen reclameopdruk en ook geen tekst. Thilo haalde de polaroidcamera en een sporenzakje uit zijn auto. Ela was blij dat hij niet langer over het werk zat te mekkeren.

Ze duwde tegen de huisdeur - die was op slot. Op de eerste verdieping schemerde licht door de gordijnen, Larue was op dit moment vermoedelijk alleen. Zijn vrouw bracht de nacht door in het ziekenhuis.

Ela vroeg: 'Waarom heeft hij de daders binnengelaten?'

Thilo richtte zijn camera op het zakje. Het flitste, daarna antwoordde hij: 'Hij zegt dat hij op de meubelmaker wachtte die een inbouwkast voor de rommelkamer zou komen afleveren.'

'Op zondag?'

'We zijn op weg naar de 24-uursmaatschappij.'

'We moeten de verklaring van de meubelmaker controleren.'

'Je gelooft toch niet dat Larue de daders kende?'

'Geloven is iets voor kleine kinderen en voor mensen die er bijna mee kappen.'

'Het is dat je het zegt.' Haar collega bekeek de foto, deed een stap verder naar achteren en drukte nog een keer af.

'Ik sluit voorlopig niets uit.'

'Oké, is al goed.'

'Waarom ben je zo lichtgeraakt, Thilo?'

'Je praat al helemaal als een afdelingschef. Ik had gehoopt dat vrouwelijke chefs anders zouden zijn.'

Ela bekeek het belbord. Naast de naambordjes staarden haar twee ogen aan. Het ene was een lampje, het andere een groothoeklens. 'Wat denk je', vroeg ze, 'neemt dat ding ook iets op?'

'Nee. Het projecteert alleen maar een beeld op de monitor in de woning. *Geloof* ik tenminste.' Thilo schoof het papier van het broodje in het sporenzakje waarvoor hij de zijkant van een van de polaroidfoto's gebruikte.

Ela's mobieltje ging over. Er meldde zich een vrouw met een naam die haar aanvankelijk niets zei.

'Het spijt me erg maar ze hebben de reportage vanavond uitgezonden zonder mij ervan op de hoogte te stellen. De redactie heeft dat op korte termijn beslist. Als freelancer hoor ik dat niet altijd vooraf.'

'De verslaggeefster van de *WDR* - Ela herinnerde zich dat ze de vrouw het nummer van haar mobiele telefoon had gegeven. 'Verdorie', antwoordde ze. 'Ik had de film graag gezien.'

'Daarom bel ik. Hij wordt herhaald. Vannacht om één uur en morgenmiddag om twee uur.'

Ela nam zich voor de videorecorder te programmeren.

'Hoe staat het met de carrière?' vroeg de vrouw van de tv.

Ela keek achterom naar Thilo. Haar collega schreef iets op een etiket en plakte dat op het zakje met het broodpapier. 'Duim maar voor me. En bij u?'

'Misschien ga ik binnenkort *Die Aktuelle Stunde* presenteren. De hoofdredacteur is op zoek naar nieuwe gezichten.'

'Gefeliciteerd.'

'Het is nog niet helemaal in kannen en kruiken. Nog hartelijk bedankt voor uw medewerking.'

Ela maakte een eind aan het gesprek en liep terug naar Thilo.

'Wat zegt het broodzakje je?' vroeg ze.

'Dat we het naar het sporenlab moeten brengen en er daarna mee ophouden.'

'Wat nog meer?'

'Dat ik verschrikkelijke honger heb. Laten we eindelijk wat gaan eten.'

'Goed. We zoeken een stalletje of een benzinestation waar we een sandwich kunnen krijgen die net zo verpakt is. Jij rijdt. Nieuwe auto's maken me nerveus.'

Ze doorkruisten de wijk zonder een stalletje te vinden, kwamen bij de *Brehmstrasse* en besloten in noordelijke richting te rijden. Cafés en kroegen op straathoeken regen zich aaneen met de donkere ramen van wasserettes en loketten voor het inleveren van lottoformulieren.

'Tabakskiosk', las Thilo, maar Ela liet hem doorrijden tot een benzinestation dat vlak voor het *Mörsenbroicher Ei* aan de linkerkant van de weg in het neonlicht baadde.

Terwijl Thilo tankte, bekeek Ela het assortiment in de shop. Zo zou het geweest kunnen zijn, dacht ze: de bestuurder zorgde voor de benzine terwijl de ander van de pauze gebruik maakte om zijn honger te stillen. Het desbetreffende benzinestation kon niet ver van de *Faunastrasse* af zijn, anders had hij de sandwich niet pas voor de deur opgegeten.

Tijdschriften, houtskool, kratjes bier. Rekken met frisdrank, chocoladerepen, knabbelspul. In het onderste vak belegde broodjes, kaas en salami met een slablaadje, augurk en een schijfje tomaat.

Dezelfde verpakking. Papier met een venster waar je doorheen kon kijken.

Ela koos van elke soort een broodje als vergelijkingsmateriaal voor het laboratorium. Toen zag ze dat de zakjes beschreven waren. Iemand had met een viltstift de prijs op het papier gezet. Geen enkel zakje was zonder opschrift - in tegenstelling tot het zakje dat zij hadden gevonden.

Ela ging naar de kassa en liet haar politielegitimatie zien.

'Schrijft u op elk zakje de prijs?'

'Dat is toch verplicht. Wettelijk voorgeschreven', zei de man aan de kassa met een Berlijns accent, een vriendelijk heerschap met grijs gemêleerd haar, een bierbuik en een weelderige snor.

Ela legde hem uit dat het haar niet te doen was om de controle op de prijsaanduiding. De man gaf toe dat hij er pas 's avonds aan toe was gekomen om de prijs op de zakjes te schrijven.

Ela beschreef de gezochte mannen - hij kon zich hen niet herinneren. Ze moest ineens denken aan het cameraoog bij de deur van *Faunastrasse* negen. 'Hebt u hier in de winkel videobewaking?'

'Natuurlijk. Sinds de overvallen van twee jaar geleden heeft, geloof ik, iedereen in de stad dat wel.'

Ze vroeg hem haar het opname-apparaat te laten zien. Een band zonder einde, telkens als hij verder liep, werd het vorige gewist. De daders moesten er tegen vijven zijn geweest, nu was het bijna half tien. En er pasten maar vier uur op de band. Je zou er wanhopig van worden.

Toch brak Ela de video-opname af en drukte op de play-toets.

Wat ze op het beeldscherm zag, deed haar hart sneller kloppen.

Stilstaande beelden. Om de twee seconden versprong de camera. Rechts onderaan een ander tijdstip dan verwacht: 06.14.10 ... 06.14.20 ... 06.14.30. De perioden daartussen waren niet opgenomen, de capaciteit van de band was daardoor met het vijfvoudige toegenomen. Ela spoelde door. Toen de tijd op 16.00.00 stond, haalde ze Thilo erbij.

Ze staarden in de shop van het benzinestation naar de beelden die elkaar in sneltempo opvolgden. Mensen sprongen over het beeldscherm, doken op en verdwenen weer. Toen er drie kwartier van de versnelde weergave voorbij was, had Ela brandende ogen; ze begon zo langzamerhand de hoop op te geven dat ze de mannen zouden ontdekken.

Plotseling ging een man rechts achterin op zijn hurken zitten en zocht iets. Ela drukte op de pauzetoets, het beeld bleef stilstaan.

Raak, 16.50.20. Op die plek lagen de broodjes.

Verder, tien seconden later: de leeftijd klopte. Een beetje dikke kerel van ongeveer één meter tachtig. Hij had gevonden wat hij wou en keek om zich heen - helaas kon je zijn gezicht niet zien. 16.50.40. Ook de kleinste van de twee was nu de winkel in gekomen. Zijn kale hoofd viel op. 16.50.50. Alleen de langste was te zien. In de schaduw van de winkelrekken. Een onduidelijk profiel.

Het volgende beeld - het werd steeds duidelijker. De kale stond nu bij de kassa. Hij had de zakjes overgenomen en betaalde. Hij was duidelijk de baas.

Daarna - het beeld kon niet beter - 16.51.10: de kleinste wachtte op het wisselgeld. Hij keek bijna recht in de camera. Een sluw type, de hoekige schedel kaalgeschoren, een dun baardje omlijstte zijn kin als een 'U'. IJdel, dacht Ela. Halverwege de twintig.

Het beeld versprong, de mannen waren weg. Geen getreuzel - die twee wisten wat ze wilden. Ela noteerde het tijdstip.

De man achter de kassa kende hen niet.

Ela en Thilo namen de band en nog meer broodjes in beslag - vergelijkingsmateriaal. Twee ervan aten ze op tijdens de rit terug naar de *Faunastrasse*.

Danziger werkte ondanks het late uur mee. Hij zapte de show van Sabine Christiansen weg, drukte op de toets van het videokanaal en legde de band in de recorder.

'Ja', zei hij. Zonder lang na te denken.

'Zeker weten?'

'Waterdicht.'

'En behalve deze mannen is tussen vijf en half zes niemand het huis hiernaast in- of uitgegaan?'

'Niemand', antwoordde de eigenaar van de drukkerij. 'Als ik zeg waterdicht, dan is het waterdicht.'

In het laboratorium van de vesting aan de *Jürgensplatz* vonden ze de medewerker van de identificatiedienst temidden van tientallen sporenkaarten en in beslag genomen bewijsstukken in folie. Het was inmiddels twintig over elf.

'Hoe gaat het?' vroeg de sporenman toen hij Ela herkende.

Ze legde de video, het weggegooide zakje en het laatste niet opgegeten bewijsmateriaal op tafel en vertelde wat zij en Thilo de laatste uren aan feiten hadden verzameld.

De sporendeskundige wikkelde het broodje uit het papier en beet erin. 'Aardig, dat jullie aan me gedacht hebben', zei hij met volle mond.

'Mijn collega zegt dat jullie een vingerafdruk hebben gevonden.'

'Ja en nee. Het lijkt wel alsof de daders een laagje was op hun handen hebben gesmeerd. Skiërs gebruiken dat spul om hun ski's beter te laten glijden. Het maakt de lijnen in de huid onzichtbaar. Die ene heeft het spul niet goed aangebracht. Ik heb een rechterpink gevonden waarop je nog kunt zien hoe de lijnen lopen. En een onvolledige afdruk op een van de glasscherven van de suikerpot, die ik zichtbaar heb kunnen maken met cyanacrylaat.'

'Dat is toch prima.'

'Nee', zei de expert terwijl hij een vergroting omhoog hield. Nauwelijks zichtbare lijnen, op zes plaatsen gemarkeerd met een rode viltstift. 'Geen volledig patroon en te weinig details. Het is voldoende om de huiseigenaar en zijn vrouw uit te sluiten, maar niet voor een daderidentificatie die voor de rechtbank standhoudt.'

'Misschien zit hier meer op.' Ela gaf hem de zak met het lege papieren zakje.

De sporenman hield het tegen het licht. 'Ik zal het proberen met jodiumpoeder.'

'Verder zouden we graag een videoprint willen hebben.'

'Nu?'

Ela knikte.

'Als dat kan', deed Thilo ook een duit in het zakje - eindelijk was ook zijn ambitie gewekt.

'Kom maar mee', zei de man.

Het was vijf minuten voor één toen Ela in de wijk *Mörsenbroich* tegen de deur van een kroeg duwde. Gesloten. Binnen brandde nog licht. Ela klopte.

'De meeste cafés in deze omgeving gaan nu dicht', zei de collega die Ela vergezelde. 'We komen zo langzamerhand in tijdnood.'

Ela hoorde iemand aan komen sloffen, achter het melkglas van de ingang tekende zich een silhouet af.

'Slecht beveiligd', zei haar collega van de surveillancedienst van districtsbureau Noordoost, waarbij hij op de deur van de kroeg wees.

'Gesloten', kwam van binnen een vrouwenstem.

'Politie!' riep Ela.

Het geluid van een sleutel in het slot, een mollige vrouw van rond de zestig deed open. Ze leek enigszins aangeschoten. Ela had de holster met het wapen uit haar rugzak gehaald en aan de riem van haar shorts bevestigd. De vrouw staarde er geïrriteerd naar.

'Mogen we binnenkomen?'

'Ja, als u het kort houdt. Ik heb mijn slaap nodig. Moet over vijf uur weer op de been zijn.'

'Ik ook.' Ela liet haar een afdruk van de video-opname zien. Thilo en zeven andere medewerkers van het bureau *Goethestrasse* deden op dat moment hetzelfde: met die uitdraai langs kroegen en cafés tussen *Düsseltal* en *Lichtenbroich* leuren.' Een van haar collega's, een wijkagent, was de kale met het ringbaardje vaag bekend voorgekomen - Ela voelde dat ze goed zat. 'Kent u deze man?'

De grootste van de twee. Hij had zich een halve stap van de stelling met broodjes verwijderd, het licht in; met een beetje fantasie en goede wil kon je zijn gelaatstrekken uit het profiel opmaken.

'Heppu geen betere foto?'

De andere afdruk. De kleinste: haarscherp en face.

'Hm. Stamgast is ie niet. Wat drinken?'

Ela keek op de klok, daarna naar haar collega. Die scheen te aarzelen. Ela bestelde water.

De kroegbazin sloot de deur af en goot twee glazen vol. 'Wat heeft ie uitgevreten?'

'Hij komt hier dus over de vloer?'

'Af en toe. Hij noemt zich Dirk en werkt als bodyguard. Hangt graag de grote bink uit, die kleine.'

De mobilofoon die haar collega bij zich droeg, kraakte en ruiste. 'Düssel achtenveertig aan RA11, achtenveertig aan RA11.'

Het krakende geluid uit de ether was nog net te verstaan: 'Hebben een tip die leidt naar een zekere Matysek in *Rath*. Adres bekend.'

'Voornaam?' vroeg Ela.

'Dirk.'

Bingo, zou Engel zeggen. Het geknetter werd luider. Toen hoorde ze haar collega vragen: 'Zullen we er heen gaan?'

Ela riep: 'Nee, die man is gewapend en misschien is zijn handlanger bij hem. Een zaak voor de ME. We stoppen met het aflopen van cafés en zien elkaar op het bureau van *Rath*. Geen zwaailicht, geen sirene.'

Ze gaf het apparaat terug aan haar geüniformeerde collega en bedankte de kroegbazin. Ongeduldig wachtte ze tot de dikke vrouw de deur weer van het slot had gehaald.

Acht uur nadat er een ernstig geweldsdelict was gepleegd, had ze naam en adres van een van de twee daders opgespoord. De zaak was al een heel eind opgelost. Zonder hulp van allerlei instanties. Zonder hulp van haar chef.

8

Leo had een klein uurtje geslapen toen hij gewekt werd door zijn pieper. Hij keek op het display: 1.43 uur, daarboven een doorlopende tekst: *actie - meteen naar bureau komen - actie – meteen naar ...*

Hij dwong zichzelf op te staan, kleedde zich aan en stak zijn P226 bij zich. Hij strompelde de trap af met stijve spieren die hem nauwelijks gehoorzaamden en liep naar zijn auto. Een tweedehands Ford Fiesta vol deuken, gekocht na zijn scheiding. Leo vond het vreselijk dat hij zich geen betrouwbaardere en snellere kar kon veroorloven.

Hij zette het zwaailicht op het dak en scheurde weg met het raam open, zodat hij wakker werd. De zuidelijke ringweg, de *Völklinger Strasse*, de tunnel onder de Rijnoever. Weinig verkeer. Leo haalde het uiterste uit het vehikel.

Hoewel aan het eind van de tunnel het stoplicht op rood stond, reed Leo voorzichtig de kruising over. Twee campagnemedewerkers van een politieke partij hingen verkiezingsposters aan een lichtmast en volgden met verbaasde blik de auto.

Uit de richting van de afslag *Hofgarten* sloeg een surveillance-wagen de *Uferstrasse* in. De agenten kregen Leo in het oog, gingen voor hem rijden en zwaaiden met het stopbord. Leo stopte achter de auto met de bekende kleuren.

Een agent in uniform kwam naast zijn portier staan.

Leo liet zijn legitimatiebewijs zien. 'Mobiele Eenheid. Ben opgeroepen.'

'In orde.'

De agent rende terug. Leo zwaaide naar de campagnemedewerkers - jonge mannen met netjes gekamde haren. Op de posters leuzen van de Groenen.

Met sirene en piepende banden verhoogde de surveillancewagen zijn snelheid. Leo's Fiesta had moeite hem bij te houden.

In een persoonlijk record bereikte hij de parkeerplaats van de afdeling aan de *Kieshecker Weg*, midden op het industrieterrein, dat grensde aan de luchthaven. Met een korte druk op de claxon nam Leo afscheid van de groen-witte Vectra.

Alleen de collega's die in het noorden van Düsseldorf woonden, waren er al. De poort stond open, er brandde licht op de eerste etage. Over de binnenplaats liepen mannen met gepakte ME-tassen, de eerste politieauto's werden gestart.

Leo's spieren waren nog steeds stijf, alsof ze geforceerd of onderkoeld waren. Op de trap haalde Olli hem in - zijn maat droeg nog het T-shirt dat Leo hem cadeau had gedaan. Hij rook naar barbecue.

'Motorfietszaak, wedden?' zei Olli - de uitdrukking voor situaties die ook door een motorpatrouille zouden kunnen worden opgelost. 'Zijn we er vroeger ooit zo vaak op uit gestuurd? Alleen maar omdat de een of andere chef het van angst in zijn broek doet, moet ik op mijn verjaardag aan het werk.'

. Leo pakte zijn tas van de kast en liep achter Olli aan.

'Je was gísteren jarig.'

'Wat maakt dat nou uit.'

'Leve het avontuur. Bedenk hoe vervelend een kantoorbaan zou zijn.'

'Ik bedenk hoe fijn het nu bij Heike in bed zou zijn.'

Op de binnenplaats gaf Adomeit de eerste informatie over de situatie: 'Er zijn aanwijzingen van RA11 over een gewapende dader die bij een roofoverval betrokken zou zijn geweest. Hij heet Matysek, voornaam Dirk en woont in *Rath* in een huis waar ook anderen wonen. Ik hoop dat hij slaapt als we komen.'

Hij werd onderbroken door de wagen met het materieel, een Mercedes bestelwagen met ingebouwde kasten. De uitlaat stootte een wolk roet uit, de 7,49 ton zware wagen reed rammelend weg.

'Klaus en Mike, Massimo en Bruno, jullie verkennen de boel en kunnen al vertrekken. Vergeet je nachtkijkers niet. De anderen zien elkaar op het bureau in *Rath* voor hun uitrusting.'

Leo stapte bij Olli in een BMW. Zijn collega startte de auto.

'Dit is toch geen zaak voor de motorpatrouille', zei Leo en controleerde zijn pistool. Hij nam het magazijn eruit, haalde de trekker over, schoof het magazijn er weer in, herhaalde dit en ontspande hem. Er zat nu één patroon in de loop; negen-millimetermunitie met een holle scherpe punt die bijzonder gemakkelijk van vorm veranderde en lelijke gaten kon maken. Geen dader die na geraakt te zijn, verder kon lopen. Alleen de ME mocht zulke munitie gebruiken.

Leo merkte dat Olli telkens naar hem keek. 'Wat is er?' vroeg hij.

'Brigitte heeft gebeld.'

'Ga jij nu ook al de bemiddelaar spelen?'

'Ze zegt dat jij Dani tegen haar hebt opgezet.'

'Hij mag bij haar niet eens naar *Star Trek* kijken.'

'Jullie moeten echt eens met elkaar praten. Dat gekibbel heeft toch geen zin.'

'Ik heb het geprobeerd, dat weet je.'

'*Wij* hebben het geprobeerd, Heike en ik. Jullie hebben de hele tijd dwarsgelegen.'

'Je hebt gelijk, Olli. Dat gekibbel heeft geen zin. En dat is precies waarom ik niet meer praat met die vrouw. Basta.'

Zijn maat liet de auto uitrijden - ze waren bij het bureau aangekomen.

Op de parkeerplaats van supermarktketen *Otto Mess* trokken ze hun uitrusting aan: overall, vest, laarzen, masker en handschoenen.

Leo zweette - het was deze nacht nog ruim twintig graden.

Hij zag Adomeit met een paar medewerkers van districtsbureau Noordoost bij elkaar staan, onder wie een kippetje in burger dat zenuwachtig sigaretten stond te roken: de rechercheur van Moordzaken die de aanzet tot deze actie had gegeven. Ze droeg een nauwe korte broek en was van boven dusdanig aan de maat dat ze er zeker van kon zijn dat ze gezien werd. De laatste tijd wilden vrouwelijke collega's niet langer als kippetjes worden aangeduid. Terwijl ze toch wisten waaraan ze begonnen toen ze bij de politie solliciteerden.

De commandoleider sprak in zijn mobiele telefoon. Leo kende het verloop. De jongens die op verkenning gingen, hadden hun burgerkleding aangehouden. Ze onderzochten het huis en de omgeving, keken bij de naambordjes op het belbord om te zien of er een Duitse naam bijstond, of belden aan bij een buurman die hen kon opendoen en inlichtingen kon geven over de precieze situering van de woning van de dader, voor het geval er geen naambordjes op de voordeur zaten. Adomeit gaf de naam van de buurman door aan het hoofdbureau waar de gegevens werden gecontroleerd. Als de buurman geen strafblad had, belde de centrale hem op en liet hem op 110 terugbellen, zodat de man er op zijn beurt zeker van kon zijn dat hij met de politie te maken had en niet met de een of andere grappenmaker.

De bij dit soort acties verplichte ambulance kwam aanrijden.

Leo dacht aan het kuiken. Het was Massimo's eerste echte actie. Leo was ook als verspieder begonnen voor hij zich had opgewerkt tot nummer één.

De groep was er nu klaar voor - elke man een volledig bewapende vechtmachine. Elke stap, elke handeling, elk schot ontelbare malen geoefend. Ze waren helemaal in het grijs, als het asfalt. Alleen aan de grote letters die met klittenband op de rug van hun vest waren bevestigd, kon je zien aan welke kant ze stonden: *POLITIE*.

Adomeit verzamelde de mannen om zich heen en stopte nog een Nicotinell kauwgumpje in zijn mond. 'Ons doel ligt aan de straatkant, nog geen minuut rijden hier vandaan. De ingang is op zes uur. Op negen uur een ander, direct aangrenzend pand. Op twaalf uur een achteruitgang met tuin. Op drie uur een binnenplaats met voorraden van een fabriek van betonnen prefab-onderdelen. De woning ligt aan de negen-uur-zijde op de eerste etage. Geen lichtkogels. Jullie pakken hem voor hij helemaal wakker is.'

De mannen zetten hun helm op en stapten in een in neutrale kleur gespoten wagen voor het vervoer van manschappen. Leo voelde hoe de adrenaline begon stromen - de kick waar hij voor leefde.

Over de luidspreker in zijn helm volgde hij de berichten van de verkenners: 'Toegangsdeur van hout. Lichte bouw. Geen geluiden in de woning.'

'Vanaf zes uur geen licht te zien.'

'Vanaf twaalf uur ook niet.' Dat was Massimo's stem. Het kuiken zat dus op de uitkijk in de tuin om de vluchtweg af te snijden. Maar zover zou de verdachte alleen maar komen als een van de anderen een fout maakte.

Leo sprong als eerste uit de wagen. De buitendeur was niet afgesloten. Ze renden de trap op tot aan de linkerhuisdeur op de eerste verdieping. Charly droeg de ram. Leo posteerde zich naast hem, zijn wapen en lamp in de aanslag. Olli en drie andere mannen stonden op de treden onder hen en hielden hun machinepistool op de deur gericht. Op de lopen waren surefire-lampen gemonteerd - de halogeen lichtbundels smolten op de deur samen tot één vlek.

'De ram', zei Leo.

Charly ramde de deur, die met hevig gekraak opensprong en waarbij de splinters in het rond vlogen. Leo liep snel naar binnen, twee kamers waar niemand was, een derde kamerdeur was dicht. Leo trapte hem in, richtte zijn pistool op een bed en schreeuwde: 'POLITIE! NIET BEWEGEN!'

Achter hem stond Olli hem bij te lichten.

Een ouder paar keek hen met knipperende ogen aan.

Leo voelde hoe zijn T-shirt, dat kletsnat was van het zweet, onder de overall tegen zijn huid plakte. 'Waar woont Matysek?'

Zonder iets te zeggen wezen de beide oudjes naar de muur.

In de ingebouwde luidsprekers klonk het krakende geluid van collega's die door elkaar heen riepen. 'Verkeerde woning! Verdomme! Wie zei er negen uur?'

Leo rende het trappenhuis in en schreeuwde: 'Waar is de ram?'
Hij liet Charly de juiste huisdeur inslaan en liep naar binnen.
Maar één kamer, een omgewoeld bed. Het raam stond open, de
tocht deed het gordijn opbollen, buiten renden voetstappen over
een zinken dak.

Leo vloog naar het raam. Voor hem het dak van de garage, daarachter de binnenplaats van de fabriek. Vaag kon hij betonnen buizen
onderscheiden. Grote, kleine, kriskras door elkaar. Ergens knerpten
voetstappen op grind.

'Hij is weg', meldde Leo in de microfoon bij zijn strottenhoofd.

'Er achteraan', antwoordde Adomeit. 'Twee schutters met machine-pistolen blijven op het dak en geven vuurdekking. De anderen
vormen een ketting. De verkenners houden het fabrieksterrein van
buitenaf in de gaten. Massimo blijft waar hij is en bewaakt de schutting om de tuin.'

Vier mannen sprongen van het zinken dak, verspreidden zich op
een rij en zochten dekking. Leo bleef aan de linkerkant, de volgende in de rij was Olli.

De betonnen onderdelen boden elke meter wel een mogelijkheid
om je te verbergen. Voor Leo lag een rij rioolbuizen, te klein om
doorheen te rennen, maar groot genoeg om je erin te verstoppen.
Hij keek de een na de ander na - leeg.

Hij leunde tegen het ruwe beton en ademde diep in, vervolgens
kruiste hij zijn polsen en zocht met zijn lamp en getrokken wapen
de omgeving af.

Leo schrok. De lichtvlek ging heen en weer, hij kon hem niet
stilhouden. Hij beefde als een bibberige oude man. Hij tilde zijn
rechterhand op, zodat het beven ervan niet op zijn linker zou overgaan. De lichtvlek kwam tot rust - de hand met het wapen bleef
trillen.

'Van boven wat te zien?' vroeg hij zachtjes in de microfoon. In
zijn helm hoorde hij het eenmaal klikken - het teken voor nee.

Leo gaf instructie: 'Ketting oprukken richting twaalf uur. Voorzichtig. Hij mag niet achter ons terechtkomen.'

Buis voor buis werkten de mannen zich naar voren.

Leo wilde Olli niet uit het oog verliezen. Ze moesten elkaar niet per ongeluk voor de verdachte aanzien. Verscheidene keren hoorde Leo het grind knerpen zonder de man te kunnen lokaliseren. Aan zijn linkerhand was nu de schutting, voor hem verrees een container van oranje staal.

'Ik kom naar jullie toe.' Dat was de stem van Massimo.

'Nee', antwoordde Leo.

Hij liep om de container heen. Steeds bleef hij even staan om te luisteren. Doelloos, zo leek het, flitsten er lichten over het terrein. Verder naar rechts was het lichter dan hier, de lantaarns in de zijstraat schenen over de muur.

Leo begreep dat de dader in het donker zou blijven. Aan zijn kant.

'Ik heb iets gezien', zei een stem in de ingebouwde luidsprekers. Een van de schutters met een machinepistool op het dak van de garage. 'Aan de negen-uur-kant.'

Leo kroop naar voren en spiedde voorzichtig om de rand van de volgende buis - niets.

Plotseling knalde er een schot, dat op het beton afketste en langs Leo's oor zoefde. Hij wierp zich op de grond. Zijn pols ging tekeer.

Hij draaide zich om. Op een afstand van hoogstens acht meter stond de gezochte kale man gespannen af te wachten: een wat klein uitgevallen jong ventje, maar zijn geringe lichaamslengte werd meer dan goedgemaakt door het pistool dat hij op Leo richtte.

De collega's op het dak konden de man niet zien, hij werd afgeschermd door de oranje container. De loop van zijn pistool was verdomd lang - Leo kon alleen maar hopen dat de kracht van het schot niet voldoende zou zijn om zijn kogelvrije vest te doorboren.

Hij bracht zijn P226 omhoog - en aarzelde.

Een gestalte in lichte burgerkleding sprong van de container en wierp zich op de dader. De twee rolden over het grind. Leo herkende het kuiken - tegen zijn bevel in was zijn jonge collega over de schutting geklommen. Er rolde een wapen over de kiezels, een P226. Matysek had het kuiken ontwapend.

Leo richtte zijn wapen op Matysek.

De dader gebruikte Massimo als dekking, waarbij hij zijn wapen tegen de slaap van de jongen hield. De man leek zenuwachtig.

57

Hij kon elk moment doordraaien en gaan schieten.

Leo had geen keus. Hij nam de kale kop in het vizier en schoot. Wat er op dat moment gebeurde, zou Leo zijn leven lang niet meer vergeten.

Het kuiken zakte in elkaar en Matysek holde weg, Leo schoot nogmaals, maar miste. De dader sprong tegen de schutting op, werkte zich eroverheen de nu onbewaakte tuin in.

Leo rende naar de container. Zijn jonge collega lag gekromd op het grind. Onder zijn overhemd droeg hij een licht, kraagloos kogelvrij vest. Dat had geen nut gehad - Leo's kogel was boven de rand van het vest door het sleutelbeen gegaan en de borst van de jongen binnengedrongen.

'Hebben jullie hem?' klonk de stem van Adomeit over de radio.

Leo riep: 'We hebben een dokter nodig! Massimo is gewond, kogel in zijn long!'

Adomeit vloekte.

In de luidsprekers brak chaos uit.

Dat Massimo hoestte, gaf Leo een sprankje hoop. Hij trok het slappe bovenlichaam van de jongen omhoog en stutte het tegen de container - misschien zou de andere long nog lucht krijgen. Hij rukte de helm van zijn hoofd en sprak op Massimo in. Het kuiken mocht niet buiten bewustzijn raken.

Het hoofd van Massimo zakte naar voren, Leo hield het vast en schreeuwde tegen de jongen: 'Idioot die je bent! Waarom ben je over de schutting geklommen?'

Het kuiken hoestte weer waarbij er bloederig schuim uit zijn mond kwam. Zijn stem was nauwelijks te verstaan: 'Hebben jullie 'm?'

Daarna begonnen zijn oogleden te trillen, het koude zweet stond op zijn voorhoofd. Leo gaf Massimo klappen op zijn wangen. Hij scheurde zijn hemd open, pelde de jongen uit zijn vest. Leo hoorde hem iets mompelen en was tegelijkertijd bang dat hij zich dat alleen maar inbeeldde.

Olli kwam erbij, kort daarna waren ze omringd door het hele team. De dokter, twee broeders - haastig droegen ze Massimo weg. De sirene van de ambulance klonk, daarna nog een.

Leo dacht aan de kleine Dani die zo trots was op zijn vader. Ineens schoten hem Massimo's woorden en diens opgedirkte vriendin te binnen: *Leo is mijn grote voorbeeld.* Toen voelde Leo dat iemand hem vasthield en naar de auto bracht.

Tranen doorweekten de brandwerende stof van zijn gezichtsmasker. Hij liet ze lopen.

Deel twee
Kokend bloed

"Wat is er verkeerd aan af en toe iets stoms te doen?"

Elmore Leonard, *Losgeld*

9

Arnie Haffke zat op het stuur te trommelen en bewoog zijn voet zenuwachtig op het gaspedaal, een haarstreng met gel viel over zijn voorhoofd. Martin Zander las de koppen van de krant die Arnie hem bij het instappen in zijn hand had gedrukt.

De *Blitz* van vandaag, maandag 31 juli, lokaal nieuws:

TERWIJL POLITIE BIJ INGANG WACHT:
INBREKERS STELEN VOOR TWEE MILJOEN AAN SIERADEN

AV - De laatste flop van de politie in een uiterst pijnlijk rijtje: op zaterdagmorgen tegen vier uur klinkt op de Königsallee de alarminstallatie van een juwelierszaak. Agenten en rechercheurs zijn snel ter plaatse en stellen vast dat er geen beschadiging aan de voordeur is waar te nemen. Terwijl ze op de eigenaar wachten, halen de daders in alle rust horloges en sieraden ter waarde van twee miljoen euro uit de vitrines en vluchten via de binnenplaats en de daken. Als de juwelier ten slotte arriveert, wordt duidelijk wat er is gebeurd. De daders hebben de wand tussen de winkel en de gang van het pand ernaast opengebroken, daarom was er vanaf de straatzijde niets te zien. 'De politiemensen hebben juist gehandeld', aldus een woordvoerder van de politie. Paradijselijke toestanden voor inbrekers. Je zou erom kunnen lachen - als het niet zo treurig was.

Zijn jonge collega was door het bericht erg onrustig geworden. Zander dacht dat Haffke zijn aandeel wel weer vergokt zou hebben. Nauwelijks had hij geld of hij ging ermee naar zijn pokervrienden of naar een junkmeisje dat hij wilde bekeren. Hij noemde dat: *je oor te luisteren leggen in de scene* - die jongen was onverbeterlijk.

Zander schoof de opbrengst van zijn neveninkomsten braaf door naar Luxemburg. Investeringsfondsen, degelijke beleggingen, discrete filialen van bekende Duitse banken. Hij had een leuke buffer opgebouwd - reserves voor zijn oude dag en voor de toekomst van zijn dochter.

Arnie sloeg de *Rossstrasse* in en ging langzamer rijden. Zander wees op de lege parkeerplaats voor de hal met curiosa. De oude deurbel rinkelde toen de twee leden van het wijkteam de winkel in gingen. Stof danste in het zonlicht, voor zover dat door de vuile etalageruit de winkel binnenviel. Zander zette zijn zonnebril af en Arnie schoof de zijne in zijn haar.

Schmiedinger kwam uit een achterkamer naar voren sloffen, zijn vlekkige blauwe stofjas stond open - daaronder droeg hij een wit hemd.

'Het zou weer warm worden vandaag', zei Arnie, terwijl hij op zijn tenen stond te wippen.

'Is het al', bromde de oude man met zijn Bud-Spencer bas. Bovenuit zijn hemd staken bosjes grijs borsthaar. 'Koffie?'

'Altijd', zei Zander die hoopte dat zijn collega zich zou inhouden. Hij keek om zich heen. Krullerige lampen met vergeelde kappen, vitrines vol vlekkerig zilver en troebele wijnglazen, meestal één te weinig voor een complete set. Daartussen wiebelige stoelen uit de voorlaatste eeuw en dressoirs met klemmende laden en beschadigd inlegwerk. Niet direct het soort spullen waarmee de oude opkoper rijk was geworden - toch bezat Schmiedinger een jacht en een huis op Mallorca.

De waardevolle dingen bewaarde hij ergens anders. De knikkers uit de inbraak van zaterdagmorgen bijvoorbeeld, hadden Zander en Arnie naar een garage bij de *Volksgarten* gebracht - de antiekhandel diende slechts als camouflage voor de belastingdienst.

De koffie werd gebracht in dunne porseleinen kopjes met bloemetjes en een gouden randje - verzamelitems. Hij smaakte zoals het hoorde: heet, zwart en bitter. Schmiedinger zette er een melkkannetje en een suikerpotje naast. *Meissner* porselein.

'De krant al gelezen?' vroeg Arnie een beetje te luid - Zander raakte de arm van zijn collega even zachtjes aan om hem tot kalmte te manen.

De oude man pakte een flesje Odol uit zijn jaszak en deed een paar druppels in zijn keel. Schmiedinger had maagproblemen en was bang dat hij uit zijn mond zou stinken. Hij zei: 'Ze maken zich vrolijk over jullie collega's. Dat is eigenlijk niet eerlijk, hè?'

'Ter waarde van twee miljoen euro, schrijven ze', zei Haffke.

'Die juwelier overdrijft.'

'O ja?'

'Moet hij wel, als hij er ook wijzer van wil worden.'

'Ons heb je met tweehonderdduizend afgescheept. Dat is nog niet eens ...'

'Een tiende', zei Zander. Alleen de buit die ze vorig jaar een bende bontdieven afhandig hadden gemaakt, had meer opgebracht. Die dieven zaten nu in de bak en beschuldigden elkaar ervan de nertsen en het astrakantbont achterover te hebben gedrukt. Alles bij elkaar dus een schitterende coup.

Haffke schold: 'Houd je kop, boss. Ik kan ook rekenen.'

'Nou en of. Mijn jonge collega werkte ooit zelfs bij de echte recherche in de vesting. Had een bureau met uitzicht op de tuin van de hoofdcommissaris.'

'Ja, en Martin Zander is jaloers omdat hij zijn levenlang niet verder zal komen dan de straat.'

'Hou alsjeblieft op met ruziemaken', zei de heler. 'We krijgen alle drie evenveel. Meer dan driehonderd ruggen krijg ik niet voor dat spul. Iedereen in het vak weet waar die knikkers vandaan komen. Niemand dwingt jou om met Zander en mij zaken te doen.'

Zander suste: 'Laat maar zitten, Schmiedi. Arnie meent het niet zo.'

'Daarbij komt dat ik eigenlijk alweer een volgende opdracht heb.'

Haffke draaide snel bij: 'Oké, Schmiedi, zo heb ik het niet bedoeld.'

'Jij hebt niet gauw genoeg, hè jongen?'

'Vertel eens, wat voor opdracht?'

Zander zei: 'Het zou beter zijn als je zou stoppen met gokken, Arnie.'

'Houd je bek, boss.'

Schmiedinger schonk nog eens koffie in. In zijn jaszak speelde hij met het flesje Odol. 'Ik ken een autohandelaar die er veertig ruggen voor over heeft als iemand de minnaar van zijn vrouw een tijdje onschadelijk maakt. Is dat wat voor jullie?'

'Dat doen we niet', antwoordde Zander.

'Waarom niet?' vroeg Haffke. 'Heeft die minnaar wellicht iets met drugs te maken? Dan is het kinderspel om hem erbij te lappen.'

Schmiedinger zei: 'Dat is niet zo. Maar jullie kunnen hem een beetje dope toestoppen, zodat hij een poosje in de bak verdwijnt. Twintig voor elk van jullie. Die autohandelaar is een goede vriend van me en de vent die zijn vrouw naait, heeft echt een pak slaag verdiend.'

'Nee', herhaalde Zander.

Inbrekers snappen en hun buit verzilveren - oké. Meeliften met een juwelier die de schade van de verzekering vergoed krijgt - ook niet slecht. Maar een vent erbij lappen wiens enige vergrijp is dat hij zijn ding in de verkeerde vrouw steekt, dat druiste volkomen in tegen wat Zander voor juist hield. Schmiedi's maat moest dit probleem maar zelf zien op te lossen.

'Als Martin nee zegt, dan is het nee', stelde Arnie gelaten vast, schepte een beetje suiker in zijn kopje en roerde die om met een van Schmiedingers vlekkerige zilveren lepeltjes, die voor de verkoop in een doosje op de toonbank lagen.

Zander besloot wat beter op zijn jonge collega te letten - dat gokken maakte van hem een risicofactor. Net als Arnie's fanatisme wat drugs betreft.

Zander trok een fax uit zijn overhemdzakje en vouwde die open. 'Overigens, ken je deze man, Schmiedi?'

De oude man pakte een van de antieke brillen van de plank achter hem en klemde die op zijn neus. Hij hield de foto vlak voor zijn ogen en schudde zijn hoofd.

Zander verklaarde: 'Matysek, Dirk Matysek.' Het opsporingsverzoek had die ochtend bij het begin van zijn dienst op zijn bureau gelegen. Gezocht wegens roof en verkrachting.

'Wie is dat dan?'

'Heeft een kamer ergens in *Rath*. Zat ooit bij de drugsrecherche, samen met onze Arnie. Werd eruit gegooid omdat hij met zijn vingers niet van het spul af kon blijven. Nu gaat hij op rooftocht.'

Schmiedinger gaf de fax terug. 'Die tronie zegt me niks. Heeft hij zich op iets speciaals toegelegd? Bont, schilderijen, oude postzegels?'

'Daar heb ik geen informatie over. In de vesting zijn ze waarschijnlijk in alle staten omdat die gozer vroeger bij ons in dienst was.'

Arnie schamperde: 'Door die idioot ben ik voor straf overgeplaatst. Terwijl ik waarschijnlijk de enige was die niet wist dat die klootzak dealde en verslaafd was. Ik werd, als jongste, tot zondebok verklaard en mag nu het hulpje spelen van de boss hier.'

'Dat is waar', zei Zander. Het was een zaak geweest van zijn collega's bij de recherche in de vesting, niet van hem - hij leidde slechts dat stomme rechercheteam van bureau Noord.

De opkoper haalde een crucifix uit een lade. Een houtsnijwerkje met allerlei krullen, op verschillende plaatsen zaten resten bladgoud. 'Voor je vrouw', zei de oude man. 'Zeventiende-eeuws.'

'Ik hoop dat het niet in een opsporingsregister staat.'

'Niet in een dat ik ken. Allemachtig, Zander, denk je nou echt dat ik jou erbij zou lappen?'

'Nee, Schmiedi, nooit. Dank je wel.'

Zander pakte het crucifix, trok Arnie zijn kopje - het verzamelitem - uit handen en duwde zijn collega de uitdragerij uit, langs de rinkelende winkelbel naar buiten het daglicht in. Ze zetten hun zonnebrillen weer op en liepen naar hun bruine auto.

'En nu?' vroeg Haffke.

'Inbraken, wat anders. Daar zijn er genoeg van.'

'Shit. De dealers op schoolpleinen doen niet eens moeite meer om hun spul stiekem te verkopen.' Arnie ging met zijn vingers door zijn haar om de strengen in vorm te brengen. Hij droeg een geel overhemd met groene olifanten.

Zander zei: 'O wee, als je je inlaat met dat zaakje van die autohandelaar!'

'Wat is er eigenlijk met jou aan de hand? Je hebt anders toch ook altijd alles gepakt wat je krijgen kon.'

'Ik heb geen zin om door jou in de bak te belanden. Ik heb een gezin.'

'Je zit thuis onder de plak van je vrouw en sinds ze in de Heer ...'

'Geen kwaad woord over mijn vrouw! We zijn eenentwintig jaar getrouwd en ik kan met haar nog altijd over alles praten. Nou ja, bijna alles.'

Haffke maakte de auto open. 'Mazzelaar, die je bent. Mijn vrouw is zo stom als een stuk knäckebröd.'

'Zeg dat je me hebt begrepen, Arnie. Geen deal achter mijn rug om!'

'Begrepen.' Hij keek op de klok. 'Nul achthonderdveertig. Wat vind je van een ontbijt?'

'En laat die gel voortaan achterwege. Je ziet er weer uit als ...'

'Een badmeester. Ik weet het.'

Zander gooide het crucifix op de achterbank. 'Als een derde-rangs badmeester.'

10

Benedikt Engel zag eruit om door een ringetje te halen. Wit, perfect gestreken linnen overhemd, lichtblauwe stropdas met een beschaafd patroon - zijn enige concessie aan de zomer was dat hij geen colbert-tje droeg. Ela hoopte dat haar verschijning eveneens een serieuze indruk maakte. Ze had haar shorts ingewisseld voor een lange, zwart katoenen broek. Daarop droeg ze een ruimvallende blouse van de-zelfde dunne stof. Onder het lopen bladerde Engel in een mapje met papieren. Ela had moeite haar chef bij te benen.

'Het belangrijkste is dat je het kort houdt', zei hij. 'Dresbach heeft er een hekel aan als iemand niet snel ter zake komt. Geen lange ver-klaringen, anders lijkt het net alsof je je moet rechtvaardigen.'

De rambo's hadden het verprutst. Matysek was spoorloos verdwe-nen en er waren geen aanwijzingen voor de identiteit van de tweede dader. Zij was toch wel de laatste die zich zou moeten rechtvaardi-gen, dacht Ela.

'Ga er niet op in als Poetsch jou de schuld voor dit fiasco in de schoenen wil schuiven. Niemand neemt die gifkikker echt serieus, ook Dresbach niet. Het nieuwe hoofd van de recherche is oké. Ik heb met hem gebeld, hij zit op onze lijn. Overigens ook wat betreft het stimuleren van vrouwen die carrière willen maken.'

Ela sprong achter de lange de paternosterlift in en ze ratelden naar beneden. Er drong een vleugje van zijn aftershave in haar neus. Ze had nog nooit zo dicht bij hem gestaan dat ze het merk kon raden. Engel keek op haar neer en zei: 'Hoeveel sneller gaat je pols nu, hierbinnen?'

'Totaal niet', loog ze.

'Geen problemen meer in de paternoster?'

'Nee.'

'Liften, metro, kleine toilethokjes?'

Geen arrogante grijns, ook niet bij de laatste woorden. Daar was de lange het type niet naar. Een van de redenen waarom Ela hem mocht.

'Dat is voorbij', antwoordde ze. Het hoorde erbij om nooit iets te laten merken. Dat had ze wel geleerd.

'Goed om te horen', zei de leider van RA11.

Op de etage met het mahoniehout sprongen ze eruit. Engel stapte weer in hetzelfde tempo voort.

'Poetsch heeft problemen met vrouwelijke medewerkers. Het gaat niet om jou persoonlijk.'

'Klopt het dat hij Gerres erdoor wil drukken?'

'Gerres is een klojo. Dat weet iedereen, daarom zal Gerres het nooit halen. Poetsch is de enige die dat niet inziet. Die gifkikker is te stom om voor de duvel te dansen.'

Ze bereikten de vergaderkamer. Engel liet Ela voorgaan. Een moment lang verstomden de gesprekken van degenen die al aanwezig waren, groepschef Poetsch wierp een snelle blik op Ela, daarna wendde hij zich tot zijn buurman en wond zich erover op hoe pijnlijk het incident wel niet was. Ela betrok dat meteen op zichzelf, maar kwam tot de conclusie dat ze het over de juwelenroof op de *Königsallee* hadden.

Engel beduidde haar de stoel tegenover de plek van Dresbach te nemen - die lange dacht werkelijk overal aan. Een oudere, potige kerel ging naast Ela zitten. Hij stonk naar sigaren en als hij dacht dat ze het niet merkte, staarde hij naar Ela's borsten.

Poetsch zweeg nu. Hij zat papiertjes te vouwen en scheurde die langs de vouwen in kleine rechthoekjes - een eigenaardige uiting van nervositeit. De groepschef had de stap op de carrièreladder die Engel binnenkort zou zetten, al achter zich. Niet al te lang geleden behoorde ook Poetsch nog tot het hogere middenkader, als inspecteur en chef van de drugsrecherche. Toen had hij een ticket naar *Münster-Hiltrup* gekregen en was van de stafacademie teruggekeerd als hoofdinspecteur bij de recherche. Als chef van de teams kon hij zich gewichtig voelen en niet veel fouten meer maken.

Als laatste kwamen Dresbach en afdelingshoofd Friedrichsen de kamer binnen. Dresbach was de opvolger van Sonntag, het voormalige hoofd recherche. Sinds de reorganisatie heette de recherche 'Centrale Criminaliteitsbestrijding', afgekort CCB. Ze was met de gewone politie samengevoegd tot de afdeling 'Veiligheid/Strafvervolging' en Friedrichsen was de baas van het geheel, en - na de hoofdcommissaris en het hoofd management - een vrouw - nummer drie van de politietop.

Intern werd de reorganisatie als een faliekante mislukking beschouwd, vooral de bureaucratie aan de top van de hiërarchie was erdoor toegenomen en duurder geworden. Daar waar het eigenlijke werk werd gedaan, moest bezuinigd worden - de voordelen van de nieuwe structuur bestonden vooral op papier. Alle hoge pieten wantrouwden elkaar en probeerden hun positie door kongsi's veilig te stellen.

Dresbach opende als hoofd van de recherche de zitting, waarbij hij vooral Ela welkom heette.

Het was voor de eerste keer dat ze deelnam aan zo'n overleg - Ela's polsfrequentie steeg tot paternosterniveau.

'Ik heb gehoord dat u op de televisie een goed figuur hebt geslagen', zei Dresbach.

'Dank u.'

'Wie van u heeft het programma gezien?'

Poetsch stak als enige zijn vinger op.

'En? Hoe vond u de uitzending?'

'Gaf een redelijk beeld.'

Typisch de gifkikker: zich vooral niet vastleggen. Als het aan Poetsch had gelegen, had de tv-ploeg geen stap in het hoofdbureau mogen zetten.

Dresbach heette ook afdelingsleider Friedrichsen welkom, evenals de oudere politieman naast Ela, die commissaris Enders bleek te zijn, onder wie de ME viel. Ook deze twee mannen namen gewoonlijk niet deel aan deze bijeenkomsten.

Eerst ging het over de inbraak in de juwelierszaak. De chef van de recherche was van mening dat de rechercheurs in burger zich volgens de regels hadden gedragen. Friedrichsen knikte instemmend - Poetsch verzamelde papiersnippers en hoedde zich ervoor zijn eerdere standpunt te herhalen.

Volgende punt: Ela's zaak. Commissaris Enders deelde mee dat het gewonde lid van de ME nog steeds in levensgevaar verkeerde. De medewerker, een overijverige nieuweling bij de eenheid, die tegen de richtlijnen in zijn plaats had verlaten en daardoor in het schootsveld van een collega was terechtgekomen, was zelf schuldig aan zijn verwondingen.

Overeenkomstig Engels advies hield Ela het kort. Na het fiasco had ze de medewerkers van de recherche uit hun slaap gebeld en samen met hen de woning van Dirk Matysek doorzocht. Ze hadden alles wat licht zou kunnen werpen op het milieu waarin hij verkeerde, in zakken gestopt. De wapens die bij de overval waren gebruikt, hadden ze niet gevonden - geen pistool, noch een afgezaagd geweer met een inklapbare kolf of met het handvat van een pistool.

Thilo Becker verhoorde op dit moment de buren van de man die ze zochten. Uit een loonstrookje was gebleken dat de dader bij *Fichte Security* werkte, afdeling bewakings- en portiersdiensten. Een andere collega uit haar team was ter plaatse om inlichtingen in te winnen.

Matyseks verleden als ex-collega zorgde in de kring van de recherchechefs voor ontsteltenis - niet iedereen was daar al van op de hoogte: de overvaller en verkrachter was een voormalige drugssmeris en junkiejager uit de stationswijk, die ten slotte zelf voor de verleiding van pepmiddelen en andere drugs was bezweken. Twee jaar geleden was Matysek tegen de lamp gelopen en ontslagen. Officieel was het vrijwillig ontslag - geen gerechtelijke vervolging, geen onderzoek naar zijn collega's, geen schreeuwende koppen in de kranten. Dit aspect van de zaak vermeldde Ela niet - ze zou haar verontwaardiging hierover niet hebben kunnen verbergen. Destijds was Poetsch de chef van Matysek, en Friedrichsen zat toen al op een hoge positie. Ze wist niet wie er verantwoordelijk voor was dat het schandaal in de doofpot was gestopt. Als ze zich daar in dit gezelschap negatief over uitliet, zou ze daar haar vingers aan kunnen branden.

'Geen fraaie zaak', merkte Poetsch op.

'Inderdaad', constateerde Friedrichsen.

Ela ging verder. Tegen de ochtend was de auto van Matysek in een ondergrondse parkeergarage gevonden, waar - evenmin als in de woning - geen vingerafdrukken van de tweede dader waren gevonden. Sinds het begin van hun dienst waren de rechercheurs van RA41 onderweg; alle met mobilofoons uitgeruste patrouilles en opsporingsteams van de verschillende bureaus hadden een foto van de voortvluchtige gekregen. Vliegveld, stations en andere belangrijke plaatsen werden bewaakt. Een rechter had het arrestatiebevel ondertekend en via de nationale recherche werd de politie van de buurlanden verzocht eveneens naar hem uit te kijken.

Vandaag nog zou de kaalhoofdige met het ringbaardje op de televisie te zien zijn en morgen vroeg in alle kranten staan. Zijn arrestatie was slechts een kwestie van tijd.

Dat Ela de afgelopen nacht nog geen drie uur had geslapen, hoefde ze niet speciaal te vermelden. Ze was er zeker van dat je dat aan haar kon zien en vond dat de donkere kringen onder haar ogen haar bij wijze van uitzondering goed stonden.

Gifkikker Poetsch klaagde erover dat Ela hem als verantwoordelijke groepschef niet vooraf van de ME-actie op de hoogte had gesteld. De situatie zou van dien aard zijn geweest dat de woning van de dader eerst geobserveerd had moeten worden.

Engel antwoordde dat hij als directe chef over elke volgende stap geïnformeerd was.

Dombrowski van Roofovervallen drong erop aan dat het verdere onderzoek aan zijn afdeling zou worden overgedragen. Hillu Sachs maakte duidelijk dat seksuele misdrijven tot het werkterrein van RA12 behoorden.

Chef Recherche Dresbach wuifde alle bezwaren weg en bedankte Ela. Hij wees Roofovervallen en Zedenzaken aan om RA11 in de zaak Larue/Matysek te ondersteunen. Het was *haar* zaak.

Friedrichsen nam het slotwoord voor zijn rekening en verklaarde dat de politietop het ontslag van Matysek had geaccepteerd zonder van zijn drugsverslaving te hebben geweten. Mochten er andersluidende geruchten in omloop komen, dan zou men deze ontkennen. Ela begreep de boodschap: wie praat, vliegt eruit.

Gifkikker Poetsch plukte aan de papiersnippers en maakte er confetti van.

'Bingo. Goed werk', zei Engel tegen Ela terwijl ze naar buiten liepen.

'Dank je.'

'De volgende keer graag wel dichte schoenen aan. Je teennagels hebben Friedrichsen bijna van zijn stuk gebracht. Uitgerekend politiegroen.'

Ela glimlachte als een boer die kiespijn heeft. Ze was er nog niet aan toegekomen om de nagellak eraf te halen. Dat ze kleurenblind was, hoefde Engel niet te weten. Ze verwisselde sommige rode en groene schakeringen. Bij slecht licht leken die op de een of andere manier allemaal grijs. Die stomme trut van de drogisterij had blijkbaar de groene nagellak tussen de rode flesjes gezet.

De lange zei: 'Er ontbreken nog maar drie zilveren sterren aan elke kant.'

'Drie? Ik ben maar brigadier hoor.'

'Stel je niet aan, Ela. Ik heb je beoordeling al ingediend, je bevordering tot inspecteur is slechts een kwestie van tijd. Op zijn laatst als ze je hoofd van de afdeling Moordzaken maken.'

De lange knipoogde en haastte zich verder.

Het volgende uur bracht ze door met papierwerk: de eerste verklaring van Verena Larue, toen Ela haar in de badkamer had gekalmeerd. Wat buurman Danziger gezien had. Het proces-verbaal van de mislukte arrestatiepoging.

Verder een lijst van de sporen en van de inbeslaggenomen voorwerpen uit de woning en auto van Matysek - helaas erg weinig. Ten slotte tikte ze het verslag van de lijkschouwing uit. De buurvrouw van wie de hartaanval de zaak aan het rollen had gebracht.

Telefoontjes bij Roofovervallen en Zedenzaken brachten haar niet verder: geen vergelijkbare gevallen bekend. Ela wilde zeker zijn van haar zaak en vroeg om een lijst van alle overvallen in woningen van de afgelopen vijf jaar, evenals een overzicht in diezelfde periode van alle verkrachtingen waarbij de daders geen familie van het slachtoffer waren. Ze was zich ervan bewust dat haar collega's daar niet blij mee waren.

Nog meer telefoontjes. Geen enkele medewerker van de drugsrecherche zou na zijn zondeval nog iets van hun ex-collega hebben gehoord - alsof Matysek met zijn ontslag uit politiedienst ook uit de drugsscene was verdwenen. Dat leek Ela erg onwaarschijnlijk.

Geen nieuws van de politiebureaus ter plekke. De chefs beloofden hun mensen achter hun broek te blijven zitten. Ela hoopte dat ze dat ook echt deden.

Collega Biesinger kwam binnen en bracht verslag uit: Matyseks afdelingschef bij *Fichte Security* had alleen maar positieve dingen over hem te melden - zijn medewerker was een correcte, onopvallende man die zijn eigen gang ging en onder zijn collega's vrienden noch vijanden had en nooit over privé-aangelegenheden sprak. Ela bedankte Biesinger en besloot die lui van *Fichte Security* eens persoonlijk aan de tand te gaan voelen. Als die kale aan de naald was, moest dat iemand zijn opgevallen.

Ze sprak met de mensen van de sporenrecherche. De paar vingerafdrukken in Matyseks woning die niet van hemzelf afkomstig waren, waren onbekend. Geen overeenkomst met een van de in de nationale *AFIS*-databank opgeslagen personen met een strafblad.

Een gedachteflits: Matysek als mogelijke drugsklant, het vreemde gedrag van Larue die de verkrachting van zijn vrouw wilde verbergen - Larue als Matyseks dealer, de verkrachting als vernedering, een wraakactie omdat Larue zijn afnemer met slecht spul had bedrogen of hem bij de politie had verraden? Dat de mediaplanner geen strafblad had, hoefde niets te betekenen.

Ela koos nog eenmaal het nummer van RA34 - ook de naam Larue bleek bij de drugsrecherche niet bekend, niet als dealer, noch als consument of tipgever. Ze kende de drugsrechercheurs niet goed genoeg om te weten wie ze kon vertrouwen. Wellicht vertelden ze haar de waarheid en berustte haar verdenking tegen Larue louter op inbeelding. Of er bestond een scene waarvan zelfs RA34 niets afwist.

Tegen elf uur bracht Thilo Becker het proces-verbaal van Larues verhoor van de dag ervoor - uitgetypt en geprint. De ondervraging van de buren van Matysek had niets opgeleverd. 'Ik hoop dat je er geen bezwaar tegen hebt als ik er nu mee stop', zei Becker. Net als Ela had hij bijna aan één stuk door gewerkt.

Ze las snel de verklaring van de echtgenoot door: de eis van de daders hun contant geld te overhandigen, het in de glazen suikerpot verstopte huishoudgeld, de woede van de overvallers over de te geringe buit.

'Wat doet een mediaplanner eigenlijk?' vroeg ze.

'Hij heeft het me uitgelegd. Iets met verschillen in bereik en de duizendcontactprijs. Wat dat ook moge zijn'

'Blijf alsjeblieft nog even tot hij zijn verklaring komt ondertekenen. Mocht ik dan nog niet terug zijn, houd hem dan vast. Ik heb nog een paar vragen aan hem.'

'Wat ga je doen?'

'Het ziekenhuis. Zijn vrouw. Wat we van haar hebben, is nog niet voldoende.'

Verena Larue zou het als een tweede verkrachting ervaren, maar Ela had geen keus. Alleen een gedetailleerde beschrijving van het gebeurde zou de rechtbank ervan overtuigen dat de jonge vrouw en haar man het misdrijf niet hadden verzonnen.

Becker liep terug naar zijn kamer. Net toen Ela wilde weggaan, werd er geklopt. Benedikt Engel kwam binnen. 'De officier van justitie heeft vragen over jouw zaak gesteld.'

'En?'

'Larues vader is rechter bij het *Oberlandesgericht* van Noordrijn-Westfalen. Ik heb tegen de officier van justitie gezegd dat ze het schriftelijke verslag moet afwachten. Laat het me weten als ze zich met jouw onderzoek wil bemoeien.'

'Dat kan ik zelf wel af hoor. Nog iets?'

'Ela, neem vrijaf vanmiddag. Tot de dader is gevonden en opgepakt kun je toch niet veel doen.'

'Dank je wel, maar wanneer ik rust nodig heb, beslis ik zelf wel.'

'Je vat de zaak te persoonlijk op.'

'Te persoonlijk? Er is een vrouw van tweeëntwintig in haar eigen huis voor de ogen van haar man verkracht. Weet je wat het betekent om verkracht te worden? Dat zijn smerige schurken die zich sterk voelen als ze een vrouw kapotmaken! Dat moet ik niet persoonlijk opvatten?'

Met een schouderophalen liep de lange naar buiten.

Toen Ela weer tot rust was gekomen, schoot haar te binnen wat ze eigenlijk tegen Engel had willen zeggen: dat ook hij de neiging had zaken persoonlijk op te vatten. En dat ze Engel dankbaar was voor alles wat hij voor haar deed.

11

Intensive care. Een gang die blijkbaar als opslagplaats voor bedden dienst deed. Een briefje op een wit geverfde deur gaf aan dat het vertrek erachter de kamer voor het bezoek was. Leo Köster ging naar binnen, liet het plastic zitje voor wat het was en drukte op een bel van de deur ertegenover. Een Aziatische vrouw in een blauw verpleegstersbroekpak deed open.

Leo zei dat hij een collega van Massimo Buonaccorso was.

De zuster voorzag hem van een kiel en plastic overschoenen. 'Kamer vijf', zei ze en liet hem binnen.

Door brede glazen ruiten zag Leo een meisje dat lag te dommelen, een uitgeteerde oude man met zijn mond open en een vrouw die kennelijk met geesten sprak.

Het kuiken lag grauw en met gesloten ogen tussen de omhoog geklapte spijlen van zijn bed. In zijn mond en neus staken slangen, vastgezet met leukoplast. Zijn gezicht was gewassen en geschoren. De airconditioning zoemde, het beademingsapparaat zuchtte en af en toe bromde de automatische bloeddrukmeter. Onder het witte laken dat Massimo bedekte, verdwenen tientallen slangen en kabels. De jongen was niet bij bewustzijn.

Achter het hoofdeinde flikkerden balkjes op een blauwe monitor, groene curves vlogen over een zwarte ondergrond - systolen, diastolen. Rode, digitale aanduidingen, knipperlichtjes. Leo staarde naar de apparaten. Eén keer klonk er een piep, er kwam niemand. Leo pakte voorzichtig Massimo's hand. Die voelde erg warm aan. 'Het spijt me.'

De kamer met zijn geur van desinfecterende middelen en de geluiden van de apparaten riep bij Leo een oude herinnering op: het beeld van een door medicijnen opgezwollen gezichtje, weinig haar op een witte hoofdhuid. Leo's kleine broertje dat op het laatst zo vrolijk was geweest - hij voelde zich al veel beter en had het erover dat hij gauw weer naar school zou gaan. De volgende dag was zijn bed leeg.

Daniël Köster was op zijn tiende gestorven aan leukemie. Sindsdien had Leo eigenlijk gezworen nooit meer een ziekenhuis of een dokterspraktijk te betreden als dat niet absoluut nodig was. Zelfs toen Brigitte moest bevallen, was hij niet met haar meegegaan. Dani hadden ze naar Leo's dode broertje genoemd.

'Je móet het halen', zei Leo tegen het kuiken. 'Alsjeblieft.'

Leo meende in de vingers van Massimo een reactie te bespeuren.

Een groepje van vier mensen liep van de andere kant de kamer binnen. Ze droegen witte jassen en waren kennelijk goedgehumeurd. De aanvoerster had een klembord bij zich en joeg Leo naar buiten voor ze de uitdraai van een diagram bestudeerde. De mensen in haar gevolg praatten wat en maakten grapjes, daarna spraken ze over de patiënt zonder het kuiken ook maar één keer aan te kijken.

Leo stopte de kiel en overschoenen in een prullenbak.

Zombies op pantoffels en in joggingpakken schuifelden door de centrale hal en zorgden ervoor dat de cafetaria blauw stond van de rook. Leo trok uit een van de automaten een blikje Fanta. Toen hij naar de uitgang liep, zag hij de rechercheur. De kleine donkerharige vrouw die om de ME-actie had gevraagd, liep haastig langs hem heen, aarzelde even bij de liften en nam toen de trap.

Door mijn stommiteit is het die kerel gelukt om te vluchten.

Voor het bureau stapte Leo in zijn rammelende Fiesta. Minutenlang zat hij daar, tot het hem te binnen schoot waar hij naartoe wilde.

Op de parkeerplaats aan de *Kieshecker Weg* kwam hij Rolf tegen, met wie hij gisteren van dienst had geruild. Zijn collega stond aan zijn auto te knutselen, een oude VW Sirocco.

'Je kunt mijn kar ook meteen wel even onder handen nemen', grapte Leo.

Rolf keek op en veegde zijn vuile handen aan een vettige doek af. 'Bedankt voor gisteravond.'

'Nou ja, dat ging niet al te best.'

'Heb gehoord dat het kuiken in je schootsveld is gekomen. Hoe kon die sufferd nou toch zijn plaats verlaten?'

'Hoofdzaak is dat de dokters hem er weer bovenop krijgen.' Leo wilde van onderwerp veranderen - Rolf was sinds kort vader. 'Hoe gaat het met je vrouwen?'

'Anna is een scheetje en laat ons geen nacht doorslapen. Karin is helemaal moeder en, nou ja ... Ik ben jaloers op jou.'

'Hoezo?'

'We hoeven elkaar geen mietje te noemen, Leo. Jij kunt om je heen kijken en pakken wat je maar wilt en wanneer je maar wilt. Ik denk vaak aan vroeger. De wilde tijden.'

Leo zei maar niet dat hij al een half jaar niet meer met een vrouw had geslapen. Dat hij op dit moment bovendien heel andere zorgen had.

Zijn collega schroefde een fles water open en zei: 'We moeten maar eens wat gaan drinken, dan kun je mij over je veroveringen vertellen.'

Leo zwaaide en liep het gebouw in dat onderdak bood aan de speciale eenheden.

Er hing dikke sigarenrook in de kamer van Commissaris Enders, chef speciale eenheden, de baas van de ME, Moordzaken, het onderhandelingsteam en alles wat daarbij hoorde zoals: wapens, explosie- en brandstichtingstechnieken, video-uitrusting en ander spul - de elite bij de recherche. De naam 'opperhoofd' had Enders te danken aan de manier waarop hij de tent ver van de vesting leidde: vaderlijk, maar geen tegenspraak duldend.

Leo had commandochef Adomeit gevraagd als getuige bij het

gesprek aanwezig te zijn. Het opperhoofd nodigde hen uit plaats te nemen en verschoof een dossier naar het midden van zijn bureau. Leo meende te weten om welk incident het ging. 's Nachts had hij zijn verslag nog bijgewerkt. Na twee pogingen had hij besloten de naakte waarheid te vertellen en alles opgeschreven wat tot de tragedie had geleid - zonder zichzelf te ontzien: *zijn* slordigheid waardoor de dader achter de oprukkende ketting terechtkwam, *zijn* falen bij het beslissende schot.

Toen Leo dacht zijn geweten te hebben ontlast, was het buiten licht geworden en had hij geprobeerd in slaap te komen. Maar elke keer als hij zijn ogen sloot, zag hij het beeld van Massimo voor zich terwijl hij bloed ophoestte.

Adomeit schraapte zijn keel. Enders stond op, opende het raam en zei: 'Petje af voor je wilskracht, Bertram. Sinds wanneer ben je nu clean?'

De sigarenrook trok weg en maakte plaats voor de lucht van kerosine die van het naburige vliegveld kwam.

'Vandaag is het de zestiende dag', antwoordde Adomeit terwijl hij een nieuw nicotinekauwgumpje in zijn mond stopte.

Leo vroeg zich af of dit gesprek al onderdeel was van een disciplinaire maatregel.

Het opperhoofd begon: 'Hebt u er al eens over nagedacht, Köster, wat u na uw tijd bij de ME gaat doen?'

'Nee. Ik heb nog tien jaar tot de leeftijdsgrens.'

'Strekt u uw hand eens uit.'

Leo stak zijn linkerhand uit.

'De andere.'

Leo gehoorzaamde.

'Wat is dat? Komt dat door het zuipen? Jullie mannen zuipen te veel!'

'Ik heb al bijna een week geen alcohol meer gedronken.'

'Stress', mengde Adomeit zich in het gesprek. 'Leo heeft de hele nacht niet geslapen. Dan is het toch geen wonder.'

'En onlangs? Had hij toen ook de hele nacht niet geslapen?'

'Leo heeft pas een scheiding achter de rug. Ruzie om de voogdij, financiële problemen en dergelijke. Is niet makkelijk voor hem.'

Leo knikte, terwijl hij naar Enders keek.

'Kom nou, Bertram. Je schrijft zelf ...' Enders sloeg het dossier open en bladerde. 'Hier, ... heeft bewezen zeer stressbestendig te zijn, ... is als geen ander in staat zich op veranderde situaties in te stellen.'

Dat was niet zijn tekst, schoot het door Leo heen. Niet het dossier over de actie. Het ging om hemzelf en had te maken met de oefening die hij had verknald.

'Köster, wat is er aan de hand?' vroeg de commissaris.

'Een beklemde zenuw, ik weet het niet.' Hij was het er niet mee eens dat Adomeit het op de stress schoof. Hij had nog nooit psychische problemen gehad en zou ook deze crisis weer te boven komen. 'Ik smeer mijn arm in met *Mobilat*. Het is al beter geworden.'

'Niks is beter. Buonaccorso zweeft tussen leven en dood. Omdat u dacht dat het niet zo erg was. U bent allesbehalve fit. U bent een gevaar voor uw team, Köster. Dat beven is toch niet normaal.'

Leo zweeg.

'Naar buiten toe draagt Buonaccorso de verantwoordelijkheid voor dit debacle, omdat hij de hem toegewezen plaats heeft verlaten. Dat idiote verslag van u heb ik vernietigd, Köster. Als uitkomt dat u beefde, zal men vragen waarom niemand dat wist. En Adomeit zal zeggen dat hij het mij heeft meegedeeld. De laatste schietoefening enzovoort. Hij heeft dat zelfs schriftelijk gedaan om zich in te dekken. Klopt toch, Bertram?'

'Je was er niet. Daarom.'

Het opperhoofd masseerde zijn slapen met zijn vingertoppen. 'Allemaal bullshit! Vijftien jaar ervaring, de nummer één van het team, slechts tijdelijk wat gestresst. Weten jullie wat het is, jongens? Ik heb me door jullie in slaap laten sussen. Wie denk je dat Friedrichsen tot zondebok zal maken als dit uitkomt? Ik zal ook jouw memo vernietigen, Bertram. Er *was* helemaal geen schietoefening. Ik hoop, mannen, dat jullie je mond houden.'

Het beviel Leo weliswaar niet hoe het opperhoofd over Massimo sprak, maar desondanks viel er een pak van zijn hart. 'Dat beven is binnenkort wel weer weg', zei hij.

'Fout. Het is er nooit geweest.'

'Is duidelijk, chef. En ik dacht al dat u mij eruit wilde gooien.'
Enders streek een lucifer aan en pakte de halfopgerookte peuk
uit de asbak. 'Waarom denkt u dat ik dat niet zal doen?'
Hij trok aan zijn sigaar, draaide het restant ervan tussen zijn vingers en blies op het gloeiende uiteinde. 'Denkt u dat ik u er ooit nog
op uit zou sturen in een ernstige situatie als vannacht? Köster, trek
niet zo'n gezicht, man. Natuurlijk kunt u bij de ME blijven, ik ben
geen onmens. U kunt bij mij op kantoor komen werken.'
Leo keek naar Adomeit, die ongelovig glimlachte, maar Enders
niet tegensprak.
Het opperhoofd zei: 'Als we het eens zijn, hoeft niemand van
ons te vrezen voor een disciplinaire maatregel.'
Leo kon het niet bevatten. Men bood hem een stom kantoor-
baantje aan. 'Ik weet niet of ik bij administratief werk het beven
voor Friedrichsen verborgen zal kunnen houden.'
'Leo, de commissaris heeft het beste met je voor.'
'Dat is zo, Köster, ik kan ook iets heel anders doen!'
Ik kan eveneens iets anders doen, dacht Leo. Maar meteen daarna steeg het bloed hem naar zijn hoofd bij de gedachte dat als hij
zich tegen zijn overplaatsing verzette, Enders hem medisch zou
laten onderzoeken. Mogelijk zou de politiearts dan tot de conclusie
komen dat hij niet alleen ongeschikt was voor zijn baan bij de ME,
maar zelfs voor een baan bij de politie in het algemeen. Als Leo de
confrontatie aanging, konden de hoge omes zijn stress wel eens als
voorwendsel gebruiken om van hem af te komen. Dan zou hij heel
wat meer verliezen dan de huidige toelage van 250 euro in de
maand en het gevoel bijzonder werk te hebben - hij had niet genoeg
dienstjaren om nu al een noemenswaardig pensioen te krijgen.
Enders produceerde rookwolken en speelde met een kleine plastic palm die naast de telefoon stond. Leo keek naar hem en kon
alleen maar hopen dat er nog een andere mogelijkheid was behalve
eruit gegooid worden of een baantje als secretaresse.
Ten slotte zei het opperhoofd: 'Köster, laten we naar een oplossing zoeken die voor ons allemaal aanvaardbaar is. Ergens hebt u
natuurlijk ook gelijk. Vijftien jaar bij de eenheid. Altijd in de voorste
gelederen. U hebt inderdaad iets fatsoenlijks verdiend. Noemt u mij

een afdeling die voor u in aanmerking komt en ik zal kijken wat ik kan doen.'

Leo herinnerde zich de verschillende afdelingen waar hij indertijd stage had gelopen. Geen enkele leek ook maar in de verte op de ME. Hij zag zichzelf al met dossiers slepen, verslagen tikken, statistieken analyseren. Hij hoorde zijn zoon al vragen of hij nu een burgermannetje was.

Enders wachtte paffend op antwoord.

'Als ik echt niet meer bij de eenheid ...'

'Nee.'

'Ook niet als verkenner of achter de ram?'

'Onmogelijk, Köster.'

'Ik heb eens een halfjaar bij RA11 ...' Leo voelde een brok in zijn keel en stopte met praten.

'Moordzaken. Waarom niet. Ik ken de verantwoordelijke chef. Poetsch heet die knaap, leidde vroeger ooit RA34. Ik zal het proberen. Het beste, Köster.'

Leo pakte de uitgestoken hand van de commissaris. Hij had zich zijn afscheid anders voorgesteld. Een zuippartij met de jongens. Met elkaar de bloemetjes buiten zetten in een tabledance-tent in de *Mintropstrasse*. Met vijfenveertig, geen dag eerder.

Adomeit vergezelde hem naar buiten. De man die een decennium lang zijn commandochef was geweest, vroeg: 'Wil je vakantie opnemen voor je overgaat?'

Leo bedacht dat hij geen geld had om weg te gaan. Hij schudde zijn hoofd.

Adomeit kneedde Leo's schouder - nog een afscheidsgroet. 'Je hoort bij het team, op welke afdeling dan ook.'

'Natuurlijk', zei Leo en wist dat het lege woorden waren.

12

Ela stapte geen minuut te vroeg de kamer binnen. Verena Larue was aangekleed en bezig haar tas te pakken. Voornaam en elegant als een prinses - haar bovenlip was gezwollen en er zat een korst op, de blauwe plekken op haar kin en wangen waren zo goed en zo kwaad als dat ging met make-up bedekt. Een boeket rode klaprozen met trilgras stond op het bijzettafeltje, daarnaast lag een kaartje in Larues handschrift: *Uit liefde, Christoph.*

De buurvrouw in het bed ernaast had bezoek: een dikke man en twee snotneuzen met wijd uitstaande oren die Ela aanstaarden. De rechercheur besloot Verena in de vesting te verhoren. De prinses liet het boeket achter.

In de auto praatten ze over het ziekenhuis, over zielenknijpers en over kalmeringsmiddelen. Ela was blij dat de jonge vrouw een rustige indruk maakte.

Toen ze haar op het bureau de foto van Matysek liet zien, viel Verena stil en begon het nagelbed van haar duim met haar tanden te bewerken. Daarna schokte ze met haar schouders.

Ela bood koffie aan en sigaretten. De prinses ging er niet op in. Ela legde haar recorder op tafel en drukte de recordtoets in. Ze zei: 'Eén, twee, drie', en spoelde terug. Ze luisterde wat het apparaat had opgenomen, spoelde weer terug naar het begin en begon met de ondervraging.

Verena had haar man leren kennen toen ze na het examen van de middelbare school als trainee op de marketingafdeling werkte van een concern dat tot Larues klanten behoorde. Ze waren nu een half jaar getrouwd. Zij was tweeëntwintig, hij achtendertig. Het paar was naar de flat in de *Faunastrasse* verhuisd nadat Verena had geconstateerd dat ze een kind verwachtte.

Ze was nog geen drie maanden zwanger. Ze vroeg om een slokje water: 'De dokter zegt dat ik het zal behouden. Er is niets met het kind gebeurd.'

De kleinste van de twee daders, Matysek dus, had het woord gevoerd en had haar verkracht. 'Hij noemde me een hoer, die het niet verdient dat een man verliefd op haar wordt. Hij zei dat hij ervoor zou zorgen dat ik mijn kind zou verliezen. Het was zo verschrikkelijk. Hij dwong me om mezelf uit te kleden. Terwijl Christoph toch al verteld had waar hij het geld verstopt had. Christoph praatte op die ander in, omdat hij hoopte dat die zijn maat ervan zou weerhouden me te verkrachten. Maar de grootste van de twee sloeg Christoph en bedreigde hem met zijn wapen. God, wat was ik bang. Die schurken hadden mijn man bijna doodgeschoten.'

Onder tranen beschreef ze de tweede dader als ongeveer één meter tachtig lang, tussen de twintig en dertig jaar oud en een beetje mollig. Hij zou een lichtblauwe spijkerbroek hebben gedragen en een zwart T-shirt met de opdruk *Hard Rock Café Los Angeles.*

Ela zocht in haar bureaula naar een zakdoek. 'Wat is u nog meer opgevallen? Een bepaalde taalfout, dialect, wijze van uitdrukken?'

'Ik weet het niet. Ik geloof dat hij helemaal niets heeft gezegd.'

'Heeft Matysek hem met zijn naam aangesproken?'

'Nee.'

'Vertelt u me nog eens over die geheime bergplaats in de keuken.'

De jonge vrouw schoof haar handen tussen de zitting en haar dijen en rechtte haar rug. 'Christoph bewaarde daar geld in.'

'Waar precies?'

'In de suiker of in het zout.'

'Was het zijn idee om daar contant geld te bewaren?'

'Ja.'

'Om hoeveel ging het?'

'Dat moet u aan Christoph vragen.'

'Wist u van die bergplaats?'

'Nee, of ja. Hoezo zou ik dat niet weten? We hebben geen geheimen voor elkaar.'

'Hoe wisten de daders dat u zwanger was?'

'Geen idee.'

Ela wierp een blik op de lijst met de vragen die ze had voorbereid. 'Hebt u er een verklaring voor waarom *u* werd overvallen en bijvoorbeeld niet een van uw buren?'

'Nee.'

'U hebt die mannen echt niet herkend?'

'Dat heb ik toch al tegen u gezegd.'

'Kende uw man hen?'

'Hoe zou hij ...?'

'Heeft hij ooit eerder de naam Matysek genoemd?'

'Mijn hemeltje, nee.'

Er werd geklopt. Thilo stak zijn hoofd de kamer in. 'Hij is er.'

'Laat hem wachten.'

'Hij zegt dat hij niet veel tijd heeft.'

'Maak hem duidelijk wie het hier voor het zeggen heeft.'

Thilo verdween.

'Christoph?' vroeg Verena Larue.

'Heeft u of uw man ooit iets met drugs te maken gehad?'

'Waarom behandelt u ons als criminelen?'

'Had u drugs in huis? Was dat het wat die mannen zochten?'

'Laat me toch met rust. Ik kan er toch niets aan doen dat we werden overvallen?'

'Dat weet ik, mevrouw Larue. Ik sta aan uw kant.' Ela trok het toetsenbord van de computer naar zich toe. 'Het spijt me, maar we moeten nu alles wat er gebeurd is, nog eens punt voor punt nalopen.'

De jonge vrouw staarde naar haar kapot gebeten vingertoppen. 'De dokter heeft bloed bij me afgenomen. Ze willen een aids-test doen.'

Twintig minuten later kwam Ela Bach de kamer van Becker binnen. Larue zat op de bezoekersstoel druk in een mobiele telefoon te praten, zijn blik gleed over de foto's van vakantiedia's die Thilo op de wand had geprikt.

'Mijn klanten willen resultaten zien', riep Larue. 'Het moet nut hebben, geen fun, begrijp je? Die definiëren hun doelgroep iets preciezer. Ach, houd toch op met jullie events, dat is toch allemaal ouwe koek.' Hij draaide zich van het palmenstrand af en zijn blik viel op Ela. 'Tot ziens. Op de *Telemesse*, precies. Oké. Jij ook.'

Larue klapte het telefoontje dicht en viel tegen Ela uit: 'Ik heb getekend. Ik heb verteld wat ik weet. Waarom laat u me hier sudderen? Ik heb andere dingen te doen. Ik ben geen ambtenaar, als u begrijpt wat ik bedoel.'

'Niet helemaal. Wat doet een mediaplanner zoal?'

Larue keek Thilo aan, waarna hij opstond en breed voor Ela ging staan. 'Mijn bedrijf zal u informatie over onze firma toesturen. Oké? Kan ik nu gaan?'

Ela ging op de tweede bezoekersstoel zitten, legde haar bandapparaat op Thilo's bureau en drukte de opnametoets in. 'Meneer Larue, waar kende u de daders van?'

'Hoe komt u daarbij?'

'U hebt met een van hen gesproken. U dacht hem zover te kunnen krijgen dat hij zich tegen zijn collega zou keren.'

'Ja, dat klopt.'

'Waarom hebt u dat bij uw verhoor niet vermeld? Geeft u toch toe dat u in ieder geval wist wie hij was.'

'Nee. Die kerels waren vermomd. Hoe vaak moet ik dat nog tegen u zeggen? Ik heb alleen gedacht dat ik hem mogelijk aan onze kant zou kunnen krijgen omdat hij zich zo vreemd gedroeg.'

'Hoe bedoelt u dat?'

'Hij gedroeg zich alsof hij het er niet mee eens was wat zijn metgezel met mijn vrouw deed. Het leek net alsof ...'

'Ga door.'

'Alsof hij ... stond te huilen.'

Ela keek naar Thilo. Die haalde zijn schouders op - deze versie was nieuw voor hem.

Larue zei: 'Ik weet dat het gek klinkt.'

'Dat doet het zeker. Wat heeft hij geantwoord toen u hem probeerde te overreden?'

'Niks. Hij heeft me op mijn neus geslagen.'

Ela controleerde de recorder - de band liep nog. Larue ging nog altijd niet zitten - alsof ze hem eerder zou laten gaan als hij bleef staan.

'Meneer Larue, hoeveel personen wisten wat er in de suikerpot zat?'

'Het huishoudgeld? Verena en ik, verder niemand.'

'Hoeveel had u daar verstopt?'

'Een paar honderdjes, weet ik veel. Verena is verantwoordelijk voor het huishouden. Staat allemaal in het proces-verbaal.'

'Uw vrouw schetst een ander beeld.'

'Pardon?'

'Hebt u er een verklaring voor waarom juist u werd overvallen?'

'*Wat* zegt mijn vrouw?'

'Hoe wisten de daders dat ze zwanger is?'

'Verena is in shock. Ze weet niet wat ze zegt.'

'Had u drugs in huis?'

Larue pakte het opnameapparaat en sprak in de ingebouwde microfoon: 'Ik maak bezwaar tegen de methoden van de brigadiers Bach en Becker. Hier komen ze niet mee weg. Duitsland is geen politiestaat. Nog niet.' Hij smeet het apparaatje terug op het bureau. De spoelen liepen knarsend door.

Ela hield de videoprint voor zijn neus. De ex-smeris.

'Die heeft uw collega mij ook al laten zien.'

'Matysek, Dirk Matysek. Waarschijnlijk verslaafd aan drugs.'

'Niet het soort mensen waarmee ik haasje-over speel.'

'U hebt hem en zijn maat evengoed wel binnengelaten En begint u nu niet weer over dat sprookje van die meubelmaker.'

De kleine, tanige man staarde Ela aan. Dat hij niet het type was dat zich inliet met zo'n straathond als Matysek, geloofde ze wel. Toch vertrouwde Ela hem niet.

'We zouden uw woning graag nog een keer willen doorzoeken.'

'Zonder de handtekening van een rechter zet u geen voet meer over mijn drempel, mevrouw Bach.'

'Heeft u of uw vrouw ooit drugs gebruikt?'

'Hier krijgt u spijt van! Bovendien heeft dit verhoor voor de rechtbank geen enkele waarde. U hebt mij niet verteld wat u mij ten laste legt, u hebt mij niet gewezen op mijn recht om te weigeren te getuigen en ook niet op mijn recht om een advocaat in de arm te nemen.'

'U hebt dit al vaker meegemaakt?'

'Nee, ik kom uit een familie van juristen.'

Ela schakelde de recorder uit. 'Het is wel aan mij of ik u als getuige, als verdachte of als beschuldigde verhoor. Vraagt u nog maar eens na bij uw familie in welk van de drie gevallen de plicht bestaat tot informatie over uw rechten. U kunt nu gaan, meneer Larue.'

Hij stormde langs Ela de gang op, ontdekte zijn vrouw die op de bank had gewacht en pakte haar bij de arm. Zwijgend liep het paar naar de paternosterlift.

Ela sloot zachtjes de deur, leunde ertegenaan en vroeg: 'Wat denk jij van hem?'

Thilo zei: 'Wist jij dat alleen al aan tv-reclame acht miljard euro per jaar wordt omgezet? In Duitsland alleen al. Twee miljoen reclamefilmpjes. Larue adviseert zijn klanten in welke uitzendingen ze hun spots moeten plaatsen. Specialistisch werk. Je hebt geen idee hoeveel geld bedrijven daaraan uitgeven.'

'Wie zijn z'n klanten?'

'De industrie, bekende merken. Thilo keek in zijn notities. 'Auto's, telecommunicatie, van alles en nog wat.'

'Kun je daar ook zwart geld mee verdienen?'

'Hoe bedoel je dat?'

'Luister, Thilo: Hij had iets in die suikerpot wat illegaal was en Matysek wist daarvan. Ik wed dat hij erop rekende dat Larue geen aangifte zou doen. En dat zou hij inderdaad niet doen.'

'Hij zei dat zij dat niet wilde.'

'Kom nou toch. Het ging Matysek duidelijk niet om snelle seks. Hij wilde intimideren, vernederen. Misschien speelt hij het knechtje voor iemand die zich door Larue gehinderd voelt. Daarbij gaat het niet om reclamespots. Als die buurvrouw met haar zwakke hart er niet was geweest, zouden Matysek en zijn zwijgende handlanger er ongestraft vanaf zijn gekomen.'

'Dat zijn ze tot nu toe ook.'

De deur werd opengegooid en Biesinger kwam de kamer instuiven. 'Ik heb met de meubelmaker van Larue gebeld. Hij levert de inbouwkast vanmiddag af. Van een afspraak op zondag is nooit sprake geweest, zegt hij. Op zondagen verzet hij geen stap.'

'Je vertelt Ela niets nieuws. Maar vraag me niet hoe ze dat wist.' Becker stak zijn mobieltje in zijn zak en deed de bureaula op slot.

Biesinger zei: 'Ela, als jij ook naar huis wilt, kan ik de zaak best van je overnemen.'

'Nee, dank je', antwoordde Ela en liep terug naar haar kamer. Ze wilde nog één keer bellen: de districtsbureaus Oost, Noordoost, Noord, Centrum, Zuid en Zuidwest - de rechercheurs daar gingen over de zogeheten kleine vergrijpen en hadden overal hun informanten zitten. Zij moesten uitzoeken of Larues naam samenhing met vuile zaakjes. Als iemand de straat kende als zijn broekzak, waren dat wel de wijkrechercheteams.

Er was een beeld dat maar niet uit haar hoofd verdween: Verena, hoe ze daar in die douche ineengedoken zat, één bundel trillende zenuwen met een kapotte huid.

13

Van Haffke geen spoor. Martin Zander keek rond in alle werkvertrekken van de basiseenheid. Volgens hoofdagent Erlenmeier had Haffke zich sinds de middagpauze niet meer laten zien. Toen Zander terugkwam, lag er een notitie op zijn bureau: *Ela Bach, RA11, direct terugbellen.*

Iemand van de coördinerende afdeling viel binnen met een arrestatiebevel. Winkeldiefstal, overtreding van de regels bij een voorwaardelijke veroordeling. Adres bekend, de man was niet gewelddadig. Een van die arme donders aan wie de collega's van de recherche hun handen niet eens vuilmaakten. Zander speelde de zaak door aan Erlenmeier.

Hij belde Schmiedinger. De opkoper was in zijn winkel. Nee, Arnie Haffke had niet achter zijn rug om de opdracht van die autohandelaar aangenomen. Schmiedinger zei dat hij zijn maat had aangeraden die veertigduizend in een goede scheidingsadvocaat te investeren.

Zander zei tegen zichzelf dat Haffke waarschijnlijk alleen maar lekker van de zonnige middag zat te genieten. Of hij was naar Sina Dorfmeister, het meisje van die inbraak. Speelde de volhardende onderzoeker om zich aan haar op te dringen. Haffkes foefje bij vrouwen.

De telefoon onderbrak Zanders gedachten.

'Zander.'

'Ik ben het, Bodo.'

Het duurde een seconde voor Zander de beller kon plaatsen. Bodo Heintze werkte als koerier en portier voor een bewakingsfirma. Het laatste jaar was het zijn werk geweest om het magazijn van *Bontatelier Schenkenstein* te bewaken, totdat onbekenden hem neersloegen en het magazijn leeghaalden. Heintze was een simpele man die soms te veel praatte. Zo had Zander van hem gehoord dat hij de tipgever van de bende was geweest - zijn gebroken neusbeen had hem twintig ruggen opgeleverd.

Zander had Heintze het geld laten houden. Sindsdien was hij Zanders tipgever.

'Wat is er?'

'De w-wezel is buiten.'

'Onmogelijk.' Fred Wiesmann, de wezel genaamd, was als hoofd van de bende tot negen jaar gevangenisstraf veroordeeld. Bij goed gedrag was dat altijd nog zes jaar.

'Toch wel. Hij is o-o-ontsnapt, omdat hij bang was dat de anderen hem zouden o-o-ombrengen. Die denken dat hij het b-bont heeft ingepikt. En hij dacht, dat *ik* ...'

'Niet over de telefoon. Waar ben je?'

'Thuis.'

'Over een half uur ben ik bij je.'

'K-Kom snel, ik heb late dienst.'

Zander legde de hoorn neer en op hetzelfde moment ging de telefoon opnieuw.

'Ja?'

'Spreek ik met de leider van de RO?' Een vrouwenstem, jong, resoluut. Een collega, gezien de afkorting die ze voor de regionale opsporingsgroep gebruikte.

Zanders oog viel op het papiertje dat voor hem lag. 'In eigen persoon. En jij bent Ela Bach van de moordenaars, klopt dat?'

'Ik heb u verschillende keren gevraagd mij terug te bellen.'

Die trut sprak hem met u aan. Waarschijnlijk dacht ze dat de rechercheurs van Moordzaken tot een betere soort behoorden.

Hij koos voor de stugge aanpak: 'Er wordt hier heel veel gebeld.'

'De opsporing van Matysek. Hebt u al iets gevonden? Kon een van uw informanten iets met de naam Larue? U hebt me vanochtend beloofd daar achteraan te gaan. Het is nu vier uur in de middag.'

Zijn collega probeerde hem onder druk te zetten. Zander kende kippetjes die als ze aan hun carrière dachten, bepaald te ver gingen. Wijven met smalle lippen, die meteen gingen blaten zodra er iets niet liep zoals zij wilden. Hij kon zich niet herinneren met mevrouw

Bach te hebben getelefoneerd - laat staan deze opgeblazen tante iets te hebben beloofd.

'Luister, collega, als mijn mensen iets zouden hebben gehoord, had ik mij al lang gemeld.'

'Luistert *u* eens, collega Zander, ik weet wat men over u vertelt.'

'En wat is dat dan wel?'

'Dat u uitstekende contacten hebt in het milieu. Dat niemand zo goed met informanten kan omgaan als u. Dat u alleen af en toe een schop onder uw kont moet hebben om op gang te komen.'

'Het is dertig jaar geleden dat iemand mij voor het laatst een schop onder mijn kont gaf.'

'Over vijftien minuten ben ik bij u in de *Ulmstrasse*. Ik wil dat we samen een paar van uw informanten onder handen nemen.'

Voordat hij iets had kunnen antwoorden, legde ze de hoorn neer.

Ik heb schijt aan jouw carrière, stomme geit, dacht Zander. En je informant kan je krijgen.

14

De chef van de regionale opsporingsgroep van districtsbureau Noord was een potige man van eind veertig met een kalend voorhoofd en een beginnend buikje. Ela stond erop dat ze haar dienstauto namen. Hij liet zich op de passagiersstoel vallen en noemde een adres in *Derendorf.*

'Wat is dat voor gozer?' vroeg Ela.

'Werkt bij dezelfde firma als uw Matysek. *Fichte Security.* Hij weet vast en zeker wel iets over hem te vertellen. Kan zijn dat hij in het begin een beetje schuchter is. Hij weet niet dat ik iemand meebreng.'

Ela voelde dat Zander zijn blik over haar borsten liet glijden. Dat ze achter het stuur zat, gaf haar het zekere gevoel dat ze de situatie de baas was.

'Het is groen', zei hij.

'Dank je.' Ze trapte het gaspedaal in.

Na een tijdje zei Zander: 'Mogelijk moet ik hem eerst even onder vier ogen bewerken. Daarna is hij voor u. Heintze is niet erg slim en een vreselijk gevoelig type. Ga voorzichtig met hem om. Goede informanten zijn waardevol.'

'Is hij goed?'

'Hij zal u bij Matysek brengen, wat wilt u nog meer?'

Bode Heintze woonde op de tweede verdieping van een naoorlogs huis in de *Moltkestrasse*. Het pand stond ingeklemd tussen twee oude huizen en had een voorgevel zonder versieringen. Een vrouw dweilde de trap - in het voorbijgaan staarde Zander ongegeneerd naar haar achterste.

Heintze, een bleek uitziende man met een scherpe scheiding in zijn haar, leek nerveus. Hij liet hen binnen en behandelde Ela alsof ze altijd al Zanders partner bij de politie was geweest. Hij bracht hen in een bedompte kamer waar een oude vrouw voor de televisie zat, ondanks de zomerse hitte gehuld in een deken. Het ding stond aan, een western. De heroïsche cavalerie zat een aantal roodhuiden achterna - trompetgeschal, bevelen, hoefgetrappel. Een hels kabaal. 'Goede middag', groette Ela.

'Ze is doof', zei Zander. 'Toch, ouwe doos?'

In de vesting zou je met jouw soort charme problemen hebben, dacht Ela.

De oude vrouw glimlachte terug.

Heintze zei: 'Praat niet zo tegen mijn moeder.'

'Ik houd van ouwe dozen. Dat weet je toch, Bodo. Zou je ons geen koffie aanbieden?'

Zanders informant ging met zijn hand door zijn sliertige haar. 'Ik heb toch gezegd dat ik geen tijd heb. Ik heb l-l- ...'

'Ik help je, Bodo.'

Zander manoeuvreerde hem de kamer uit. Ela vroeg zich af wat de dove moeder van de western begreep.

Zander schudde koffiepoeder in het filterzakje. Heintze bleef zijn kapsel ordenen. Zander werd er helemaal kregel van.

'De wezel zegt dat hij je k-koud maakt als je niet met het geld op de proppen komt dat je voor het b-bont ...'

'Zachter praten, Bodo.'

'Drie dagen geeft hij je. En g-geen trucjes, zegt hij.'

'Je hebt me dus verraden?'

'Hij heeft me een geweer onder m'n n-n-neus gehouden. Die gek is totaal d-doorgedraaid, echt. Wees v-v-voorzichtig. Als je hem het g-geld geeft, legt ie je misschien toch nog om.'

Uit de woonkamer knalden schoten, soldaten en indianen schreeuwden door elkaar - de overgevoelige Heintze dook in elkaar.

Zander woelde in het haar van Heintze tot er geen scheiding meer te zien was. Hij pakte hem bij zijn kraag en ging dicht tegen hem aan staan. 'Klootzak, je hebt me dus verlinkt.'

De informant hapte naar lucht en bracht geen woord uit.

Zander dacht na. Wiesmann was niet slimmer dan deze stotteraar, maar wel onberekenbaar en gewelddadig. De kansen waren fiftyfifty, maar Zander wist dat er geen andere oplossing was. Met een duw liet hij Heintze los en vroeg: 'Weet jij waar de wezel woont?'

'Hij zegt dat hij jou n-n-neerknalt als je daar zonder poen verschijnt. Hij k-k-kent jouw trucjes, zegt hij.'

'Hij weet dus dat jij ook hem zal verraden.'

'Maar dat d-doe ik niet. Ik b-ben bang.'

De koffiezetmachine maakte een pruttelend geluid. Zander zocht in het hangkastje naar kopjes. Hij vond een fles wodka en vulde een kopje tot de helft. Hij gaf het aan Heintze - soms hield het stotteren al na de eerste grote slok op.

'Let op, Bodo. We gaan nu weer terug naar de woonkamer. Die tante met het donkere haar is rechercheur bij Moordzaken.'

'M-m-m ...'

'Juist. Ze zal jou een paar vragen stellen over een zekere Dirk Matysek. Die gozer werkt bij hetzelfde bedrijf als jij.'

'Dat w-w-weet ik.'

'Drink op!'

Heintze gehoorzaamde. De koffie was nu doorgelopen. Zander zette alles op een dienblad. 'Die tante zal je vragen waar hij woont. Eerst doe je net alsof je dat niet wil zeggen, daarna noem je haar het adres.'

'Maar dat weet ik niet.'

'Je geeft haar dat van de wezel.'

'Maar ik heb hem beloofd dat niet te verraden.'

Het stotteren was voorbij. De wodka deed zijn werk. Zander duwde Heintze tegen de koelkast, drukte zijn vuist op de punt van zijn neus en siste: 'Je doet wat ik zeg. En als je nog één keer tegen iemand iets fluistert over mij en die bontdiefstal, dan zal je lieve moedertje moeten rouwen om de dood van haar zoon. Dat zou haar hart breken en dat willen we toch allebei niet, hè?'

Ela haastte zich in zuidelijke richting: *Dorotheenstrasse*, *Kettwiger Strasse*, daarna oostwaarts de *Höher Weg* in, richting *Lierenfeld*. De woonhuizen maakten geleidelijk plaats voor bedrijfjes, volkstuintjes en braakliggende stukken grond. Haar vermoeidheid was opeens verdwenen. De koffie had haar goed gedaan.

Ze zei: 'Dit is duidelijk een zaak voor de ME. Matysek is gewapend.'

'Wij zijn met zijn tweeën en ook gewapend. Hij rekent niet op ons. We moeten niet te lang wachten. En die rambo's hebben het al een keer verprutst.'

Het terrein van een schroothandelaar. Achter een hek met prikkeldraad erop stonden zover het oog reikte oude auto's opgestapeld. Ela liet de dienstwagen op het onverharde zijpad tot stilstand komen.

Ze stapten uit, Zander deed zijn zonnebril af en wees op het gebouwtje van golfplaten vlakbij het hek van de inrit. 'Dat moet het zijn', zei hij.

'Van wie is dit terrein?'

'Geen idee.'

Mogelijk bestond er een relatie tussen de eigenaar en Larue, dacht Ela. Als die schroothandelaar Matysek verborgen hield, dan had hij hem wellicht ook opdracht gegeven om de familie Larue te overvallen.

Ela opende de kofferruimte, zocht naar haar kogelvrije vest en trok het aan. Een zwaar ding dat haar in haar bewegingsvrijheid beperkte. Voor lichte vesten had de politie geen geld. Wie niet tot een speciale eenheid behoorde, moest er zelf maar voor zorgen, voor eigen rekening. Ela bood Zander het tweede vest aan, maar hij sloeg het af - een echte macho.

Het hek stond op een kier, er was geen slot. Ela hoopte dat er geen valse hond was om Matysek te waarschuwen. Ze slopen over de stoffige toegangsweg en bereikten het gebouwtje. Binnen klonken stemmen. Een man en een vrouw.

Zander en Ela trokken hun wapen en probeerden door een raam te kijken - aan de binnenkant was er een deken voorgehangen.

Ze hoorden de vrouw kreunen.

Zander gebaarde. Ela moest achter hem blijven. Er knerpten stenen en scherven onder hun zolen. Ze naderden de deur.

Een wellustige kreet.

Zander bracht zijn pistool omhoog en trapte tegen de deur. De golfplaten maakten een hels kabaal, de deur vloog open en klapte hard tegen de wand. Op een veldbed lag een naakte man zonder baard, in zijn ene hand een blikje *Schlösser* en met de andere hield hij zijn pik vast.

'Klojo, stommeling die je bent', schreeuwde Zander terwijl hij naar binnen liep.

Ela volgde gebukt - de deur viel achter haar in het slot. Plotseling was het donker, op het blauw flikkerende licht van een beeldscherm na.

De donkerharige kerel nam een snoekduik vanaf het bed en verdween achter een bureau. Het tv-toestel wankelde, er spoot bier in het rond en het blikje vloog door de lucht. Boven het schrijfblad verscheen de loop van een geweer.

'Liggen!' riep Zander. Ela wierp zich op de grond.

Het dreunend geluid van een schot - de hagel sloeg gaten in de golfplaten wand, zonnestralen vielen naar binnen op de plek waar Ela zojuist nog had gestaan.

'Maak me klaar', hijgde de vrouw op het tv-scherm.

'Harder. Jaaa!'

Ela drukte zich tegen het vieze vloerkleed. Het was heet, de zon brandde op het golfplaten dak.

Dit was Matysek niet.

Ze waren zonder toestemming iemands privé-terrein binnengedrongen. Die informant had hun iets op de mouw gespeld.

Die vent dacht waarschijnlijk dat zij en Zander criminelen waren.
'Politie!' schreeuwde Ela. 'We willen alleen maar met u praten!'
Met één hand hield ze haar groene legitimatiebewijs omhoog, met haar andere hand richtte ze het wapen op zijn benen die ze vaagjes onder het bureau zag uitsteken.

'Mmm. Geef me je toverstok', kirde de stem op de tv.

De mond van het geweer wees in de richting van Ela, ze trok de hand met het legitimatiebewijs terug. Een tweede schot, slecht gemikt - nog meer oplichtende puntjes, sterretjes in de wand.

Het derde schot klonk anders, de man achter het bureau zakte in elkaar, zijn hoofd rolde opzij.

'Zooo lèèkker. Geef me je slagroom. Spuit me vol, geile bok!'

Zander sloeg met zijn vuist tegen de televisie, het kreunen stopte en het beeldscherm werd zwart. Hij rukte de deken van het raam, eindelijk werd het licht. Er hing een geur van cordiet in de lucht. Zanders handen grepen naar Ela. Ze weerde de oude macho af en krabbelde overeind.

Ze boog zich over de dode en dwong zich om langzaam te ademen. Het was geen droom, geen hallucinatie veroorzaakt door overspannen zenuwen. Op zijn voorhoofd zat een rood gat, als een derde oog. Ela zocht de halsslagader van de man: zijn huid was nat van het zweet, geen pols. Uit zijn achterhoofd, waar de kogel uit Zanders P6 naar buiten was gekomen, was wat bloed gedruppeld. De erectie van de dode zag er absurd uit.

Aan de wand hing een telefoon met een ouderwetse draaischijf. Ela pakte de hoorn. Nadat de bel voor de derde keer was overgegaan, nam de secretaresse van RA11 op en verbond haar door met Schranz, de enige die bereikbaar was. Schranz was chef van een commissie moordonderzoek, net als zij; hij was het langst in dienst bij RA11 en behalve Gerres haar grootste concurrent.

Ela's ogen zochten Zander terwijl ze Schranz het adres doorgaf. Haar collega van de regionale opsporingsgroep bestudeerde de doosjes met pornobanden, die hij met een zakdoek beetpakte. Toen Ela ophing, zei ze: 'Nu worden *wij* het voorwerp van onderzoek.'

Ze liep naar buiten en ontdeed zich van haar vest.

Zander volgde haar. 'Die vent heeft erom gevraagd. Die heeft vast niet minder op zijn kerfstok dan Matysek.'

Hij ging in het stof op het pad zitten en Ela deed hetzelfde. Schouder aan schouder, met hun rug tegen de warme golfplaten wand. Ze zei: 'Dat moederskindje is een waardeloze tipgever. Hij drinkt. Ik rook het.'

Haar oudere collega trok een mueslireep uit het zakje van zijn overhemd, brak die doormidden en bood haar een halve aan. 'Alles oké met jou?' wilde hij weten.

Na een poosje vroeg ze: 'Zijn jullie iets over Christoph Larue te weten gekomen of niet?'

'Wie is dat dan?'

'Hij en zijn vrouw zijn door Matysek overvallen. Dat verhaal heb ik je toch verteld. Dat Larue de diefstal en de verkrachting van zijn vrouw geheim wilde houden. Dat ik denk dat er drugs in het spel zijn en dat Larue daar zelf ook bij betrokken is.'

'Mij heb je niks verteld. Je moet iemand anders aan de lijn hebben gehad.'

'Oké, laat maar.'

'Je moet echt niet denken dat mij dat daarbinnen niks doet', zei Zander, verfrommelde de verpakking en gooide het papier tussen het onkruid. 'Maar of anderen zich er nu druk over maken of niet, verandert niks aan de zaak. Of wel soms?'

Voor de omheining vier gewone personenauto's, een groene Transit en twee groen-witte Vectra's. Op het terrein ongeveer tien collega's. In parka's, in burger, in witte plastic overalls van de identificatiedienst. Ela vroeg zich af of de bouwval ooit eerder zo veel mensen bij elkaar had gezien.

Hun collega's stonden naar de dode man te kijken - Engel was ontdaan, Schranz en Gerres konden hun geluk waarschijnlijk nauwelijks op. Bloedvlekken op Ela's witte vest.

Thann en twee van zijn mensen van Intern Onderzoek kwamen binnen. Ze joegen de mannen van RA11 uit het optrekje, alsof ze bang waren dat hun collega's met de sporen zouden knoeien om Ela te beschermen. Ze wist dat in ieder geval Gerres eerder het tegendeel zou doen.

Engel vroeg: 'En jullie hebben echt geen idee wie de dode is?'

Ela zei: 'Wij dachten ...' Ze onderbrak zichzelf.

Ze zag hoe Gerres naar de auto's verderop slenterde met zijn mobieltje aan zijn oor. Ongetwijfeld telefoneerde die slinkse rotzak met gifkikker Poetsch. Een nieuwtje.

Martin Zander vertelde: 'Mijn tipgever noemde hem de wezel. Hij had gehoord dat de wezel zaken deed met Matysek. Wij reden hierheen om de man te ondervragen. We zeiden dat we van de politie waren, maar hij opende toch het vuur. Ik heb hem uit noodweer doodgeschoten. Dat is het hele verhaal.'

Bij die laatste woorden keek hij Ela strak aan. *Hoe wist Zander verdomme wie de dode was?*

Ze knikte. Hij had het dodelijke schot toegegeven, zijn informant had hen hiernaartoe gestuurd - zij was uit de brand, wie er ook achter de naam wezel mocht schuilgaan.

Engel wierp een blik op Ela's vest dat op de grond lag. De telefoon aan zijn riem ging over. Hij vroeg: 'Dus je weet het nog niet?'

'Wat?'

Haar chef maakte zijn gsm los. 'Matysek is veertig minuten geleden gevonden. In *Neuss*. De collega's zeggen dat het zelfmoord lijkt. Jij was er niet, daarom heb ik Biesinger ernaartoe gestuurd.'

Engel bracht de mobiele telefoon naar zijn oor en meldde zich. Hij luisterde en zei toen: 'Bingo. Laat hem maar overbrengen. Ik wil dat Rosenbaum de obductie doet.'

Hij beëindigde het gesprek en zei: 'Biesinger gelooft niet dat het zelfmoord was. Een schot uit een tegen zijn hoofd geplaatst wapen, maar geen kruitsporen op zijn handen.'

'Larue', zei Ela.

'Nu je die naam toch noemt. Ik heb een telefoontje gekregen. Je moet die man niet zo terroriseren.'

'De officier van justitie?'

'Nee, Larues vader, rechter van het *Oberlandesgericht*.'

'Heeft hij echt terroriseren gezegd?'

'Ik heb hem geantwoord dat jij mijn beste medewerkster bent en dat je weet wat je doet.'

'Dank je.'

Engel liet zijn blik naar Gerres dwalen die nog altijd bij de auto's stond te telefoneren. Hij zei: 'Zorg dat ik gelijk krijg.'

15

Leo reed in zijn Fiesta langs de oever van de Rijn - die route reed hij elke dag naar huis en hij zou die zelfs in zijn slaap kunnen vinden. Op de achterbank lagen de persoonlijke dingen die hij van het bureau had meegenomen: kleding, koffiebeker, een ingelijste oorkonde. De fles grappa die hij voor zijn vijfendertigste verjaardag van zijn collega's cadeau had gekregen, rolde in de bochten over de vloer tegen de achterbank. Niemand van de jongens had afscheid van hem genomen - ze waren buiten bij de een of andere oefening. In zijn flat wachtte hem geen troost. Hij verliet de weg langs de Rijn en sloeg enkele keren af, zonder speciaal doel, tot hij op de *Königsallee* aan de kant van de bankjes een plek vond om zijn auto neer te zetten. Hij slenterde in de richting van het centrum en vroeg zich af of de dertig euro die hij bij zich had genoeg zou zijn om zich te bedrinken.

Een groot deel van de marktkraampjes op de *Karlplatz* was op maandag gesloten en bij de stand waar je *Altbier* kon drinken, was niets te doen. Leo zag de hamburgertent en dacht aan het blonde meisje van gisteren. *Jij kunt om je heen kijken en pakken wat je wilt en wanneer je maar wilt* - hij wist helemaal niet meer hoe dat moest.

In een kiosk kocht hij een flesje brandy, liep langs de oever van de Rijn en vond in de buurt van de hoogbouw van *Geminag* een leeg bankje. Hij klokte de deciliter naar binnen, wachtte in de brandende zon op de uitwerking ervan en keek naar de mensen die voorbij liepen. Ze leken allemaal een doel te hebben, of althans een thuis.

Hij maakte zichzelf wijs dat opperhoofd Enders gelijk had. Het was Massimo's schuld. Leo keek net zo lang naar zijn rechterhand tot hij vaststelde dat hij bijna niet meer bewoog. Zo gauw morgen of overmorgen het trillen definitief voorbij was, zou hij nog eens met de commissaris gaan praten. Het opperhoofd kon hem niet zomaar laten vallen. Als de stress over was en zijn zenuwen tot rust waren gekomen, zou hij het misschien wel aandurven zich door de politiearts te laten onderzoeken, om zo zijn terugkeer naar de ME te bewerkstelligen.

Toen dacht Leo opeens aan het ziekenhuis en de afdeling intensive care. *Buonaccorso zweeft tussen leven en dood.*

In een sigarenzaak die ook wijn en sterke drank verkocht, zocht Leo de goedkoopste brandewijn uit. Bij de kassa ontdekte hij dat hij zijn portemonnee niet meer bij zich had en liep terug naar de kiosk. De verkoper kon zich zijn portemonnee niet herinneren. Onder het bankje lag hij ook niet. Leo had alleen nog wat kleingeld in zijn zak. Hij liep naar zijn auto, haalde het verjaardagscadeau eruit en ontkurkte de fles. *Grappa di Brunello* - het beste bocht. Hij nam een slok en spuugde die met een hoge boog uit - een grappenmaker had de sterkedrank vervangen door leidingwater.

Leo wilde nog steeds niet naar zijn lege huis. Hij liet zich drijven op een stroom van gedachten aan fouten en gemiste kansen. Via de tunnel aan het eind van de *Königsallee* kwam hij bij de *Hofgarten* en slenterde langs de vijver waar gepensioneerden de watervogels voerden, hoewel dat volgens de bordjes verboden was. Hij werd ingehaald door fietsers en hardlopers. Leo wandelde verder tot hij in het noordwestelijk deel van het park bij een klein dalletje kwam. Tegen de helling lagen enkele mensen in de zon. Leo maakte het zich gemakkelijk, trok zijn T-shirt uit, rolde het op en schoof het onder zijn nek. Misschien was dit wel de ultieme vrijheid: als het niet meer uitmaakte wat je deed.

Hij sloot zijn ogen tegen de namiddagzon - het lawaai van de stad nam af en veranderde in geruis op de achtergrond.

Hij werd wakker door een plotselinge schreeuw. Een klein kind dat nog nauwelijks kon lopen, werd belaagd door een mottige hond en blèrde alles bij elkaar. De moeder foeterde op het kind, kennelijk had de bangerik het dier geërriteerd. Moeder en kind liepen weg en het beest rende nu naar twee langharige studenten die met een frisbee speelden - magere knullen die echter met hun schijfje een knappe show opvoerden.

Leo schatte dat hij hoogstens vijf minuten had gedoezeld. De pieper in zijn linkerkontzak begon in de weg te zitten. Hij draaide zich op zijn buik en zag het meisje, nog geen tien meter bij hem vandaan.

Ze zat op een badhanddoek, slechts gekleed in een blauw bikinibroekje, en bladerde in een tijdschrift, haar kleding netjes opgevouwen naast zich. Ondanks haar zonnebril herkende Leo haar meteen: honingblond haar, de kleine moedervlek onder haar linkeroog, de iets te grote, smalle neus. Alleen haar glimlach ontbrak. Ze zag hem niet. Dani was niet bij hem.

Hij begroef zijn gezicht in zijn gebogen arm, rook het vers gemaaide gras, luisterde naar het ruisen van de wind in de bomen boven hem en gluurde af en toe naar haar.

Ze deed geen moeite om bruin te worden. Doordat ze voorovergebogen zat, viel er een schaduw op haar kleine borsten en platte buik. Het tijdschrift lag tussen haar benen, wat ze las kon hij niet zien.

Af en toe keek ze op en zocht het pad af dat achter de bankjes omhoog liep, alsof ze iemand verwachtte.

Leo sloot zijn ogen en stelde zich voor hoe het zou zijn om haar aan te spreken - haar jonge, stevige vlees te voelen, haar haren te ruiken. Hij zag voor zich hoe hij haar borsten in zijn mond zou nemen, aan haar oor likte, haar hals proefde, haar schaamstreek.

Voetstappen naast zijn hoofd verstoorden ruw zijn droom. Leo keek weer op zijn horloge, daarna op zijn pieper - Adomeit had beloofd hem te laten weten wanneer hij bij Moordzaken kon beginnen. Hij wilde niet meer in slaap vallen. 's Nachts zou hij maar wakker liggen als hij nu aan zijn vermoeidheid toegaf. Hij ging zitten en trok zijn T-shirt aan om niet te verbranden. Zoals alle mensen met rood haar werd hij niet bruin, maar kreeg hoogstens zomersproeten.

De jonge man in het bontgekleurde overhemd, die vlak langs hem was gelopen, zat nu dicht tegen het meisje aan gehurkt. Hij hield een nummer van *Blitz* van de afgelopen week in zijn hand: *VLUCHTTE DE BRANDSTICHTER IN EEN GELE JEEP?*

Het paartje fluisterde, een meningsverschil leek het, alsof het een zakelijke onderhandeling betrof. Toen greep de man de stoffen tas van de vrouw en doorzocht die. Leo zag aan haar dat ze dat niet op prijs stelde. De knul stopte zijn oude krant in de tas en gaf het meisje een kus op haar wang. Hij fluisterde iets tegen haar, wachtte tot ze antwoordde met een glimlach, daarna stond hij op en liep in zichzelf gekeerd terug, langs de frisbeespelers en verder in de richting van de muziektent.

De jonge vrouw kleedde zich aan, schudde de handdoek uit en vouwde hem op. Een fractie van een seconde bleef haar blik op Leo rusten - hij was nog altijd lucht voor haar. Ze stopte de handdoek in haar tas en hing die over haar schouder. Toen ze wegliep over het grasveld besloot Leo haar te volgen.

Hij koos een pad parallel aan het hare, dat recht op de spiegelruiten van de hoogbouw op de *Gustav-Gründgens-Platz* afliep, daarna naar rechts afbuigend, langs een sculptuur van Henri Moore en langs de vijvers waar zwanen onbeweeglijk door het water gleden en eendenpaartjes elkaar achterna zaten.

Ze liep doelbewust verder en verliet via het tunneltje het park.

Op de *Königsallee* hing een drukkende hitte, alsof de gevels van de winkels en kantoren gloeiden. Personeel dat klaar was met werken, mengde zich onder de toeristen, de chic van Düsseldorf, de eerste bioscoopbezoekers en de laatste koopjesjagers van de zomeruitverkoop. De jonge vrouw had geen aandacht voor de winkels met luxe artikelen aan de linkerkant. In het gewoel van de voorbijgangers verkleinde Leo de afstand. Hij kon het merkje van haar jeans nu ontcijferen en ontdekte fijne blonde haartjes op het streepje huid dat haar topje vrijliet. Hij voelde de behoefte haar aan te raken. Wilde haar zeggen dat hij haar leuk vond.

Leo werd zich ervan bewust hoe zinloos het was wat hij deed. Het meisje was tien jaar jonger en had een vriend - dat ze gisteren in die hamburgertent naar Dani had geglimlacht, had echt niks te betekenen.

Ze verdween in een winkelpassage.

Hij bleef staan en keek in een etalage naar zijn spiegelbeeld. Over minder dan vijf jaar zou hij veertig zijn. Hij was nog slank, zijn rode haardos was nog niet dunner geworden. Hij zag er goed uit, maar dat zou niet zo blijven - voor het eerst besefte hij dat het allemaal niet veel te betekenen had.

Op tv-monitoren die als zuilen waren opgestapeld, flikkerden beelden van een modeshow. Modellen in fladderende doeken paradeerden draaiend voorbij, jonge, duurbetaalde tieners met uitdrukkingsloze gezichten. Naast de beeldschermen waren dezelfde stoffen over poppen zonder hoofd gedrapeerd, transparante niemendalletjes die een vermogen kostten. Onzichtbare luidsprekers verspreidden klanken die een luxueuze lichtheid moesten suggereren.

In de spiegels van een van de zuilen ontdekte Leo het meisje. Ze stond in de ingang van een winkel op de toetsen van haar mobieltje te drukken.

Overal waren spiegels. Overal beeldschermen, poppen, voorbijgangers. Twee oudere dames kwamen dicht bij de ruit staan. Ze maakten zich vrolijk over de doorzichtige rommel en probeerden de prijskaartjes te ontcijferen. Toen zwegen ze en keken Leo argwanend aan.

Het was niet verboden om de etalages van een damesboetiek te bekijken. Zijn ogen zochten nogmaals de zuil - het meisje was verdwenen.

Iets verder weg gaven blauwe bordjes de ingang van de metro aan. Zijn Fiesta stond aan de andere kant van de middenstrook op de *Kö*. Leo bedacht dat hij maar voor een half uur muntjes in de parkeermeter had gestopt. Hij draaide zich om en liep weg bij de etalage.

De honingblonde versperde hem de weg. Ze hield haar gsm vast alsof het een wapen was en vroeg hem: 'Wie bent u? Wat wilt u?'

'Neem me niet kwalijk.'

'U volgt me.'

'We hebben elkaar bij McDonalds gezien.'

'Oh ja?'

'Gisteren. U was daar met een vriendin.'

Ze moest wel denken dat hij niet goed snik was. Ze aarzelde. Toen zei ze: 'U had een klein jongetje bij u.'

'Daniël', antwoordde Leo. 'Mijn zoontje.'

'Waarom loopt u achter me aan?'

Hij probeerde charmant te glimlachen. 'Wat vindt u ervan als ik u dat eens bij een kop koffie probeer uit te leggen?'

Tot Leo's verrassing stemde ze toe. Het eerstvolgende caféterras was maar een half blok verder. Ze gingen aan het enige vrije tafeltje zitten en bestelden allebei koffie verkeerd.

De vrouw zette haar zonnebril af en zei dat ze Jasmin heette. Hij zei hoe mooi hij het groen van haar ogen vond.

'En waar is onze lieve Daniël nu?' vroeg Jasmin.

'Bij zijn moeder. Ik zie hem alleen op zondag.'

'Ach zo.'

De kelner zette de kopjes met een te groot gebaar op tafel zodat de koffie over de rand gutste en de rekening die onder Leo's kopje geklemd zat, kletsnat werd. De kelner verwachtte blijkbaar geen grote fooi - dat had hij goed gezien. Leo vond nog een paar muntjes in zijn broekzak en was blij dat Jasmin erop stond haar deel zelf te betalen. Naast Leo perste een Porsche cabrio zich in een open plek tussen twee geparkeerde auto's. Kennelijk te langzaam naar de smaak van een bestuurder van een Mercedes, die luid claxonneerde. Leo nipte van de koffie en ontdekte grasvlekken op zijn T-shirt.

'Heb je een uurtje tijd?' vroeg Jasmin.

'Waar gaat het om?'

'Even goede vrienden als je nee zegt, hoor. We kennen elkaar immers helemaal niet.'

Haar probleem was dat ze ruzie had met haar ex-vriend. Ze wilde bij haar ouders intrekken, maar durfde haar spullen niet alleen te gaan halen. Ze zei dat haar ex aan cocaïne verslaafd was en onberekenbaar werd als hij het spul gebruikte. Als hij niets had gebruikt, was hij echter nog minder te pruimen. Hij was volkomen onmogelijk, zei ze.

Leo zegde toe met haar mee te gaan - met slachtoffers van verbroken relaties had hij medelijden.

In de auto vertelde Jasmin dat ze tandtechnicus was. Haar chef was een rijke tandarts met weliswaar een chique clientèle, maar desondanks iemand die zijn personeel op een krenterige manier uitbuitte. Omdat hij de vader van haar ex was, zou ze haar baan nu ook wel kwijt zijn. En door de hervormingen in de gezondheidszorg dacht ze dat het moeilijk zou worden iets anders te vinden.

'Ja, dat denk ik ook', zei Leo, alsof dat haar zou kunnen troosten. 'Maar beter schoon schip maken dan constant irritaties.'

'Jij weet er zeker alles van, hè?'

'Het almaar voor je uitschuiven maakt het alleen maar erger.'

Jasmin glimlachte en streelde Leo's knie.

Haar woning was een klein appartement in de *Merkurstrasse*, nieuwbouw, derde etage.

Leo meende Jasmins gespannenheid te voelen toen ze de krakende houten trap op liepen. Naast haar deur zat een zelf geschilderd houten bordje: *Jasmin Horn* - omlijst door bloemetjes en vlinders. Jasmin wachtte een paar treden lager.

Hij belde aan en toen hij niemand hoorde, opende hij de deur met Jasmins sleutel. Hij controleerde elk vertrek van de tweekamerwoning. Geen ex-vriend, alleen zijn sporen: dure herenkleding over een stoelleuning, scheerspullen op het rekje in de badkamer, een paar donkere pakken, elegante stropdassen en witte overhemden in een kast waarvan de schuifdeur half open stond. Verder was het de woning van een vrouw met smaak.

In de woonkamer een bank waarover een laken was getrokken. Daarop een slaapzak - ook Leo had nachtenlang op de bank geslapen voor Brigitte eindelijk was weggegaan. Zijn oog viel op grote ingelijste foto's: exotische gezichten, mensen uit een verre wereld.

Leo vond het verkeerd van haar dat zij wegging. Haar ex had weg moeten gaan.

Hij riep het meisje binnen - de kust was vrij.

Jasmin vroeg hem te blijven tot ze haar spullen had gepakt. Ze greep een koffer en rukte kleding uit de kast, raapte cd's bijeen die op de grond lagen. Ze zocht naar papieren en dingen die kennelijk voor haar van waarde waren. Toen ze merkte dat Leo naar haar stond te kijken, vroeg ze hem het trappenhuis in de gaten te houden, waarop Leo voor de voordeur ging staan.

Uit de tegenoverliggende deur in het portiek kwam een gepensioneerde man met een kleine hond - vuilnisbakkenras - aan de lijn. Het dier liet zijn tanden zien, trok in de richting van Leo. 'Mijn hond bijt niet', zei de oude man wantrouwig. 'Alleen als iemand bang is.' Eindelijk liep hij verder en trok het keffertje de trap af.

Leo besefte plotseling dat hij hier niets te zoeken had. Hij mengde zich in de ruzie van een stel dat hij niet kende. Misschien was die vent van Jasmin wel helemaal niet verslaafd of gewelddadig. Misschien maakte Leo zich alleen maar belachelijk. Louter omdat zijn hormonen als een gek tekeergingen.

Hij trok de deur achter zich dicht en liep de slaapkamer in om haar te zeggen dat ze zich moest haasten.

Ze stond voor de kast en spoot wat parfum in haar hals terwijl ze keurend in de spiegel keek - op het blauwe bikinibroekje na was ze naakt. Ze zag hem en hield twee zomerjurkjes omhoog. 'Die gestreepte ziet er best trendy uit, hè?'

Leo liep op haar toe - ze liet de kleren op de grond glijden.

Hij boog voorover en kuste haar mond, haar schouder, haar tepels.

Ze vroeg: 'Heb je de deur dichtgedaan?'

Hij pakte haar lichaam vast en drukte het tegen zich aan. Ze was niet gespierd, maar ook niet knokig, gewoon slank en stevig. Een beetje te veel parfum.

Jasmin maakte zich los, stapte uit haar slipje en frunnikte aan zijn broek. Ze greep naar zijn pik, maar die was slap gebleven.

'Sorry', zei Leo. 'Het gaat te snel.'

'Je gedraagt je hier anders als een haantje.'

'Er spookt zoveel door mijn kop.'

'Wacht', zei ze en trok een la open. Ze haalde er een zakje uit en kiepte wat erin zat op het kastje. 'Dat helpt.'

Wit, korrelig poeder dat Jasmin met de scherpe zijkant van een dun metalen buisje fijnhakte en haastig tot een lijntje bij elkaar schoof. Dat is geen Viagra, dacht Leo.

Ze hield het buisje onder zijn neus.

Leo zoog het op zoals hij dat in films had gezien, tot Jasmin hem opzij duwde en de rest opsnoof. Daarna trok ze hem op het matras.

Hij vergat de ellende van de laatste uren - de arrestatiepoging, de intensive care, zijn ontslag. Hij verdrong de ex van Jasmin en de risico's die drugsgebruik met zich meebracht. Hij kon zich op het meisje concentreren nog voordat de cocaïne in alle hevigheid begon te werken.

Zijn vermoeidheid viel van hem af.

Toen Jasmin kort daarna zwaar begon te hijgen en haar oogleden trilden, vervlogen zijn laatste sombere gedachten. Hij was in de bloei van zijn leven. Hij begon een nieuw leven. De wereld lag voor hem open en hij pakte zijn kansen.

Een echte overwinnaar.

Na een poos lagen ze nat van het zweet stil naast elkaar. Jasmin streek het haar van haar voorhoofd en hengelde over hem heen naar het pakje sigaretten dat op een fruitkistje naast het matras lag. Daar stond ook een foto tegen de muur, zwartwit, een oudere heer, wellicht de vader van Jasmin. Leo bestudeerde haar rug, haar achterwerk. Hij registreerde een verandering in geur. Minder parfum, meer Jasmin zelf.

Ze zei: 'Kleed je hiernaast maar aan, ik moet hier nog iets doen. Ga maar vast, ik kom ook zo.'

Leo raapte zijn kleren bijeen en liep naar de woonkamer. Hij kleedde zich aan en bekeek de foto's aan de muur: een oude man met een houten pin door zijn neus, een vrouw met een toren van metalen ringen om haar nek. Grimmige, lachende gezichten. Leo keek verder om zich heen. Hij pakte een oud motorjack van een fauteuil en voelde aan het leer, rook aan de voering.

Toen meldde zijn pieper zich, op het display stond het nummer van Adomeit.

Hij zag de oplader van een mobiele telefoon op tafel liggen. Leo zocht het apparaat en vond hem op het bureau. Hij toetste de cijfers in - even was hij bang dat Adomeit aan hem zou merken hoezeer hij op scherp stond.

De commandoleider uit zijn vorige leven zei: 'Ik moet je vertellen dat het niks wordt met RA11.'

'Betekent dat dat ik bij de eenheid blijf?'

'Het betekent dat iemand binnen de 11de een veto tegen jou heeft uitgesproken. Het opperhoofd zegt dat het niet aan Poetsch ligt. In plaats daarvan ga je nu naar de meldkamer. Blijf je erbij dat je geen vakantie wilt opnemen?'

'Shit, ja.'

'Meld je dan morgen voor de late dienst in de vesting. Van drie tot tien. Team twee, de chef heet Ritter. De parate rechercheafdeling vind je op de begane grond.'

'Dat weet ik.'

'Het is een goede plek. Afwisselend werk. Veel eigen verantwoordelijkheid. En wat RA11 betreft - dat kunnen we later altijd nog zien.'

Leo maakte een eind aan het gesprek. Jasmin stond in de deur, aangekleed en met haar koffer in haar hand.

'Time to say goodbye', zei ze terwijl ze een beertje met een corduroy broekje en een houthakkershemdje van de plank plukte. 'Hij heet Gordon. Is voor jou. Voor je zoon.'

Hij bedankte haar en stak de beer in de achterzak van zijn spijkerbroek. Hij wees op de foto's aan de muur. 'Heb jij die foto's gemaakt?'

Jasmin rolde de slaapzak op en antwoordde niet. Leo nam haar koffer over en volgde haar de trap af. Ze vroeg: 'Is er iets? Laat me raden. Je hebt met je zoon gebeld.'

'Nee, dat was mijn voormalige chef.'

'Werkloos?'

'Nee. Ik ga naar een andere afdeling op het bureau.'

'Ben je toevallig een smeris?'

'Is dat zo duidelijk?'

'Ha, ik heb je in mijn macht.'

Ze lachten. Hij zei: 'Een goed gevoel om in jouw macht te zijn.'

Buiten schemerde het. Jasmin wenkte een taxi.

'Hoeft niet, ik breng je wel', stelde Leo voor.

Ze antwoordde: 'Wil je iets voor me doen?'

'Natuurlijk.'

De crèmekleurige Mercedes stopte, een rammelende diesel.

Leo zag nu dat Jasmin een envelop in haar hand hield. 'Kun je die voor mij afgeven? Het adres staat erop. Stop hem maar in de bus en bel aan, zodat hij naar buiten komt en hem meteen ophaalt.'

De chauffeur stapte uit, nam de koffer van Leo over en opende de achterklep.

Leo pakte de brief aan. 'Je ex?'

'Geen commentaar.'

Hij lachte. 'Waar laat ik me nu weer mee in?'

'Niet vragen. Denk eraan dat ik je in mijn macht heb. We hebben gesnoven en geneukt, lieve smeris van me.'

Hij keek om zich heen. De taxichauffeur propte de slaapzak in de auto en liet niet merken of hij meeluisterde.

Leo vroeg: 'Zie ik je nog eens?'

'Natuurlijk. Je denkt toch niet dat ik je al zo snel weer loslaat?'

'Morgenavond? Om tien uur loopt mijn dienst af. Zullen we zeggen om half elf? Ons café op de *Kö*?'

'Is goed. Vergeet niet die brief af te geven. Nu meteen.'

'Geef me nu alvast een beloning.'

Hij verwachtte een kus, maar Jasmin deed een greep in de hals van haar jurk en stopte hem vlug twee kleine zakjes toe - zo dat de chauffeur het niet kon zien. Blijkbaar had ze de cocaïne van haar ex-lover gejat en haar bh volgestopt. Alsof Leo een fooi verdiende, greep ze nog een keer tussen haar borsten en gaf hem met een knipoog een derde zakje.

Het portier van de auto sloeg dicht, de taxi met Jasmin stoof weg. Het schoot hem te binnen dat hij vergeten was haar naar het telefoonnummer van haar ouders te vragen.

Leo trok het teddybeertje uit zijn broekzak en duwde zijn neus tegen het houthakkershemdje. Een zweem van houtwol was alles wat hij rook.

Hij las het adres op de envelop: *Darius Jagenberg, Albrecht-von-Hagen-Platz 14.*

De naam kwam Leo bekend voor.

Hij keek om zich heen. Niemand op straat. De mensen zaten nu aan het avondeten of voor de buis. Op een vent met een zonnebril na die in een rode Honda coupé op zijn liefje zat te wachten.

Leo stapte in zijn Fiesta. Hij bevoelde de inhoud van de envelop. Hopelijk maakte het meisje geen drugskoerier van hem, dacht Leo. En zei tegen zichzelf dat Jasmin zelfs dat waard was.

De straat bleek in een piekfijne buurt te liggen. Oude bomen, voortuinen, tuinlantaarns. Echte villa's. Leo was blij dat de brievenbus aan het tuinhek hing. Hij gooide de brief erin, drukte drie keer op de bel en maakte zich uit de voeten.

Hij reed verder. Straten met eenrichtingsverkeer kwamen uit op een plein, de enige uitweg was versperd door bouwwerkzaamheden. Er bleef Leo niets anders over dan om te keren. Hij passeerde de villa voor de tweede maal zonder er een blik op te werpen. Aan de rand van het plein stond een rode coupé, merk Honda. De bestuurder droeg ondanks de schemering een zonnebril. Toen Leo voorbijreed, hield de man zijn hand voor zijn gezicht. Alsof hij een beetje zat te doezelen.

Leo gaf gas en maakte dat hij weg kwam.

16

Toen zijn vrouw de slaapkamer binnenkwam, legde Zander de detective weg. Beate wreef haar gezicht in met een naar perzik geurende crème. Sinds een jaar verfde ze haar haar niet meer en droeg het kort. Hij kon zich nauwelijks meer voorstellen hoe ze er daarvoor had uitgezien.

Ze opende het raam om koele nachtlucht binnen te laten. Van beneden klonk verkeerslawaai. Zander draaide zijn leeslamp zo dat Beate er niet door verblind werd.

'Bijna elf uur', zei hij.

'Pia is oud genoeg', antwoordde Beate. Na eenentwintig jaar huwelijk hadden ze niet veel woorden nodig. Hun dochter was met haar vriend en een paar leeftijdgenoten naar de openluchtbioscoop en daarna zou het clubje waarschijnlijk nog een van die tenten in het oude centrum opzoeken. Het zou wel laat worden - het was nog vakantie. Hij was zelf ooit toch ook jong geweest, antwoordde Pia haar vader als Zander er weer eens iets van zei. Juist daarom, zei hij dan alleen maar. Wat hij in zijn jeugd had uitgespookt, vertelde hij haar liever niet.

Beate hield het crucifix van Schmiedinger tegen de muur. 'Vind je het goed als ik hem hier hang?'

'Moet hij toekijken als wij een nummertje maken?' Af en toe deden ze dat nog wel.

'Ik zal hem in de logeerkamer hangen.' Daarmee bedoelde ze Pia's kamer, waarvan ze een logeerkamer zouden maken zodra hun dochter de deur uitging. Als het aan Zander lag, duurde dat nog een paar jaar. Overmorgen vierde Pia haar achttiende verjaardag. De dag erop wilde ze voor een kampeervakantie met vrienden naar Nederland. Zander zou zich zorgen maken - politiemensen ruiken altijd overal gevaar.

Beate deed de plafonnière uit. 'Dokter Heinrich van het kerkbestuur heeft gezegd dat ik in zijn praktijk kan komen werken.'

Zijn vrouw had als doktersassistente gewerkt voordat hun dochter werd geboren. Zander dacht aan het verjaardagscadeau dat hij voor Pia had uitgezocht. Een fonkelnieuwe VW-Lupo, hij had hem al aanbetaald. Voor de eerste keer sprak hij zijn 'reserves' aan. Hij dacht aan het mensenleven dat zijn neveninkomsten vandaag hadden gekost en welk risico de stotterende Heintze en de nog vastzittende bontdieven voor hem betekenden. Voor de eerste keer overwoog hij te stoppen met zijn boevenstreken. Schmiedinger zou er begrip voor hebben als hij hem uitlegde dat zijn vrouw wilde dat hij ermee ophield.

'Hang die vent aan die balk maar waar je wilt', zei hij en keek hoe Beate haar bh losmaakte, uit haar slipje stapte en een dun nachthemd over haar hoofd trok.

'Zo mag je niet praten over de verlosser.'

Een jaar geleden was Sebastian, Pia's kleine broertje, bij een auto-ongeluk om het leven gekomen. Sinds die tijd had Beate het geloof ontdekt en kon ze Zanders neveninkomsten niet meer waarderen. Misschien wilde ze haar oude beroep alleen maar weer opnemen om hem te laten zien dat je ook op een eerlijke manier het gezinsinkomen kunt opkrikken.

'Hoe was je dag?' vroeg ze.

Zander besefte dat hij het niet voor zich kon houden. 'Ik heb iemand gedood. Noodweer.'

Beate ging zitten.

'Hij heeft op ons geschoten. Een ontsnapte gevangene.'

Dat het ging om een van de bontdieven, zei hij er niet bij. Ze kende het verhaal grotendeels en zou het een met het ander in verband brengen.

Ze vroeg: 'Vallen ontsnapte gevangenen nu ook al onder straat-criminaliteit?'

'Niemand wist dat die kerel een wapen bij zich had.'

'Het zou makkelijker voor je zijn als je met de Heer in gesprek zou gaan. Beloof me dat je in de toekomst goed op jezelf zult passen.' Beate glipte onder het dekbed en drukte zich tegen hem aan. Ze pakte zijn hand. 'Het was dus noodweer en het is die man zijn schuld. God zal je vergeven.'

'Het gaat niet alleen om die man.'

'Maar?'

'Ik heb daarbij een vrouwelijke collega in gevaar gebracht. Ze had er geen idee van wat er kon gebeuren. Er had haar iets kunnen overkomen.'

'*Jou* had ook iets kunnen overkomen. Jij wist toch ook niet wat er zou gebeuren.'

'Klopt. Je hebt gelijk.'

'Zeg, Martin?'

'Hm?'

'Je ... je hebt toch niks met die collega?'

'Onzin.' Naarmate ze ouder werd, stelde ze vaker zulke vragen. Hij stond op om het raam te sluiten. Hij had stilte nodig om te kunnen slapen.

'Neem je even een glaasje water voor me mee?' vroeg Beate.

'Je tabletje?'

'Nee, die neem ik niet meer.'

Toen Zander naar de keuken ging, hoorde hij dat ze de wekker-radio aanzette. Hij pakte een flesje *Gerolsteiner* uit de koelkast en goot een glas voor de helft vol.

Hij liep terug. Het nieuws van elf uur stond aan.

Zijn vrouw zat rechtop in bed en staarde hem aan.

De dood van Fred Wiesmann was het eerste bericht. Een ontsnap-te gevangene, uit noodweer door de politie doodgeschoten. Tweemaal viel het woord 'bontdieven'. Dat de wezel door toedoen van Martin Zander in de bak was beland, hoefden ze voor haar er niet bij te vertellen.

Beate zette de radio uit, draaide zich om en begon te huilen.

Zander staarde een tijdje naar haar rug. Daarna deed hij de lamp op zijn nachtkastje uit.

17

Dinsdag, 1 augustus, *Blitz*, pagina één:

LIJK GEZOCHTE OVERVALLER OP RIJNOEVER GEVONDEN

AV – Op de gasbrander voor de tent staat ravioli te pruttelen, aan de lijn wappert wasgoed – de benen van een lijk steken uit de bosjes. Een wandelaar op de Rijnoever bij Neuss kreeg gistermiddag dit vreselijke beeld voorgeschoteld. De dode: Dirk Matysek (26), een wegens roof en verkrachting gezochte bewakingsmedewerker uit Düsseldorf. In zijn hand houdt hij een pistool. Was het zelfmoord?

Matysek wordt ervan verdacht samen met een nog onbekende handlanger zondagmiddag in de hoofdstad van onze deelstaat een echtpaar in hun woning te hebben overvallen, beroofd en de vrouw op grove wijze te hebben misbruikt. Reeds enkele uren na de overval kon de politie de dader identificeren, maar toen een team van de ME Matysek in de nacht van zondag op maandag in zijn woning probeerde te arresteren, slaagde de misdadiger erin te ontkomen.

Hij hield zich verborgen in het natuurgebied Ölgangsinsel. De politie is op zoek naar zijn handlanger (zie compositietekening). Voor tips die leiden tot zijn arrestatie is een beloning uitgeloofd.

Meer over de wrede daad van het roversduo, hoe ze een pas getrouwd paartje martelden - zie pagina vier.

Pagina één, verder naar beneden:

ONTSNAPTE GEVANGENE STERFT IN KOGELREGEN

De wegens bontdiefstal veroordeelde en twee dagen geleden uit de gevangenis van Geldern ontsnapte Fred Wiesmann (28) is gisteren bij een vuurgevecht in Düsseldorf-Flingern door rechercheurs uit noodweer doodgeschoten. Volgens de politie probeerden leden van het niet-geüniformeerde rechercheteam de gevluchte man aan te houden, maar die opende het vuur op hen.

Wiesmann wordt beschouwd als de leider van de bende die bij een inbraak in mei vorig jaar in het magazijn van een bontzaak in Düsseldorf voor 2,5 miljoen euro aan bont heeft buitgemaakt. De buit is nooit gevonden. Wiesmann was tot negen jaar gevangenisstraf veroordeeld. Vermoed wordt dat hij met de opbrengst van de buit naar het buitenland wilde ontsnappen.

Zander werd wakker toen het licht werd - een uur voor de wekkerradio afliep. Er spookte teveel door zijn hoofd om weer te kunnen inslapen. In gedachten formuleerde hij antwoorden op eventuele vragen van Intern Onderzoek. Bovendien werd hij geplaagd door het idee dat er nog meer bontdieven uit de gevangenis zouden kunnen ontsnappen - onwaarschijnlijk, hoopte hij.

De wekker begon te rinkelen. Het nieuws. Zander zette de radio uit en zag dat Beate ook al wakker was.

Zander vroeg: 'Heb je gehoord wanneer Pia thuis is gekomen?'

Ze staarde naar het plafond. Geen antwoord, geen beweging.

Toen Zander uit bad kwam, was zijn vrouw nog altijd niet opgestaan. Hij zocht schone kleren in de kast en kleedde zich aan.

'Het was noodweer. Geloof me dan toch!'

Het zwijgen van Beate joeg hem de kamer uit. Hij belde zijn collega Bach om een afspraak met haar te maken en liep het huis uit zonder ontbijt.

Hij kocht alle lokale ochtendbladen en dronk koffie in een bakkerij in de *Tannenstrasse*, niet ver van districtsbureau Noord. Wat *Blitz* over de wezel had geschreven, beviel hem wel.

Hij had de eerste pagina van het boulevardblad nog niet uit, toen de rechercheur van Moordzaken binnenkwam. Het kostte hun een half uur om alle details de revue te laten passeren. Ze speelden een rollenspel: ze verhoorden elkaar, speelden afwisselend voor rechercheur. Ze kenden de trucjes die ze konden verwachten.

Ela Bach was meer gespannen dan gisteren, maar ze was een

taai meisje. Ze had de stress van de schietpartij goed doorstaan en ze zou ook de ondervraging goed aankunnen - ondanks alle arrogantie waar Intern Onderzoek berucht om was als het ging om de eigen mensen. De hoge bazen hadden in hun persbericht de richting al aangegeven: noodweer bij een arrestatiepoging.

Ook collega Bach stelde Zander geen onaangename vragen. Hij betaalde en liep naar het bureau, blij dat hij niemand van zijn collega's tegenkwam. Zijn kamer lag op de eerste etage. Het eerste dat Zander bij binnenkomst zag, waren de voeten van Arnie Haffke op zijn bureau. Zijn collega hing in Zanders draaistoel en trok zijn smerigste badmeestergrijns. Een verse schram sierde zijn wang.

Hij keek op de klok. 'Nul achthonderd tien. Je bent laat, *cleaner*.'

Zander sloot de deur. 'Wat bedoel je met 'cleaner'?'

'Ik heb onlangs een film gezien waarin iemand zo genoemd werd omdat hij iedereen die iets van een bepaalde zaak afwist had neergeknald.'

'En dan zeggen ze nog dat je niks leert van de televisie.'

'In de krant staat dat de buit van die bontdiefstal 2,5 miljoen waard was.'

'Haal je voeten van mijn bureau.'

'Waarom heb ik indertijd maar honderdtwintig ruggen gekregen?'

Zander veegde Haffkes schoenen van zijn bureaublad, er dwarrelden papieren mee naar beneden en pennen rolden op de grond. Hij pakte zijn jonge collega bij de kraag van zijn paarse overhemd en trok hem in de richting van de bezoekersstoel. 'Schmiedi heeft je het gisteren toch uitgelegd. En dat de wezel dood is, komt jou net zo goed uit als mij.'

'Hoezo mij? Ik ben alleen maar jouw trouwe Harry. De boss beveelt, Harry gehoorzaamt.'

Zander wees naar Haffkes wang. 'Hoe ben je aan die schram gekomen?'

'Wijven.'

'Je vriend Matysek is overigens de pijp uit.'

'Mooie vriend. Ik schijt op zijn graf.'

'Er is gevraagd ons oor te luisteren te leggen om uit te vinden of

een zekere Christoph Larue betrokken is bij drugshandel.'
'En wie is dat dan wel?'
'Die kerel bij wie Matysek heeft ingebroken. Heb je geen telefoontje gekregen van de vrouw die deze zaak behandelt?'
'Nee.'
'Je zou eens wat vaker naar het bureau moeten komen. Ik heb je gisteren gemist.'
'Als hulp-cleaner?'
'Waar zat je?'
'Gaat je geen moer aan.'
'Zo praat je niet tegen je chef.'
'Hou op met dat gechef tegen mij, anders geef ik Intern Onderzoek een tip, moordenaar!'
Zander ging breeduit voor Haffke staan. 'Zeg dat nog eens.'
'Moordenaar.'
Zander gaf hem een duw tegen zijn borst, de houten stoel viel om en Arnie viel hard op de grond. Zander greep Haffke bij zijn kleverige kuif, tilde zijn hoofd op en gromde: 'Jij gaat *niet* naar Intern Onderzoek. Samen uit, samen thuis.' Bij dat laatste woord liet hij los - Arnies hoofd knalde tegen het linoleum.

Op dat moment ging de deur open, hoofdagent Erlenmeier stapte aarzelend de kamer in.
'Goedemorgen. Gaat het goed met jullie?'
Arnie stond op en voelde even aan zijn wang - de schram was opgesprongen en bloedde. 'Uitstekend.'
Zander vroeg: 'Wat is er aan de hand, Erlenmeier?'
'Een inbraak. De inspecteur zegt dat jijzelf poolshoogte moet gaan nemen, Zander.'
'Ik ga niet mee', zei Haffke en wees op Zander. 'De boss jaagt me angst aan vandaag.'

De politie-Vectra had in de ochtendzon gestaan, die nu al zo krachtig was dat je je handen aan het stuur brandde. Zander reed zelf, want de rijkunsten van Erlenmeier vertrouwde hij niet. Zijn collega noemde het adres: *Albrecht-von Hagen-Platz* - in *Golzheim,* een chique villawijk.

'Hebben jullie ruzie gehad?' vroeg de hoofdagent.

'Jouw opmerkingsvermogen is om jaloers op te worden.'

'Hier moet je rechts aanhouden, anders kom je op de brug.'

'Het is niet wáár.' Zander koos de buitenste baan en sneed daarbij een vrachtwagen. Achter hen dreunde een door perslucht aangedreven drietonige claxon.

'Hier moet je afslaan.'

'Je maakt me zenuwachtig.' Hij gaf richting aan en voegde in op de weg langs de Rijn.

Zijn bijrijder zei: 'Ik begrijp dat het je niet in je kouwe kleren gaat zitten als je iemand omlegt. Het maakt je zelfs een beetje menselijk. Reageer het maar rustig af op je ondergeschikten, hoor. Daar zijn we immers voor.'

'Houd je bek, Erlenmeier.'

Ze bereikten de villawijk, rustige straten met eenrichtingsverkeer met bomen erlangs. Aan de kant stonden auto's van tuinlieden en kindermeisjes geparkeerd.

Zanders collega zei: 'De inbraak was bij Jagenberg. Het moet een heel hoge piet zijn, te oordelen naar het gedrag van de inspecteur.'

De Jagenberg dus, dacht Zander. Directeur van *Geminag*, het op een na grootste telecombedrijf van de Bondsrepubliek, dat juist probeerde een vijandige overname door een buitenlandse concurrent af te weren – het hele land was er opgewonden van. Darius Jagenberg was een typisch voorbeeld van een steunpilaar van de burgerlijke samenleving. Naar zijn pijpen dansten ministers, leden van de raad van toezicht en mediabazen, die hij op zijn kosten naar de Karpaten liet vliegen voor de berenjacht, uitnodigde voor een vakantie op zijn jacht of soms voor een avondje in het concertgebouw, waar de voorste rijen steevast voor goede vrienden waren gereserveerd. Zander had de indruk dat Jagenberg de strijd tegen de overname alleen maar voerde om zijn baan te behouden - het telecombedrijf floreerde, of *Geminag* nou werd opgeslokt of niet.

Op de pagina's met gevarieerde berichten werden de krantenkolommen regelmatig gevuld met artikelen over zijn vrouw. Geen verslag van gebeurtenissen in de jetset zonder een foto van Unicef-ambassadrice Claudia Jagenberg. Eenmaal per jaar organiseerde zij het grote galabal - voor het goede doel.

'De officier van dienst vindt dat je met deze mensen niet op dezelfde manier kunt omspringen als met schurken van de straat', waarschuwde Erlenmeier.

'Laat dat maar aan mij over.'

De lucht boven het asfalt trilde en de witte gevels van de villa's in *Goldheim* schitterden in de zon. In de schaduw van een lindeboom vond Zander een open plek om te parkeren. Door een weelderig begroeide voortuin liepen ze naar de ingang. De deur werd geopend door een dienstbode; ze legitimeerden zich.

Tot hun verrassing stribbelde de vrouw met het witte jasschort tegen. 'Maar mevrouw Jagenberg wil niet dat de politie ...'

Erlenmeier zei: 'Een buurman heeft de inbreker gezien en de inbraak gemeld.'

Zander vroeg: 'Is mevrouw Jagenberg aanwezig?'

'Nee, maar ze is een paar minuten geleden geland. Ik heb haar op haar mobiele telefoon gebeld toen ze op haar bagage stond te wachten.'

'Laat u ons vast even zien waar er is ingebroken. Als mevrouw Jagenberg dan thuiskomt, zullen we samen met haar overleggen of de zaak een aangifte waard is.'

De brave ziel aarzelde, toen leidde ze de twee politie-ambtenaren door de hal naar een woonkamer die uitzag op een parkachtige tuin. Enkele werklui waren struiken aan het planten en groeven een kuil. Een brede wenteltrap leidde naar de eerste etage. Overal zag Zander schilderijen, vazen, sculpturen. Het huis was een museum voor kunstvoorwerpen uit verschillende continenten en periodes. De huishoudster droeg een overdaad aan gouden sieraden om haar nek, aan haar oren en om de polsen. Blijkbaar verplichtte een dergelijk huis ook het personeel tot luxe.

Boven gingen ze de slaapkamer binnen, een grote ruimte, geheel in het wit met een brede glazen gevel die uitkwam op een terras; naast de deurklink ontbrak een deel van de ruit. Alle spiegeldeuren van de kastenwand waren kapotgeslagen, net als de voorkant van een tv en de spiegel boven de kaptafel. De vaste vloerbedekking was bezaaid met scherven.

Zander hapte naar adem toen hij de uitstalling zag die de dader op het tweepersoonsbed midden in de kamer had achtergelaten: zes pornografische foto's die rond een in elkaar geknutselde collage van krantenfoto's op een stuk wit karton waren geplakt met een opschrift erboven: 'Manager van het jaar'. Aan het hoofdeinde lag een soort overall van flinterdun, zwart materiaal - de broekspijpen waren gespreid en als een soort lijst om de foto's gedrapeerd. Zander stuurde Erlenmeier naar de auto om de koffer met gereedschap te halen. Het zwarte kledingsstuk herinnerde hem aan de inbraak bij Sina Dorfmeister - het was van latex en in een vorm zoals fetisjisten die blijkbaar graag zien: ronde gaten waar de borsten zaten en open in het kruis.

De collage stelde een coureur voor die zijn vuist in de lucht stak als overwinningsteken, over zijn hoofd was een portretfoto van Jagenberg heen geplakt. Het opschrift was uit een tijdschrift geknipt. De coureur werd geflankeerd door foto's van verkeersongelukken: volledig verkreukelde auto's die tegen betonnen pijlers waren aangeknald, brandweerlieden die slachtoffers met snijbranders uit het blik bevrijdden. Daaronder was een hart geschilderd dat door een lijn met een punt in twee helften was verdeeld - kitsch van de bovenste plank.

De pornofoto's die uit glossy's waren geknipt en die wat duidelijkheid en gedetailleerdheid betreft nauwelijks te overtreffen waren, beschreven een halve cirkel rond de opgeplakte foto.

De inbraak zelf was vakwerk. Er was een vierkant stuk uit de ruit van de terrasdeur gesneden - het lag buiten op de tegels. Erlenmeier kwam terug met de tas, traag als een postbode tijdens een langzaamaan-actie.

'Hoe komt het dat het glas buiten ligt?' vroeg zijn collega. 'Als je de deur van buiten inslaat, moet het toch binnen liggen?'

'Hij heeft een glassnijder gebruikt en een zuignap om zo weinig mogelijk herrie en schokken te veroorzaken. Hij is voorzichtig geweest omdat hij een alarminstallatie kon verwachten. Is die er?'

De vrouw in het jasschort antwoordde: 'Natuurlijk. Ik weet nog hoe die vroeger elke keer afging als ik met de stofzuiger tegen de terrasdeur stootte.'

Erlenmeier streek de penseel met poeder over het glas. Zander glipte langs hem heen naar buiten. Het terras vormde tevens het dak van een zwembad. De gedachte aan de slipjesdief van kort daarvoor liet Zander niet los - er waren opvallende overeenkomsten met de inbraak bij Sina Dorfmeister. Beide keren was de indringer via een aanbouw binnengekomen. Ook hier hingen geen gordijnen voor de ramen. Het terrein was omzoomd door naaldbomen, niemand kon van buiten de slaapkamer in kijken, tenzij je hier naar boven klom.

Zander zocht de rand van het terras af: aan het rafelige hout van de balustrade hingen op verscheidene plaatsen textielvezels. Uit de tas van Erlenmeier haalde hij een pincet en een sporenzakje, en deed de pluisjes erin. Hij onderzocht de route naar de glazen deur op voetsporen en vond vage afdrukken in beide richtingen die niet van hemzelf waren. Een ervan was misschien bruikbaar, stof op terracotta.

Zander legde het middelste deel van een stukje plakfolie op de afdruk en liet de uiteinden voorzichtig naar beneden zakken zodat er geen vouwen of blazen in de folie ontstonden. Hij drukte de folie aan, trok het stukje eraf en legde het met dezelfde zorgvuldigheid op een sporenkaart. De achterkant van de kaart vulde hij in met een zacht potlood dat niet doordrukte of afgaf.

Hij wist nog niet of hij zich de moeite zou getroosten om de afdruk te vergelijken met de schoenen van alle mensen die toegang hadden tot het terras en die daar sinds de laatste regen op hadden gelopen.

Zander keek naar beneden, op pas geplante struiken. De werklieden hielden net hun middagpauze. Als alles klaar was, zou het parkje een paradijsje zijn - de bomen langs de omheining garandeerden een beschermde privésfeer. Door de takken was zelfs geen glimp van een huis in de buurt te bekennen.

Ineens schoot er een gedachte door zijn hoofd: *de dader had zelf de politie gebeld.*

Zijn vreemde arrangement was kennelijk bedoeld voor de openbaarheid. De foto's betekenden iets - in elk geval in de fantasie die ontsprong aan de kronkelige hersens van de dader.

Zander stelde zich voor dat de dader een voyeur was die zijn slachtoffers inderdaad in de gaten hield voor hij in een woning inbrak. Van het meisje met de piercings in de sociale woningbouw van *Unterrath* had hij fetisjistisch ondergoed gestolen, bij de dame die in deze villa woonde had hij die troep op het bed gelegd – *die twee vrouwen hadden iets gemeenschappelijks.*

'Vingerafdrukken?' vroeg hij aan zijn collega.

'Ja en nee', antwoordde Erlenmeier.

'Wat betekent dat nou weer?'

'Ga toch niet meteen zo tekeer, man. Er zijn sporen, maar geen ...'

'Papillairlijnen, ribbeltjes in de huid?'

'Precies.'

Zander hoorde de vrouw des huizes binnenkomen. Hij beduidde Erlenmeier foto's te maken van de plaats delict en liep naar beneden.

Claudia Jagenberg reageerde verrast toen ze Zander zag. Een taxichauffeur leidde haar af doordat hij twee koffers in de hal zette. Mevrouw Jagenberg legde de post, die ze van buiten had meegenomen, op tafel en zocht in haar portemonnee naar geld.

Zander wachtte. Zijn oog viel op de stapel reclamefolders en brieven. Bovenop lag een grote envelop, een met de hand geschreven adres en zonder postzegel - persoonlijk bezorgd dus.

Toen de chauffeur weg was, stelde Zander zich voor. Op krantenfoto's zag Claudia Jagenberg er veel jonger en stralender uit. Naar zijn smaak had ze te veel make-up gebruikt en daarmee toch de rimpels op haar voorhoofd en bij haar mondhoeken niet helemaal kunnen bedekken. Ze was ongeveer vijftig en erg slank voor haar leeftijd, wat nog geaccentueerd werd door haar mantelpakje.

Ze deed haar best om relaxt over te komen. Haar enigszins ongecoördineerde bewegingen deden Zander denken aan de goedkope champagne die vliegtuigpassagiers in de businessclass 's ochtends al geserveerd krijgen. Hij vroeg haar de schade te gaan bekijken.

In de slaapkamer vroeg hij: 'Kent u deze rubberen vodden?'

'Denkt u dat ik zoiets draag?'

Zander wilde een hatelijke grap maken, maar hield zijn mond.

'Natuurlijk niet', beantwoordde mevrouw Jagenberg haar eigen vraag - hij geloofde er niets van.

'Schiet u misschien spontaan de naam van iemand te binnen die hier naar binnen kan zijn geklommen?'

'Nee', zei ze en sloeg haar armen over elkaar. 'Mevrouw Stiegler, ruimt u dat alstublieft meteen op.'

'Dat doen wij wel', zei Zander. Erlenmeier begon de foto's in zakjes te doen.

Ze liepen de keuken in waar de huishoudster mineraalwater en ijsblokjes serveerde, in aparte kannen. In het water dreven stukjes limoen. Op het glas van de ijskaraf condenseerde de luchtvochtigheid en er rolden druppeltjes op de tafel die het oude teakhout eromheen nog donkerder maakten.

Zander keek op zijn horloge - rechercheur Thann zou even moeten wachten. 'Wanneer was u voor het laatst in uw slaapkamer?'

'Ik ben een week weggeweest, maar mevrouw Stiegler komt op vrijdag en dinsdag.'

'Dat betekent dat de inbraak tussen vrijdagavond en vanmorgen vroeg heeft plaatsgevonden.'

'Ja, maar er is in feite niets gebeurd.'

'De ruit, de spiegel?'

'Kom nou.'

'Waar zou de dader op kunnen zinspelen?'

'Zinspelen?'

'Ja. Wat zegt ons dit alles? Die foto's, de gebroken spiegels, dat rubberen kledingstuk dat hij erbij heeft gelegd?'

'Dat de man ziek is, een zaak voor de artsen dus. En dat ik eens duchtig met mevrouw Stiegler moet praten, want ik heb haar verboden de politie te bellen voordat ik er was.'

'Mevrouw Stiegler heeft ons niet geroepen. Dat heeft een buurman gedaan die getuige van de inbraak is geweest.'

'Onzin. De buren kunnen er helemaal niets van zien als er bij ons iemand over het dak het huis zou binnensluipen.'

Zander zei: 'Dan was het de dader zelf.'

'Waarom zou hij dat doen?'

'Dat kan ik u vertellen als we hem hebben.'

'Ik denk er niet over om aangifte te doen. Voor dat beetje schade hebben we geen verzekering nodig.'

'Aangifte doen is niet nodig. We stellen toch al een onderzoek in naar de dader van deze inbraak.'

'Weet u dan wie het is?'

'Nee, maar kort geleden is er een inbraak geweest die heel erg op deze leek.'

De Unicef-ambassadrice verhief haar stem: 'Mocht u op de een of andere wijze in ons privéleven gaan snuffelen of iets daarvan in de openbaarheid brengen, dan zal ik u het leven zuur maken. Uw hoofdcommissaris is een golfpartner van mijn man. We geven elk jaar een bijdrage aan het maatschappelijk werk van de politie. En mijn man jaagt samen met de minister van Binnenlandse Zaken.'

'Hebt u de laatste tijd een vreemde op uw terrein gezien die u in de gaten hield?'

'Wilt u me bang maken?'

'Zegt de naam Sina Dorfmeister u iets?'

'Sina wie?'

'Kent u een winkel met de naam *Skin Bizarre*? Daar verkopen ze fetisjistische mode, van die dingen zoals op uw bed.'

'Natuurlijk, Claudia Jagenberg, de heimelijke meesteres. Een fantastische krantenkop.'

'Ik vraag het niet voor mijn plezier, mevrouw Jagenberg.'

Ze klopte met haar knokkels op tafel. 'Ik meen het ook serieus. In mijn oren klinkt dat wat u zegt als grote onzin. Een arm, ziek mens heeft zich vergist in ons huis. Hoe zou ik u dan kunnen helpen? Ik ken geen mevrouw Dorfmeister en geen sm-winkel. Was dat het, brigadier?'

Ze ontweek Zanders blik niet. Haar hand speelde met haar parelketting - het enige teken van nervositeit.

Hij zei: 'U moet de alarminstallatie beter instellen. Liever een paar keer vals alarm dan een inbraak. Ook met arme, zieke mensen die toevallig verdwalen, valt niet altijd te spotten.'

18

Ten slotte gaf haar collega van Intern Onderzoek haar het wapen terug. Ela stopte het in haar rugzak en kon maar nauwelijks bevatten dat het verhoor zo gladjes was verlopen. Ze had verslag uitgebracht, hij had slechts een paar keer om nadere informatie gevraagd - Karl Thann werd volgens haar volkomen ten onrechte als een agressieve speurneus beschouwd. Hij was nauwelijks dertig.

Alleen zijn vragen naar de bontroof waarbij de inbreker betrokken was geweest, hadden Ela's irritatie opgewekt - alsof ze dat had moeten weten.

'Zanders informant heeft die zaak niet genoemd', verklaarde Ela.

Thann sprong daarop in: 'En Zander zelf? Heeft die ook niets tegen u gezegd over dat verdwenen bont en de ontsnapping van Wiesmann?'

'Zou Zander dat hebben moeten weten?'

'Het is toch altijd nog zo dat Wiesmann door zijn onderzoek is gepakt.'

Ela deed alsof ze van niets wist. Zander had haar mogelijk gebruikt - het had voor haar geen enkele zin om hem om die reden bij Intern Onderzoek zwart te maken. Misschien zou ze revanche nemen bij Zander zelf. Hem gebruiken als ze hem een keer nodig had.

De recorder maakte veel lawaai. 'Oké, de band is afgelopen', zei Thann en stond op. 'Dan zal ik u niet langer ophouden. Doe Benni Engel de groeten van me. Zeg maar tegen hem dat ik op zijn laatst over een jaar ook in *Hiltrup* ben.'

Ela was kwaad op haar chef. Die had uitgerekend Gerres gisteravond nog naar Larue gestuurd. De mediaplanner had een alibi voor het tijdstip waarop Matysek op de oever van de Rijn was doodgeschoten.

Gerres verweet Ela Larue te hebben aangepakt zonder dat daar een reden voor was. De mediaplanner overwoog de politie aan te klagen en Ela vroeg zich af of het niet juist haar dikke collega was geweest die de reclamejongen op dat idee had gebracht.

Toen de zitting was afgelopen, zei de secretaresse: 'Er is post voor je afgegeven, Ela.'

'Ik kom', antwoordde ze.

'Maar niet zo luid alsjeblieft', merkte Schranz op.

De mannen lachten. Gerres grinnikte in stilte.

'Bedenk eens wat nieuws', reageerde Ela.

In haar vakje lagen enveloppen van de interne post - de antwoorden van Zedenzaken en Roofovervallen op haar verzoek om informatie over lieden met een soortgelijk strafblad. Twee lange lijsten. Ze nam Biesinger en Becker mee naar haar kamer voor een bespreking van de moordcommissie Matysek.

Biesinger had met de patholoog-anatoom gebeld. Rond de wond boven de rechterslaap van de dode, waar de kogel naar binnen was gegaan, was de huid stervormig gescheurd en door kruitgassen zwart geworden - dat duidde er onmiskenbaar op dat hij van zeer dichtbij was neerschoten. Maar onder de microscoop had de dokter aan zijn handen geen kruitpoeder of restjes kruitslijm gevonden. Ook de sporenrechercheur bevestigde de verdenking dat er sprake was van invloed van buitenaf. De positie van de vingerafdrukken op het wapen waarmee de daad was gepleegd, kwam niet overeen met de houding waaruit geschoten was - het moest op zelfmoord lijken.

Het lijk van de ex-smeris was gevonden voor een tent op de Rijnoever, vijfhonderd meter stroomafwaarts bij de spoorwegbrug van *Hamm*, aan de kant van *Neuss*. Er waren geen getuigen. Het leek erop dat Matysek zich op het afgelegen terrein wilde verbergen.

Ela en haar collega's kwamen tot de slotsom dat dit zonder helpers die voor hem zorgden, niet mogelijk was geweest. De man met de markante kop had zich in geen enkele supermarkt en geen enkel benzinestation kunnen vertonen zonder herkend te worden. Op zichzelf aangewezen als hij was, had hij beter naar een andere deelstaat kunnen uitwijken.

Het schot had Matysek verrast. Er waren geen sporen van een worsteling of van verwondingen doordat hij zich had verzet. *De moordenaar was iemand die de voortvluchtige kende.* Ela telde één en één bij elkaar op: waarschijnlijk zijn handlanger of hun opdrachtgever - ze hadden er beiden immers belang bij te verhinderen dat Matysek gepakt werd en zou praten.

Tent, slaapzak, isoleermatje en campingservies - de uitrusting leek splinternieuw. Volgens de Gele Gids waren er in de stad zeven winkels voor kampeerartikelen en daar kwamen de warenhuizen en bouwmarkten nog bij. Biesinger en Becker gingen op pad.

Ela keek snel de lijsten door: verkrachters en gewapende inbrekers. Er was geen naam die op beide lijsten voorkwam en geen enkel geval deed haar aan het misdrijf in de *Faunastrasse* denken. Desondanks voegde ze de papieren toe aan de andere stukken in het dossier Matysek.

Ze deed wat schrijfwerk en viel de districtsbureaus nog één keer lastig. Ze werd een paar maal doorverbonden, maar niemand kon haar iets vertellen over Larue, de verkrachter of zijn handlanger. Soms kreeg Ela een officier van dienst aan de lijn, soms iemand van de staf. Een paar collega's zeiden zelfs niets te weten van de aanvraag van gisteren - ze kreeg hen allemaal zover dat ze haar beloofden terug te bellen.

De gepubliceerde compositietekening van Matyseks handlanger leverde weinig reacties op. Ela hoopte dat Becker en Biesinger in de campingwinkels meer succes zouden hebben. De foto was afkomstig van de bewakingscamera in de winkel van het tankstation aan het *Mörsenbroicher Ei*. De tekenaar had de foto gescand, de uitsnede met daarop de wat plompe man opgeblazen en bewerkt. Ela vond het portret nietszeggend. Op aanraden van Engel had ze het echter toch naar de kranten gestuurd. Wellicht zou de dader zich herkennen en nerveus worden. Een fout maken misschien.

Ela huiverde bij de gedachte hoe wreed en bloedig zulke fouten soms uitpakten.

Al piekerend kwam ze steeds weer uit bij Christoph Larue en zijn vrouw. Hoe trots de reclameman was op zijn familie van juristen en op zijn chique flat. Maar ook op zijn paradepaardje: zijn vrouw Verena, die verkracht was omdat haar man zich met criminelen had ingelaten.

Dat niemand anders in de schuld van Larue geloofde, was voor Ela geen reden om het op te geven hem te verdenken.

19

Leo werd laat wakker en voelde zich stijf, trillerig en misselijk. 's Nachts - hij wist niet meer precies wanneer - had hij geprobeerd het effect van de cocaïne te bestrijden met whisky. Desondanks had hij nog urenlang liggen piekeren over de omstandigheden waaronder hij op Massimo had geschoten. Nooit meer cocaïne, nooit meer alcohol.

Er gingen minuten voorbij voor het hem lukte uit bed te komen. Hij maakte een coctail van aspirine, magnesium en vitamine C, en nam drie capsules lecithine in, die hij gekocht had tegen het trillen: die zouden goed zijn voor de zenuwen. Op weg naar de douche struikelde hij zonder dat er iets was om over te struikelen.

Het irriteerde hem dat het meisje hem voor een koeriersdienst had gebruikt. Nog meer last had hij van het feit dat hij niet wist waar ze naartoe was verhuisd.

Hij wilde Jasmin terugzien.

Toen hij de douche uitzette, hoorde Leo dat er aan de deur werd gebeld. Hij wikkelde een handdoek om zijn heupen en liet druppels achter in de hal. Hij loerde door het kijkgaatje. Het was Dani.

Leo deed de deur open. Hij tilde de kleine op, waarbij Dani zijn armen om zijn nek sloeg en hem bijna wurgde.

'Wat doe *jij* hier?' Normaal gesproken zou ik nu op mijn werk zijn geweest.'

Er stonden tranen in de ogen van zijn zoon. Dani had een blauw oog. 'Wat is er aan de hand?' vroeg Leo.

'Het zeurmannetje heeft me geslagen'.

De kleine trok zijn hemdje uit zijn broek en liet een grote bloeduitstorting zien op zijn rechterzij.

Leo moest het huisnummer van de arts, die drie straten verderop zijn praktijk had, in het telefoonboek opzoeken - het was Brigittes taak om Dani daar naartoe te brengen als de jongen ziek was.

De dokter stelde een schriftelijke verklaring op over de wond. Leo nam de jongen mee in de auto en reed direct naar het Bureau Jeugdzorg achter het Centraal Station. Het hoofd van het bureau, een potige tante, bestudeerde de verklaring, sprak met Leo, daarna alleen met Dani. Ten slotte beloofde ze de zaak te onderzoeken. Leo geloofde dat hij een belangrijke etappezege had behaald in zijn strijd om de voogdij.

'Mag ik nu bij jou blijven, pappa?' vroeg de kleine op de terugrit.

'Misschien, lieverd. We zullen wel zien.'

Voor zijn huis stond de witte GTI.

Brigitte zat op de trap voor de huisdeur.

Ze stond op en klopte stof van haar rok. 'Je hebt hem echt ontvoerd! Ik had het kunnen weten. Als dat nog een keer gebeurt, stuur ik je collega's achter je aan.'

'Hij is naar mij toegekomen. En ik geloof dat je wel weet waarom.'

Brigitte wendde zich tot Dani. 'Alles is weer goed, Dani. Ik heb Tom eruit gegooid. Hij woont niet meer bij ons. Dat beloof ik.' Ze strekte haar hand uit naar de kleine, maar die bewoog zich niet.

Leo maakte de deur open. Dani rende naar binnen. Voor zijn kamer bleef hij radeloos staan - dat was nu Leo's rommelkamer, al het speelgoed van de kleine was bij Brigitte.

Leo liep naar de keuken. Tussen de resten van zijn ontbijt zat het beertje dat Jasmin hem cadeau had gedaan - Leo verstopte het in een kast achter de blikken eenpans-linzenmaaltijd.

Voor Dani schonk hij een glas appelsap in. Nog bijna een uur voor zijn dienst begon. Leo zette het koffiezetapparaat aan. Hij was nog steeds niet helemaal wakker.

Zijn ex leunde met haar armen over elkaar tegen de deurpost. Alsof ze erop wachtte dat hij commentaar zou geven op haar besluit om Thomas de deur te wijzen. Leo schonk haar slechts een kille blik.

Ze zei: 'Mijn hemel, wat is er met jou?'

'Alsof jou dat iets zou interesseren. Jij wisselt alleen maar steeds sneller van partner. Ga vooral zo door. Als je je zo gedraagt, krijg ik des te sneller de voogdij.'

Brigitte kauwde zonder dat er iets te kauwen viel. Ze antwoordde: 'Je bent nog niks veranderd.'

'Heb je Dani's ribben gezien? Wie zegt dat jouw volgende kerel hem niet nog erger te grazen neemt? Alleen omdat iemand meer verdient dan ik, is hij nog geen betere vader.'

De kleine zat aan tafel en staarde in zijn glas. Brigitte zei tegen hem dat hij zijn vader moest vertellen waar zijn blauwe plekken vandaan kwamen.

Dani nam de tijd. Hij dronk een paar kleine slokjes.

'Vertel het je vader, Dani.'

'Ik ben over de emmer van mevrouw Klausen gevallen.'

'Dat is de buurvrouw', verklaarde Brigitte. 'Ze heeft het trappenhuis schoongemaakt. Als je je eigen zoon niet gelooft, kun je het aan mevrouw Klausen vragen. Het adres ken je.'

Dani vroeg aan zijn moeder: 'Woont Tom echt niet meer bij ons?'

'Nee. Die zien we nooit meer.'

'Kunnen we dan niet weer gewoon bij pappa gaan wonen?'

'Dat gaat niet. Pappa is met zijn werk en zijn collega's getrouwd, niet meer met ons.'

Leo deed alsof hij haar niet hoorde. Hij vermaande zijn zoon: 'Liegen mag ook niet, Dani.'

'Sorry.'

Brigitte drong aan: 'Kom, Dani, we gaan.'

De kleine gleed van zijn stoel. 'Dag pap. Tot zondag!' De voordeur viel achter Brigitte en het kind in het slot.

Altijd hetzelfde liedje. Om te rechtvaardigen waarom ze met andere mannen omging, moest de ME het ontgelden: dat Leo dag en nacht en in de weekends werd opgeroepen, dat hij meedeed met zuippartijen van de jongens, dat Brigitte bang was dat hem in gevaarlijke situaties iets zou overkomen.

Het had geen zin haar te vertellen dat hij niet meer bij de ME zat.

20

Zander vond een folder op zijn bureau: *Advies na wapengebruik - hulp in crisissituaties*. Ontroerend toch, hoe die zielenknijper van de politie zijn medeleven toonde. Hij liet de uitnodiging voor een zelfhulpworkshop met een grote boog in de prullenbak zeilen.

Voordat hij het procesverbaal van de inbraak bij Jagenberg uittypte, belde hij RA11. Het doorkiesnummer van Ela Bach was bezet. Hij had haar graag gezegd dat ze zich in de golfplaten hut van de wezel dapper had geweerd en haar met een paar macho loftuitingen geïrriteerd. Maar hij had vooral graag willen horen hoe haar rendezvous met de ambtenaren van Intern Onderzoek was verlopen.

Zijn verhoor had niets voorgesteld. Zoals Zander al vermoed had, wilde Thann alleen maar een bevestiging horen van de versie die zijn chefs aan de pers hadden gegeven. De gevreesde nekschotafdeling zou Zander met rust laten. De jongste inspecteur van politie was het prototype van een carrièrejager - hij had hem niet eens uit laten praten.

Voordat Zander in zijn verhaal bij het punt aankwam dat hij en collega Bach het gebouwtje binnengingen, onderbrak Thann hem al: 'De rest ken ik. Jullie hebben je verklaringen op elkaar afgestemd, hè, jij en je collega Bach.'

Een ogenblik lang overwoog Zander dat deze opsporingsambtenaar dit zijn collega ook kon hebben verweten. Hij vroeg zich af wat ze daarop had geantwoord.

'Natuurlijk hebben we overlegd wat we zouden zeggen. Als jullie iemand te pakken hebben, laten jullie hem niet meer los, of hij nu schuldig is of niet. Jullie wachten slechts op een tegenstrijdigheid in de verklaringen, waar jullie je dan in kunnen vastbijten. Het zou erg lichtzinnig zijn om niet met elkaar af te spreken wat we gaan zeggen.'

'En daar hebben we de tegenstrijdigheid al. Zij heeft verklaard dat jullie dat niet hebben gedaan.'

'Martin Zander is nu eenmaal een rechtschapen ziel.'

'Uitgekookt past beter, mister bontroof. Er zijn mensen die geloven dat de kerels die jij opgepakt hebt, geen idee hebben waar de buit gebleven is. Er wordt gezegd dat iemand anders die nertsen heeft verpatst.'

'Interessant', knikte Zander. 'Ik zal mijn oor eens te luisteren leggen. Je hebt toevallig niet een naam?'

'Nee, maar een tip: zorg ervoor dat je niemand meer ombrengt.' Thann schoof de Sig Sauer P6 van Zander over het bureaublad.

'Dank je', zei Zander. 'Ik zal mijn best doen.'

Het doodschieten van de wezel was afgevinkt.

De superieure manier waarop carrièrejager Thann duidelijk had gemaakt wie het voor het zeggen had, ergerde Zander. Wat een klojo.

Onder andere omstandigheden zou het een geduchte tegenstander zijn.

Toen Zander terugkeerde in de *Ulmenstrasse,* wilde hij Arnie waarschuwen voor die speurneus van Intern Onderzoek. Hij zocht tevergeefs - Haffke had weer eens geen bericht achtergelaten waar hij uithing.

De chef van het districtsbureau riep Zander bij zich. Hij trok de deur dicht en zette een geïrriteerd gezicht.

'Wat is het probleem?' vroeg Zander.

'Dertien procent', antwoordde de districtschef.

'Wat bedoel je daarmee?'

'Jullie mogen je niet langer met inbraken bezighouden. Jullie worden nog eens mijn ondergang.'

Hij legde Zander uit dat de commissie inbraken in de eerste vier weken zo succesvol was geweest, dat het aantal opgeloste inbraken over het gehele jaar gezien nu al op ruim dertien procent lag, wat boven het gemiddelde was. Als het zo doorging, zou de politiechef volgend jaar - als zo'n commissie niet langer bestond - in grote moeilijkheden komen. Want de streefcijfers van de hoge bazen aan de top berustten op de getallen van het jaar daarvoor, ongeacht de vraag onder welke omstandigheden die tot stand waren gekomen. Zo wilden de autoriteiten nu eenmaal dat het moderne politiemanagement werkte. De bureauchef zou dus het slachtoffer worden van het succes van het opsporingsproject.

Zander beloofde aangiften van inbraak alleen nog te noteren, maar ze niet meer te verwerken. In plaats daarvan zou zijn team zich weer met dealers en tasjesdieven gaan bezighouden.

Hij wist dat Haffke daar blij mee zou zijn.

Voor de districtschef betekende dit een pak van zijn hart.

Zander besloot in stilte dat zijn concessie niet gold voor inbrekers die latex lingerie stalen of ergens achterlieten.

Hij had een half uur nodig voor het papierwerk van de zaak Jagenberg. Hij deed het zakje met de vezels van de balustrade en de kaart met het voetspoor in de ordner en zette die bij de overige dossiers in de kast.

Plotseling kreeg hij een idee. Hij pakte de latex overall uit en spreidde die uit op de vloer tussen zijn bureau en deur. Hij bladerde in het dossier van Dorfmeister tot hij de beschrijving van het gestolen kledingstuk vond zoals Haffke die had genoteerd:

Een lijfje met halflange mouwen en broekspijpen. Kleur: zwart, materiaal: latex (natuurrubber), maat: 34-36. Rond uitgesneden decolleté met op de rug een split van de nek tot de taille en voorzien van gaatjes en zwarte leren bandjes (om aan te snoeren). Cirkelvormige openingen ter hoogte van de borsten, in het kruis eveneens een opening van ca. 10 cm doorsnee.

Zander vergeleek: alle details kwamen overeen.

Hij nam de collage en de rotzooi nog een keer onder de loep. De dader had van Jagenberg een autocoureur gemaakt die concurrenten genadeloos uitschakelt. Op de pornofoto's was de man telkens duidelijk ouder dan de vrouw van wie het gezicht overal met viltstift zwart was gemaakt. De boodschap leek helder. De directeur naaide jonge vrouwen - was dat iets bijzonders?

Beide inbraken riekten naar een rare snuiter die graag in vreemde woningen naar binnen gluurde om seksuele voorkeuren op het spoor te komen. De kerel beperkte zich daarbij niet tot de rol van toeschouwer. Waarschijnlijk raakte hij er opgewonden van als hij tot actie overging. De voyeur hield het tot nu toe nog bij het jatten van ondergoed of het maken van fotoraadseltjes, waarbij hij sporen achterliet. Je kon je eigenlijk niet voorstellen dat zo'n nachtelijke klauteraar het uitsluitend gemunt zou hebben op de flat van de kleine Sina Dorfmeister en de villa van de familie Jagenberg. En wat zou zijn volgende stap zijn, als hij niet langer genoeg had aan de kick van het inbreken? Eenzame vrouwen overvallen? Aanranden, martelen, vermoorden?

Zander vermoedde dat de door hem gezochte man een gevaarlijk type was. Hij pakte de telefoon.

Hij kende collega's op andere bureaus die verantwoordelijk waren voor alles wat met inbraken te maken had of die, zoals hij, tijdelijk bij een speciale onderzoekscommissie zaten. Enkele van hen waren hem nog iets verschuldigd, met anderen praatte hij over ditjes en datjes totdat ze belangstelling kregen voor wat hij wilde: informatie over broekjesdieven, soortgelijke seksueel gemotiveerde inbraken en klachten over gluurders in het laatste halfjaar.

Voor het eind van zijn dienst belden ze één voor één terug - vier keer niks, wat paste in Zanders beeld van de zaak.

Erlenmeier kwam de kamer binnengewaaid en meldde dat hij niets kon vinden over de anonieme beller. De onbekende had de centrale op de *Jürgensplatz* gebeld, niet het alarmnummer - de stem van de zogenaamde buurman was niet op band vastgelegd.

Toen ging de telefoon voor de vijfde maal en meldde zich een collega van bureau Zuidwest die hem de oren van het hoofd kletste over een echtpaar in de wijk *Volmerswerth* dat hem ruim een maand geleden constant had lastig gevallen over een zogenaamde gluurder.

'Opgeblazen chic, de een of andere reclameman en zijn luxe vrouwtje. Ik wilde ze aan hun verstand brengen dat een man die vanaf de tegenoverliggende garage in hun woning staat te gluren, niets strafbaars doet. En dat we echt teveel omhanden hebben om voor zoiets nachtenlang op de loer te gaan liggen. In plaats van, zoals andere mensen doen, 's avonds de gordijnen te sluiten, gedroegen ze zich alsof wij er alleen voor hen waren. Vielen zelfs de chef lastig.'

'Kun je je hun naam nog herinneren?'

'Wat wel erg toevallig is: we kregen gisteren net een aanvraag binnen of we diezelfde reclamegozer kenden in verband met drugszaken. Dat is overigens niet zo. Hoe jammer ik het ook vind. Zonder deze aanvraag van RA11 zou ik die klacht over die gluurder van begin juni allang zijn vergeten. Je hebt geluk, Zander. Ik heb nog eens in mijn oude aantekeningen gekeken en zelfs het adres gevonden. Heb je iets om te schrijven? *Krahkampstrasse* in *Volmerswerth*. De naam van het echtpaar is Larue, Christoph en Verena, meisjesnaam Meweling. Denk je dat hun gluurder de man is die je zoekt?'

21

De chef van de tweede rechercheafdeling was een inspecteur van rond de veertig, Ingo Ritter geheten - een vriendelijke man met een snor. Hij liet Leo meteen alle ruimten zien en stelde hem voor aan de collega's met wie hij vanaf dat moment te maken zou hebben. Behalve Ritter zelf waren er nog drie mannen en twee vrouwen aanwezig, van wie er één in opleiding was. Drie andere collega's hadden vakantie.

'Onze nieuwe collega', legde Ritter uit, 'komt van de ME. Van het elitekorps.'

Een kamer voor papierwerk en verhoren, een receptie met een balie, een kamer die volgepropt was met gemakkelijke stoelen en banken die er tweedehands uit zagen. Tegenover het keukentje stonden kasten vol parka's en rubberlaarzen. De binnenkant van elke plaatstalen deur was volgeplakt met polaroidfoto's. Pas toen hij goed keek, zag Leo wat er op stond. Lijken in allerlei maten en vormen: vergaan, opgeblazen, net uit het water gevist, slachtoffers van wurging die eigenlijk alleen maar een stijve wilden krijgen. Ritter liet weten dat hij bij elke foto wel een leuke anekdote wist.

Het hart van de afdeling werd gevormd door een kamer met radiografische apparatuur. Op een beeldscherm kon je zien waar in de stad de politie actief was. Zodra een patrouille een strafbaar feit vaststelde, alarmeerde de meldkamer via een van de drie telefoonaansluitingen de recherche. Eén collega zat voor het beeldscherm: hij coördineerde de teams via de politieradio en een mobiele telefoon, en stuurde ze naar de plaats van het misdrijf.

Ritter gaf uitleg: 'Wij zijn het oproep- en servicestation voor alle andere afdelingen. Als hun medewerkers vrij zijn en in het weekend, springen wij in. We doen alles wat geen uitstel duldt en de volgende werkdag halen de collega's dan de dossiers uit hun postvakjes bij de receptie.'

Leo moest denken aan de tijd dat hij stage liep. 'RA11 heeft zijn eigen meldkamer.'

'Wij vervoeren ook lijken. Uitsluitend als er duidelijk sprake is van invloed van buitenaf brengen we Moordzaken op de hoogte.

De dode vogels doen we allemaal zelf.'

Dode vogels - interessant klonk dat niet.

Ritter liet Leo een logboek zien en bladerde erin. 'Hier noteren we wat er tijdens elke dienst gebeurt. De L van Ludwig bijvoorbeeld betekent: lijk. Als het zo heet is als nu, willen de mensen nog wel eens omvallen. PD van Plaats Delict betekent: inbraak. Daar hebben we het meeste werk van, vooral in de winter als het langer donker is. Roofovervallen, zedenmisdrijven en brandstichting, alles is vertegenwoordigd. De afwisseling maakt de dienst bij ons interessant.'

'Maar de gewone politie is altijd al ter plaatse geweest.'

'Als je actie zoekt, had je beter bij de ME kunnen blijven. Dit is de recherche. Wij werken met het koppie, niet als op afstand bestuurde ontvangers van opdrachten.'

Zijn collega's achter de tafel met de radiografische apparatuur grijnsden.

Het werd Leo duidelijk hoe de opmerking over het elitekorps bedoeld was - louter spottend. Hij antwoordde: 'Met zoveel koppie dus, dat juwelendieven in alle rust kunnen vluchten terwijl de intelligente recherche voor de deur op de uitkijk staat.'

'Die zit', knikte Ritter. 'Wie deze zaak noemt, doet bij ons tien euro in de koffiepot. Deze keer ben je nog vrijgesteld.'

Leo bekeek de monitor eens wat beter. Het idee om met één oogopslag te kunnen zien wat er in de stad aan de hand was, stond hem wel aan. Hoofdinspecteur Gundlach, een bruinverbrande collega met haar tot bijna op zijn schouders en daarom - naar de bekende schlagerzanger Jürgen Drews - Onkel Jürgen werd genoemd, legde de lettercombinaties op het beeldscherm uit: 'Hier hebben we een ongeluk zonder persoonlijk letsel in de *Corneliusstrasse*. In de *Kruppstrasse* heeft iemand een inbraak gemeld, maar gelet op de berichten die binnenkomen is daar niets aan de hand. Dit hier zou interessant kunnen zijn. Mogelijk een Ludwig in *Gerresheim*. Er is al een surveillancewagen ter plaatse. Het zou me niet verbazen als de telefoon zo meteen gaat.'

'Ludwig?' vroeg Leo.

De telefoon ging over. De man met het lange haar tikte iets in op het toetsenbord, de printer spoog een papiertje uit dat Ritter afscheurde.

'Een lijk', zei Gundlach alias Jürgen Drews.

Ritter zwaaide met het briefje waarop het adres stond. 'Actie!'

Leo reed, een blauwe Omega met versleten schokdempers en waarvan de stuurinrichting kraakte. Tegen Ritter gaf hij hoog op van de flitsende auto's die de ME als dienstwagens ter beschikking stonden: BMW, Mercedes, Audi quattro - limousines met degelijke motoren en dubbel zoveel pk's onder de motorkap. Toen Leo in de gaten kreeg dat dit onderwerp de man met de snor niet beviel, besloot hij te zwijgen over de motorfietsen en helikopters waarmee hij onderweg was geweest en de wapens waarover hij had beschikt. Vanaf vandaag moest Leo zich tevredenstellen met een Sig Sauer P6 op zijn heup, een licht ding dat lang niet zo goed in de hand lag als zijn oude P226. Zeven schoten minder in het magazijn. En aan de lichte munitie wilde hij niet eens denken.

Het adres bleek een twee-onder-een-kap te zijn in een rustige woonomgeving. Een politieauto met communicatieapparatuur stond voor het tuinhek geparkeerd. Ritter haalde de camera uit de kofferruimte, een Sony. 'Digitaal', zei hij tegen Leo. 'Je houdt het niet voor mogelijk hoe modern de politie soms kan zijn.'

Uit de flat op de eerste etage kwam een geur van ontbinding. Op het bellen reageerde een herdershond met langdurig geblaf. Leo begreep niet waarom Ritter eerst de sleuteldienst wilde roepen. Hij trapte de deur in, zag in een fauteuil de dode vrouw - het beest trok zijn snuit uit het lijk en kwam met een druipende bek op Leo af. Toen het dier zich klaarmaakte voor de sprong, legde hij het met twee schoten neer.

'O, mijn god', steunde Ritter. Hij haalde een flesje Chinese olie uit zijn zak en wreef een druppel in zijn snor voor hij het Leo aanbood. Toen vroeg hij de agenten om de buren naar huis te sturen en de dokter te waarschuwen. Hij hield Leo tegen, die nu pas de plas ontdekte die zich rond de fauteuil had gevormd.

Zijn collega pakte zijn tas uit: plastic overtrekschoenen, kunststof schorten, handschoenen die tot over de ellebogen kwamen. Samen kleedden ze het aangevreten lijk uit om het te onderzoeken op andere verwondingen - Leo voelde dat Ritter geïrriteerd was.

Hij vroeg aan hem: 'Wat is er?'

'Ik hoop niet dat je elke keer als we uitrukken gelijk begint te schieten.'

'Wat zijn jullie voor lui? Bewapende bureaucraten? Moet ik me soms laten bijten? Oké, jij werkt met je koppie. Dat heb ik begrepen. Maar vertel me eens: wat doe je als je op een misdadiger stuit die geweld gebruikt?'

'Het is al goed, Köster.'

'Ik zal je vertellen, wat je dan doet. Je doet het in je broek en roept om de ME. Waar het jou te gevaarlijk wordt, mogen zij aan de bak. Zij doen het werk en maken het af. De recherche ondertekent alleen het bewijs van ontvangst. Een doodgewone kantoorbaan met een pistool op je heup.'

'Welkom. Het is toch altijd nog zo dat je vrijwillig bij ons bent gekomen. Of niet soms?'

'In ieder geval ben ik niet naar de recherche gegaan om me door zo'n rotbeest te laten doodbijten.'

De man met de snor nam de camera uit zijn tas en fotografeerde de kamer, de dode vrouw en de hond. Nieuwe foto's voor de kast. Nieuwe anekdotes.

Om half zes waren ze klaar en besloten dat ze frisse lucht nodig hadden. Ze reden het centrum in en parkeerden onder de terrassen aan de Rijn. Ritter stelde voor om op de terrasboot *Kollers Kahn* lekker in het zonnetje te gaan zitten tot ze opnieuw moesten uitrukken. Hij had een mobiele telefoon bij zich, zijn privétoestel - alleen medewerkers van Moordzaken en hoge pieten kregen een mobieltje van de politie. Bij appelsap met spuitwater vertelden ze elkaar hun belevenissen uit hun politieloopbaan en Leo ontdekte dat Ritter geen onaardige vent was. Op enig moment vroeg de man met de snor hem naar de ME-actie in de nacht van zondag op maandag en Leo antwoordde: 'Deze ene keer is gratis. Vanaf nu kost het je tien euro.'

Ritter leende hem zijn gsm, zodat hij Adomeit kon bellen om hem te vragen hoe het met Massimo ging - het kuiken was opnieuw geopereerd, zijn toestand zou stabiel zijn, wat niet betekende dat hij alles overwonnen had. De jongen had koorts gekregen, werd nog altijd kunstmatig beademd en lag in coma - Adomeit noemde het een diepe slaap. Zijn oude commandoleider vroeg hoe het was bij de meldkamer van de recherche. 'Je gelooft het niet', antwoordde Leo. 'We doen ook huisbezoeken.' In gedachten was hij op de intensive care.

Ritter betaalde beide drankjes onder verwijzing naar een koopwoning die hij aan het begin van de middag met een forse provisie had verkocht. Toen ze opstonden, dacht Leo aan Jasmin. Hij was benieuwd of ze zich aan hun afspraak zou houden. Hij kon bijna niet wachten tot hij haar weer zou ontmoeten - een springerig, onconventioneel meisje.

Daarna was er sprake van vals alarm in een bankfiliaal dat hen toch een uur lang bezighield, omdat Ritter er zeker van wilde zijn dat het fiasco met de juwelendiefstal van zaterdag zich niet zou herhalen.

Ze reden terug naar de vesting, typten verslagen en aten chicken-chop-suey dat de stagiaire bij de Chinese snackbar in de *Bilker Allee* had gehaald. Op de buis zond *N-TV* de beursnoteringen van de belangrijkste *DAX*-aandelen uit - Ritter en zijn collega's speculeerden in aandelen, het halve team leed aan beurskoorts.

Leo trok een krant naar zich toe en stuitte op de naam Darius Jagenberg. *Een haai tegen een superbrein - wie wint de slag om de aandeelhouder?* De baas van *Geminag* zocht bondgenoten om in verzet te komen tegen een vijandige overname. De burgemeester werd geciteerd - hij maakte zich zorgen om 'Düsseldorf als stad van de mobiele telefonie.'

Onkel Jürgen vroeg aan Ritter: 'Ruil je jouw *Geminag*-aandelen tegen *Skyphone*?'

'Nee, ik heb ze allebei verkocht. Die stijgen niet verder, of er nou een fusie komt of niet.'

De volgende klus: een inbraak in een woonblok - veel heisa over een schamele vijftig euro en een draagbare radio. Daarna een pervers type op een parkeerplaats van de Aldi in de *Kettwiger Strasse*.

Een stinkende, ongeschoren man van middelbare leeftijd had in de schemering een jongetje een autowrak ingelokt waarin hij kennelijk huisde. De twee hadden de aandacht getrokken van een Turk die ernaast een garage had. Leo en Ritter vonden in de muffe kar knuffeldieren, dildo's en flesjes urine. Ze ondervroegen de jongen, die overstuur was. Uit navraag bij het hoofdbureau bleek dat de dader een strafblad had - veroordeeld wegens seksueel misbruik. Leo dacht aan Dani en moest zich beheersen om de viezerik niet te verbouwen. Op de vraag naar zijn adres keek de man hulpeloos om zich heen en antwoordde: 'Geen.'

'Dan heb je er nu een', zei Ritter en liet de pedofiel afvoeren.

Het was nacht geworden. Op de terugrit zei Ritter dat ze door die pedofiel zouden moeten overwerken. Papierwerk.

Leo keek op zijn horloge: tien voor tien - hij hoopte dat Jasmin desnoods op hem zou wachten. Hij werd steeds onrustiger en vroeg zich af of hij Ritter kon vragen het schrijfwerk alleen af te handelen.

De snor greep naar de mobilofoon. 'Düssel 24, we komen nu terug.'

Plotseling klonk er een wirwar van krakende stemmen uit de ether. Leo begreep dat het om een geval van overlast ging.

Ritters mobiele telefoon sloeg alarm. Zijn collega fronste zijn voorhoofd en wreef met zijn vrije hand over zijn snor, terwijl hij luisterde. 'Dat meen je niet! Moeten wij daar nu voor agentje gaan spelen?'

Tegen Leo zei hij: 'Richting *Pempelfort, Bagelstrasse.*'

'Wat is er aan de hand?'

'Een stommeling die klaagt over overlast. Het hoofdbureau vindt dat wij moeten gaan kijken wat er aan de hand is. Daar hebben ze ze, geloof ik, niet meer allemaal op een rijtje. Geef maar gas, dan zijn we er weer gauw vanaf!'

Nog vijfendertig minuten tot zijn afspraak met Jasmin.

Ze waren nog voor de eerste patrouillewagen ter plaatse. Leo stuurde de Omega de inrit op en parkeerde op het terrein achter het gebouw. Ritter mopperde dat zulke zaken niet tot het takenpakket van de recherche behoorden: buren die lawaai zouden hebben gehoord en meenden dat het uit het fitnesscentrum in het achterste gedeelte van het gebouw kwam.

Op de straat viel licht uit de brede ramen van de platte aanbouw. Achter de ruiten stonden rijen trimfietsen en roeiapparaten - alles was fel verlicht. Boven de ingang lichtten neonletters op: *Body and Soul Gym.* De tekst eronder beloofde: *Trainen met Europees kampioen Schwarzenberg - het beste voor lichaam en ziel.* De deur stond open. Op de ruit zat een briefje: *Open van tien tot tien.* Binnen mengde het geluid van de zoemende airco zich met muziek. Robbie Williams zong *No regrets.* Een slaapverwekkende melodie, een opzwepend ritme - de ideale sportschooldeun.

In de grote trainingszaal was niemand te zien.

Tientallen machines: chroom en zwart ijzer, zo van de fabriek en van de beste kwaliteit voor zover Leo dat kon beoordelen. De geur van zweet en van iets scherps, iets ondefinieerbaars hing in het vertrek.

'Is er iemand?' riep Ritter.

A bitter aftertaste and a fantasy of how we all could live ...

Niemand achter de kassa, twee halfvolle bekers op de toog van de sapbar. Toen hij de druppels op de linoleumvloer ontdekte, trok Leo zijn wapen - hij volgde de rode lijn die steeds weer even werd onderbroken. Ook Ritter haalde zijn P6 uit zijn holster.

We were having the time of our lives. Well, thank you, it was a real blast ...

Ze kwamen bij de kleedkamer. Ook hier niemand, alleen maar drie of vier tassen, aan de haken hingen kleren. De druppels leidden verder door de betegelde gang waar de douchecabines waren. De scherpe geur werd sterker. Leo dacht aan zijn vrijgezellenkeuken: verbrand vlees. Het spoor eindigde in een donkere ruimte. Leo tastte naar de schakelaar. Niets.

Ritter knipte een Mag-lite aan en gaf Leo een tweede zaklamp. Die man had overal aan gedacht. Leo pakte de lamp met zijn linkerhand aan: bruine tegels op de vloer en tegen de muren. Een grote ton met water, een bank, een plek voor de handdoeken. Glasscherven die onder zijn zolen knisperden. Leo richtte het licht naar boven. De plafondlamp was totaal versplinterd. Aan het eind van het vertrek was een houten wand. Daarin een klein raam waarin Leo weerspiegeld werd. Een deur.

Hij keek om naar zijn partner. Ritter knikte. Leo pakte de deur-kruk. De deur klemde. Hij rukte hem open - de golf hitte trof hem als een slag in zijn gezicht, tegelijkertijd gleed er binnen iets zwaars op de grond.

Suppose it's just a point of view, but they tell me I'm doing fine. Twee voeten waren naar buiten gegleden. Leo stapte eroverheen, de smalle saunaruimte in. De stank was overweldigend. Waar hij ook keek, overal lagen levenloze lichamen.

Ze lagen dwars over elkaar heen, een van bloed doordrenkte hoop, bestaande uit kleren, vlees en botten. Tegen de wanden: ge-spleten hout, nog meer bloed en een melkachtige substantie - her-senmassa. Leo vond het belangrijker overlevenden te redden dan sporen te verzamelen. Hij hield zijn adem in en tastte naar polsen, naar een halsslagader - en staarde in een brij van huid en tanden.

De kachel in de sauna maakte een knetterend geluid en siste, de lucht kookte bijna. De vloer was bedekt met bloed dat een donkere spiegel vormde waarin patroonhulzen dreven.

'O, god', riep Ritter achter hem en kokhalsde. Toen liep hij weg en Leo hoorde hem telefoneren.

Leo probeerde de lichamen te tellen. Een mollige vrouw in een T-shirt, een bodybuilder in sportkleren, hun gezichten zo kapotge-schoten dat ze onherkenbaar waren. Een vrouw in gewone kleren. Tatoeages, handen die slap naar beneden hingen, bovenbenen, een gouden kettinkje aan een enkel. Een fietsbroek, doornat in het kruis. Verblindend witte sportschoenen die de mazelen hadden ge-kregen. Wanhopig probeerde Leo bij al deze bewegingsloze licha-men een polsslag te vinden.

Tegenover de deur twee naakte lichamen. Een man en een vrouw; de man was met zijn gezicht op de kachel gevallen. Leo werd over-vallen door oude voorstellingen uit de godsdienstles: visioenen van vagevuur, hel en verdoemenis.

Het naakte lichaam van de vrouw glom, het zweet was in de hitte nog niet helemaal verdampt. Ze was jong. Zo'n tien gaten in haar bovenlichaam, boven de hartstreek gaapte een enorme wond. Stukjes roet en kruit waren in de huid eromheen gedrongen - ze was van dichtbij beschoten. Leo richtte zijn Mag-lite op blond haar, lang tot op de schouders. Hij zocht de halsslagader en voelde weer niets.

Toen hij haar haren opzij streek en haar gezicht in het schijnsel van zijn lamp oplichtte, voelde Leo hoe plotseling zijn knieën begonnen te knikken.

Hij liep op zijn tenen door het bloed naar buiten. Hij hield zich vast aan het trapje van het dompelbad en probeerde lucht te krijgen. Ritter kwam terug met zijn digitale camera. Hij zei iets - in Leo's oren klonk een ruis als van een radio die op zijn hardst stond en ingesteld was op een frequentie waar niets te horen viel.

Zijn collega schudde hem door elkaar. Leo dwong zich rustiger adem te halen. Hij hoorde een knak en eindelijk verstond hij wat Ritter zei: 'Hé Köster! Ben je oké?'

Leo knikte. Van buiten kwam het meerstemmige lawaai van sirenes van ambulances.

Ritter hield de camera in de deuropening van de sauna en drukte een paar maal af. Hij zei: 'Jij moet hier weg. Je hebt frisse lucht nodig.'

Voetstappen bij de ingang: de arts. Ambulancepersoneel drong de ruimte voor de sauna binnen.

Leo maakte plaats. Robbie Williams zong: *We've got stars directing our fate and we're praying it's not too late …*

Een tweede noodarts rende voorbij, nog meer ambulancepersoneel. Iemand riep: 'Deze leeft nog!'

Leo vatte hoop en haastte zich erheen - het was de mollige vrouw, die ze naar buiten droegen.

Ritter zei: 'De binnenplaats is afgezet en de politie probeert de bellers op te sporen. Ik heb het team van Moordzaken op de hoogte gebracht. Nu kunnen we alleen nog wachten.'

Op zeker moment ging het ambulancepersoneel weg.

Er lagen vijf lijken in het voorste vertrek, afgedekt met dunne doeken. Overal bloederige afdrukken van schoenzolen. Vijf doden, vermoord voor de inhoud van een kassa. Een zesde slachtoffer levensgevaarlijk gewond in het ziekenhuis.

Leo ging op zijn hurken zitten. Hij vond het meisje en trok het doek naar beneden.

Denk je nou echt dat ik je zo snel al weer laat gaan?

Haar groene ogen keken stil en verstard langs hem heen. Haar half geopende lippen bloedeloos. Haar huid nog warm. Leo's vingers raakten de moedervlek aan.

Jasmin, Jasmin, Jasmin.

Toen hij merkte dat Ritter naar hem keek, trok hij de witte stof weer recht. Het lukte hem niet - óf het laatste stukje van haar voeten óf haar hoofd stak eronderuit.

Waarom zit je niet in ons café op me te wachten?

22

Toen Ela om half drie 's morgens thuiskwam, schoof ze de knip op de voordeur en deed alle lichten aan.

Ze zei tegen zichzelf dat lijken voor haar alleen interessant waren als dragers van sporen. Dat medelijden niet bij haar werk hoorde. Het hielp, voor even. Ze voelde zich leeg.

Ela trok haar bezwete kleren uit en stopte ze in de wasmachine. Uit de koelkast haalde ze een aangebroken fles *Entre-deux-mers* en schonk een glas in. Een sigaret.

Ze had van Ritter een cd met foto's gekregen, zelf de plaats van het misdrijf met een handycam gefilmd en bovendien elk detail in haar hoofd opgeslagen. Het was een slachting.

Misschien hadden ze hun slachtoffers de sauna ingedreven, omdat ze dachten dat daar het geluid van de schoten niet naar buiten zou doordringen. Als dat zo was, hadden de daders zich vergist. Er waren getuigen.

Ela ging op de trillende wasmachine zitten en inhaleerde diep - het zoevende en roterende geluid van de trommel maakte haar rustig en de witte wijn zorgde ervoor dat haar temperatuur weer normaal werd.

Toen de sporenrechercheurs er eenmaal waren, had Ela het fitnesscentrum verder aan hen overgelaten. Buiten verdrongen zich de fotografen, een bombardement van flitslicht, cameramensen die hun lampen instelden en Ela verblindden. De straat stond vol bewoners, voorbijgangers, kijklustigen in joggingpak of pyjama. Mensen die schoten hadden gehoord. Een auto hadden gezien die wegreed. Er zaten geen klanten van het fitnesscentrum bij de getuigen. Geen overlevenden van het misdrijf. De medewerkster die naar het ziekenhuis was gebracht, was kort na middernacht aan haar verwondingen bezweken. Te veel lood in haar hoofd. Engel had alle beschikbare rechercheurs van Moordzaken opgetrommeld. Ze verdeelden zich in groepjes en belden bij de omliggende huizen aan. Patholoog-anatoom Rosenbaum dreef een slaapdronken assistent voor zich uit en vroeg naar de lijken. Het hoofd van de recherche, Dresbach, en zelfs de hoofdcommissaris kwamen langs. Groepschef Poetsch deed voor de televisiecamera's alsof hij persoonlijk het onderzoek leidde.

De officier van justitie was de eerste die Ela eraan had herinnerd dat de fitnessstudio in het voorjaar ook al doel van een aanslag was geweest - de gevel was beschadigd door brandbommen, van de daders geen spoor.

De kerels met die molotovcocktails – waren ze nu helemaal uit hun dak gegaan?

Ela zorgde ervoor dat de kleding van de vijf doden naar de kelder van de vesting werd gebracht om te drogen. Samen met de persvoorlichter formuleerde ze de melding van deze belangrijke gebeurtenis aan het landelijke bureau recherche en aan het ministerie van Binnenlandse Zaken. *Belangrijke gebeurtenis.*

De aasgieren van de media bleven tot de begrafenismedewerkers de lijken afvoerden - de foto's van "De Nacht". Daarna werd het eindelijk rustig.

Het centrifugeprogramma deed de trommel gieren. De fles die Ela op de wasmachine had gezet, begon te wankelen. Ze schonk de rest in haar glas. Nog een sigaret. De laatste.

Een grote zaak.

Ela dacht aan haar vader, die als bankbediende in *Erkelenz* twee overvallen binnen drie maanden had meegemaakt. Sindsdien was hij arbeidsongeschikt en kreeg hij een uitkering. Hij was nooit meer een ruimte met loketten binnengegaan, zelfs niet als klant. Hij kon het niet. Hij was één brok zenuwen geworden en ging kapot aan de wanhoop over zijn eigen kwetsbaarheid.

Zij daarentegen was al twee maanden na haar ontmoeting met de 'kannibaal' weer aan het werk gegaan - ze had bewezen dat de aanleg voor een zenuwinzinking niet in de genen zat.

Het wasprogramma stopte met centrifugeren, de schakelaar klikte en er werd opnieuw water ingenomen - de trommel draaide langzaam door.

Ela huiverde. Haar glas was leeg.

Toen ze de keuken uitliep, viel haar oog op het ronde venster van de machine. Een moment lang was ze ervan overtuigd dat het bloed was dat achter de ruit ronddraaide.

Deel drie
Golden Twins

"De steeds meer toenemende wanorde of entropie is een voorbeeld van datgene wat (...) het verleden onderscheidt van de toekomst, doordat het richting geeft aan de tijd."

Stephen Hawking, *Een korte geschiedenis van de tijd*

Woensdag, 2 augustus, *Blitz,* voorpagina:

DRIE VROUWEN EN DRIE MANNEN IN SAUNA DOODGESCHOTEN
PSYCHISCH GESTOORDE MOORDENAARS RICHTEN BLOEDBAD AAN

Door Alex Vogel. *Een bloedige daad - de meest verschrikkelijke sinds de Tweede Wereldoorlog - Düsseldorf is verbijsterd. Het fitnesscentrum 'Body and Soul Gym' van voormalig Europees kampioen bodybuilding Thomas Schwarzenberg in de wijk Pempelfort om 21.45 uur, kort voor sluitingstijd - het bloedbad verloopt als volgt: een medewerkster telt de dagopbrengst terwijl drie leden, zojuist klaar met trainen, zich verkleden. Een paartje ontspant zich nietsvermoedend in de sauna. Op het terrein achter de Bagelstrasse komen plotseling gewetenloze moordenaars het uit één verdieping bestaande gebouw binnen. Ze drijven de aanwezigen langs de douches en toiletten naar de kleine sauna van de studio en schieten op hen met dodelijke munitie: hagel van achtmillimeterkogels die onder jagers ook wel 'reemunitie' worden genoemd. Een executie: de slachtoffers hebben geen schijn van kans de kogelregen te overleven.*

Hubert Preuss, 72, zit op het tijdstip van het misdrijf op het balkon van zijn woning in het gebouw ervoor - met uitzicht op het fitnesscentrum. De gepensioneerde leraar Latijn denkt eerst aan een explosie. Als het lawaai verstomt, ziet hij een terreinwagen van de binnenplaats wegrijden. Dat hij de vlucht van de massamoordenaars heeft gezien, blijkt pas als de politie arriveert die door diverse buren is gebeld, omdat er sprake zou zijn van geluidsoverlast.

Minuten later stelt de noodarts de dood van vijf mensen vast. Een zesde slachtoffer wordt met spoed naar het Mariahospitaal gebracht, waar ze aan haar zware verwondingen bezwijkt. Een groot aantal politiemensen zwermt uit om de omwonenden te ondervragen. Voormalig Europees kampioen Schwarzenberg, die zijn 'Body and Soul' pas enkele weken geleden gerenoveerd heeft, begrijpt niet wat hem overkomt en stort in. Hij moet door ambulancepersoneel worden behandeld.

Hoofdcommissaris Bewerunge verklaart ter plekke dat de politie 'niet zal rusten voordat deze verschrikkelijke massamoord tot op de bodem is uitgezocht'. Minister van Binnenlandse Zaken van de deelstaat Noordrijn-Westfalen, Lemke, laat zich op zijn vakantieadres telefonisch over de voortgang van het onderzoek informeren.

Over de identiteit van de slachtoffers was laat op de avond nog niets bekend. Vaststaat dat in mei onbekenden benzinebommen tegen de toegangsdeur van de 'Body and Soul' hebben gegooid. Wat is de achtergrond van deze straatoorlog van een omvang zoals we die niet eerder hebben meegemaakt? Wat betekent deze escalatie van geweld? Een speciale commissie onder leiding van de ervaren inspecteur Benedikt Engel moet er nu voor zorgen dat deze psychisch gestoorde moordenaars, die kans zien een grote stad in hun ban te houden, gepakt worden.

23

Martin Zander werd gewekt door de telefoon. Het bed naast hem was leeg en de wekker stond op half zeven. Toen niemand van de andere gezinsleden opstond, stapte Zander uit bed.

Zijn vrouw sloop door de hal, een foto van haar verongelukte zoontje tegen haar borst geklemd.

Zander hield haar vast. Ik ben geen moordenaar, Beate. En jij hebt er ook geen schuld aan wat er toen …'

Ze maakte zich los uit zijn greep.

'Beate, alsjeblieft. Laten we als normale mensen …'

Zonder hem aan te kijken verdween ze de keuken in.

De telefoon bleef maar rinkelen. Hij pakte de hoorn op.

'Zander.'

'Hallo Martin, met Tina.' De vrouw van Arnie Haffke.

'Wat is er aan de hand?'

'Arnie is niet thuisgekomen. Ik wilde je vragen of hij soms bij jullie heeft overnacht?'

'Nee. Hier is hij niet. Ik zou ook wel graag willen weten waar die jongen uithangt.'

'Als ie weer iets met die Maria is begonnen, dan gooi ik hem eruit!'

Dat zeg je elke keer, dacht Zander.

Hij douchte langdurig en vond daarna in de kast een gestreken overhemd. In de keuken zat Beate een baseballpetje te strelen dat van Sebastian was geweest. Hij vroeg waar Pia was. Toen ze niet antwoordde, besloot hij zijn koffie bij de bakkerij op de hoek te gaan drinken.

Op een van de hoge tafels lag een kapotgelezen krant - de grote, schreeuwende kop van het sensationele bericht kon Zander onmogelijk ontgaan: DRIE VROUWEN EN DRIE MANNEN IN SAUNA DOODGESCHOTEN.

Foto's. Een lang artikel dat al het andere nieuws van de voorpagina had verdreven. Zander kende de straat, de sportschool. Die lag binnen zijn district. Zijn partner had er zelfs een tijdlang getraind. Ook als Zander niet tot de speciale commissie had behoord, zou zijn interesse gewekt zijn. Hij liet zijn beker koffie staan - te heet om snel leeg te drinken.

Tijdens de rit verorberde hij het broodje. Na twintig minuten reed hij de parkeerplaats van het hoofdbureau op. De paternosterlift bracht hem naar de derde verdieping - Zander schatte dat de speciale commissie dit keer wel de zogeheten 'kamer voor vroege ochtendbesprekingen' zou gebruiken, de enige wat grotere ruimte in de vesting.

Inderdaad: De vergadering was al in volle gang.

Zander schoof zachtjes naar binnen. Het was er vol, benauwd - bijna iedereen van Centrale Criminaliteitsbestrijding die dienst had, leek aanwezig. Aan het hoofd van de tafel zaten de hoge pieten: Dresbach, het hoofd van de recherche, zijn chef, afdelingsleider Friedrichsen, zelfs hoofdcommissaris Bewerunge was hoogstpersoonlijk aanwezig.

De leider van RA11 voerde het woord. In de wandelgangen van de vesting werd gefluisterd dat Benedikt Engel een paar vlekjes op zijn blazoen had. Maar hij scheen de eindstreep nog net te hebben gehaald - met behulp van een paar successen en een forse dosis aanpassingsvermogen. Zander voorzag dat 'carrièrebengel' Engel

151

zich later niet zou herinneren dat hij zijn medewerkers met jij had aangesproken, als hij ooit, na de politieacademie in Hiltrup, als opperhoofd van de recherche zou terugkeren.

Naast de lange zat groepsleider Poetsch ineengedoken papiertjes te vouwen - blijkbaar had hij de strijd om de leiding van de speciale commissie verloren. Poetsch en Engel: net Wat en Halfwat. De groepsleider was sneller op de opleiding voor hoger personeel gekomen, maar de lange had een beter lijntje met het hoofd van de recherche, zei men.

Engel had foto's laten afdrukken op foliepapier. De daglichtprojector projecteerde ze op de muur. Niet iets voor fijnbesnaarde zielen.

'We hebben maar tien patroonhulzen geteld, kaliber 12-70. Het laatste schot was bestemd voor de plafondlamp in het vertrek voor de sauna. De dader heeft nul-nulmunitie gebruikt, ook wel buckshot of reemunitie genoemd, vermoedelijk afgevuurd uit een automatisch geweer. Dat verklaart waarom geen van de slachtoffers tijd had zich te verweren. Per schot zijn dat tien loden kogeltjes van elk acht millimeter doorsnee, die gemakkelijk van vorm veranderen. Je kunt je voorstellen wat een vernietigende uitwerking die hebben.'

Iemand riep tussendoor: 'Dat kan je niet meer subtiel noemen!'

'Hoezo *de dader*? Was het er maar één?' wilde een ander weten.

Engel ging verder alsof hij de tegenwerping niet had gehoord: 'We hebben een groot aantal getuigen. Op een warme zomeravond zitten de mensen graag op hun balkon en de balkons van die huizenrij liggen allemaal aan de binnenplaats. Drie van de getuigen hebben de dader zelfs gezien. Ja, we moeten ervan uitgaan dat het om *één* dader gaat. Daar zijn de getuigen het over eens. Aan de beschrijving hebben we niet veel: mannelijk, van gemiddelde lengte en eerder jong dan oud. Maar er is meer. Het vluchtvoertuig: sommigen hebben het over een jeep, anderen over een landrover. In ieder geval gaat het om een gele terreinwagen.'

Het geroezemoes zwol weer aan. Dresbach stak zijn hand in de lucht en riep: 'Stilte alstublieft! We hebben hier geen luidsprekers. Gaat u verder, Engel.'

'Zoals jullie weten, zijn onze collega's van Brandstichting al ruim een week op zoek naar een of meer daders die, na in een disco in het oude centrum brand te hebben gesticht, gevlucht zijn in een voertuig dat aan dezelfde beschrijving voldoet. Als we dan weten dat ook in de *Body and Soul* eerder een poging tot brandstichting is gedaan, dan zijn we waarschijnlijk al een eind op de goede weg.' De lange wachtte weer tot het stil werd.

'Als je bovendien bedenkt dat geel een kleur is die bij terreinwagens zelden voorkomt, zou het wel heel gek moeten lopen, willen we die kerel niet snel vinden.'

Zander zag zijn collega Bach vooraan bij de hoge omes. Lui van Moordzaken, Roofovervallen en Brandstichting. De ambtenaar van Intern Onderzoek, Thann, knikte hem toe.

Engel, de chef van de speciale commissie, raakte steeds meer in vorm: kort voor zijn vertrek naar de politieacademie nog een echt grote zaak. 'Nu naar de slachtoffers. Drie van hen waren leden van het fitnesscentrum, hun pasjes zaten in de tassen die we in de kleedruimte hebben gevonden. Het gaat om Paula Becker, Mirko Divkovic en Heinz Lazarus, allemaal vaste sportklanten die al maanden lid waren. Slachtoffer nummer vier is een medewerkster van de sportschool, Svetlana Pokornovska geheten, tweeëndertig jaar. Ze was ingesprongen voor een zieke collega. Pokornovska was een alleenstaande moeder met twee kinderen van drie en vijf jaar. Maar het wordt nog erger. De vijfde identiteitskaart die we hebben vonden, is een politielegitimatie van onze ...'

Er ontstond heftige beroering in de zaal.

Engel probeerde boven de kreten uit te komen: '... is het legitimatiebewijs van een van ons. Ja echt, het is zo en het maakt me tegelijkertijd woedend en verdrietig. Onder de slachtoffers bevindt zich een collega, Arnold Haffke, brigadier van districtsbureau Noord. De moord op een collega moet voor ons een extra aansporing zijn om de zaak zo snel en grondig mogelijk op te lossen!'

Zander voelde zijn maag ineenkrimpen. Dat moest een vergissing zijn! Hij zag hoe Ela Bach aan het andere eind van de conferentietafel stapels papieren liet doorgeven.

'Het zesde slachtoffer is als enige nog niet geïdentificeerd. We hebben wel kledingstukken gevonden die in de kleedruimte hingen en die waarschijnlijk van haar waren, maar geen identiteitsbewijs, rijbewijs, creditcard of iets dergelijks. Een vergelijking van haar vingerafdrukken met alles wat bij *AFIS* is opgeslagen, heeft geen match opgeleverd. Ze heeft dus geen strafblad. Het gaat om een jonge vrouw, twintig tot vijfentwintig jaar oud. Er is tot drie keer toe op haar geschoten. Een foto van haar gezicht en een lijstje van haar kledingstukken vind je bij de papieren die op dit moment worden uitgedeeld.'

De stapels gingen tergend langzaam rond. Zander drong zich naar voren, naar de stapel die op zijn weg over de tafel het verst was gekomen. Hij wilde het zwart op wit zien.

'Collega Bach zal jullie in groepen indelen en verder alles met jullie bespreken. Denk eraan om alle bevindingen meteen te vermelden onder het nummer dat voorop de map staat. De kamer van de moordcommissie, verderop in deze gang, functioneert als coördinatiecentrum. Collega Mühental van Brandstichting zal jullie nu nog iets vertellen over de aanslagen van de laatste weken.'

Zander griste een stapeltje van de aan elkaar geniete kopieën. Haastig bladerde hij ze door. Bladzijden lang namen en gegevens, eindelijk de foto's: de studio van buiten. De trainingsruimte. Het interieur van de sauna voordat de doden geborgen waren - een berg lichamen. Gezichten: mannen, vrouwen, de mooie onbekende. Geen Haffke.

Zander sloeg vlug de laatste pagina op en voelde zijn adem sneller gaan.

Een foto van de tatoeage met de draak.

De naakte badmeester op de houten saunabank tussen alle andere lijven. Helemaal beneden het gezicht van Haffke. In close-up: kapotgeschoten en voor de helft verschroeid doordat het op de kachel is gevallen.

Zander rende naar buiten, lette niet op de protesten van de collega's die hij omverliep, haalde nog net op tijd de toiletten en gaf over in een wc-pot.

24

De neonbuis in de kelderruimte zoemde. Leo Köster kreeg stof in zijn neus toen hij de kartonnen doos met boeken onder vuilniszakken en oude verfemmers uit trok. Hij haalde er boeken uit die hij jaren geleden als stagiair in een vlaag van ambitie had besteld, enkele daarvan had hij slechts ingekeken of globaal gelezen: *Wetboek van strafvordering, Handboek van de criminalistiek, Inleiding in het werk op de plaats delict, Alles over lijken en sectie.*

Terug boven ontruimde hij na een korte aarzeling zijn bureau, dat in de slaapkamer stond en tot dan toe slechts een verzamelplaats was van gewonnen bekers en plaquettes - de herinneringen aan schiet- en fietswedstrijden moesten wijken voor de boeken. Leo zette zich eerst aan een ordner met lesmateriaal: *Opsporing, Sporenleer, Verhoor.* Na een paar minuten, toen hij besefte dat hij steeds dezelfde regels las zonder ze te begrijpen, gaf hij het op.

Hij was moe, voelde zich katterig en wanhopig.

Zijn plichtsgevoel zei hem dat hij de identiteit van het zesde slachtoffer bekend moest maken. Maar zijn voorzichtigheid sprak andere taal - er was cocaïne in het spel en er waren getuigen: de buurman en de taxichauffeur. Bovendien had hij een ongemakkelijk gevoel over de rode Honda die hij had zien staan. Die vent die hem kennelijk tot de villa van Jagenberg had gevolgd. Leo kwam tot de slotsom dat de jonge vrouw hoe dan ook door vrienden of familie geïdentificeerd zou worden zodra haar foto op de televisie en in kranten verscheen.

Hij slikte een dubbele dosis aspirine en lecithine tegen de stijfheid in zijn lichaam. Hij haalde Gordon uit de la en zette hem naast de telefoon - het beertje keek recht naar de pin-upkalender die hij van collega's had gekregen en die hij na het vertrek van Brigitte had opgehangen. Naomi Campbell lag olieachtig glimmend op een rots aan zee, het schuim sprong tegen haar op. De foto van juli.

Leo zei: 'Ik weet dat het sinds gisteren augustus is, maar is ze niet geil?'

Hij koos het nummer van zijn maat Olschweski om het laatste nieuws over Massimo te horen.

Heike nam de telefoon op - Olli had dienst. Leo hoorde dat het kuiken nog steeds in coma lag. Ze had het over een infectie waartegen Massimo antibiotica kreeg en uitte haar ontzetting over de moord van gisteravond - iedereen had het alleen nog maar daarover. Leo vertelde dat hij als eerste rechercheur op de plaats van het misdrijf was geweest en Heike vroeg: 'Waarom heb je Brigitte niet verteld dat je niet meer bij de ME werkt?'

Hij legde de hoorn neer.

Hij had pas later die dag, om drie uur 's middags, weer dienst en hij moest zich melden in de kamer van Moordzaken, het coördinatiecentrum van de speciale commissie. 's Nachts had hij whisky gedronken om de beelden van het bloedbad te verdringen. Nu voelde hij zich weer beroerd.

Hij wist dat in zijn broekzak de zakjes zaten die Jasmin hem maandag had toegestopt. Hij herinnerde zich wat de uitwerking van het poeder was geweest - zelfs het trillen was op slag weg geweest. Hij nam er een beetje van, voorzichtig, heel weinig maar.

Binnen enkele minuten kwam dat fantastische gevoel weer over hem.

Hij kon het in het appartement, dat nog steeds het stempel droeg van Brigitte, niet meer harden. Hij rende naar beneden, de straat op. Het liefst zou hij naar de *Hofgarten* zijn gereden, maar het meisje zou hij niet meer tegenkomen. Hij zwoer zichzelf haar moordenaar te zullen uitschakelen.

Hij was als eerste op de plaats van het misdrijf geweest. Als enige bij de recherche was hij opgeleid om gewelddadige misdadigers uit te schakelen. Hij was belangrijk. Een speciale commissie.

Leo had last van het zonlicht. Overal witte vlakken die het licht reflecteerden. Blinkende uithangborden en spiegels, voorbijflitsende autoruiten die hem verblindden.

Het volgende moment had hij het gevoel dat je aan hem kon zien hoe opgefokt hij was. Hij wreef langs zijn neus om eventuele restanten van wit poeder weg te vegen. In de schaduw bij de ingang van een huis bleef hij staan en luisterde naar zijn hartslag: aanzienlijk sneller dan normaal - vanaf welke dosis was cocaïne acuut gevaarlijk?

Een man met een hond aan de lijn sjokte voorbij. Het beest gromde, de oude man groette. Leo herkende hem: de buurman van Jasmin. Plotseling besefte hij waar hij was. *Merkurstrasse.* Slechts enkele huisnummers verwijderd van de woning waar het meisje en hij met elkaar naar bed waren geweest. Zijn oog viel op de sobere nieuwbouw waar ze had gewoond.

Uit de voordeur kwam een jonge vrouw naar buiten. Blond en slank. Ze droeg een van de jurken die het meisje voor de kast in de slaapkamer aan hem had laten zien: *Die gestreepte ziet er best trendy uit, hè?*

Hij was er zeker van dat *zij* het was.

Zijn hartslag dreigde zijn hoofd uiteen te doen spatten.

Jasmin.

Hij rende. Op de kruising bleef hij radeloos staan. Winkeldeuren werden gesloten, er kwam hem een taxi tegemoet, een blauwe Golf spoot weg van een parkeerplaats.

Een blondine stapte in de tram. Leo rende over het asfalt, negeerde het getoeter en sprong er nog net op tijd in. De deuren gingen dicht. Er klonk een belletje en de tram zette zich in beweging. Leo liep langs de rijen zitplaatsen naar achteren.

De enige blonde vrouw onder de passagiers droeg babyblauwe shorts en een geel topje - hij was achter de verkeerde aangerend.

Door de achterruit staarde Leo naar buiten, in het verblindende licht.

Daar was ze weer.

Hij zwaaide, schreeuwde en klopte tegen de ruit, maar de tram voerde hem steeds verder weg.

25

Ela Bach bestudeerde de onderzoeksdossiers die RA13 - de afdeling die verantwoordelijk was voor het onderzoek naar brandstichting - haar ter beschikking had gesteld. Om haar heen werden tafels aan de kant geschoven en prikborden voor mededelingen opgesteld. Ze liet haar computer naar de kamer van de speciale commissie brengen. Er werden een printer en een kopieerapparaat aangesloten. Collega's kwamen en gingen, kopieerden rapporten en verdeelden mededelingen over de postvakjes.

Ela was de rechterhand van de chef van de speciale commissie, ze coördineerde de 'Saunagroep', zoals men de onderzoeksgroep kortweg had gedoopt. Zestig rechercheurs van verschillende afdelingen van de dienst Centrale Criminaliteitsbestrijding waren bijeengeroepen. Het was de grootste speciale commissie in de politiegeschiedenis van Düsseldorf.

Stapels getuigenverklaringen en rapporten. Drie tot dan toe onopgehelderde brandstichtingen - een mogelijke samenhang.

Woensdag, 17 mei, *Bagelstrasse*, binnenplaats: buren melden kort voor middernacht glasgerinkel en een vuurgloed - een of meer onbekenden hebben twee molotovcocktails tegen de toegangsdeur van de *Body and Soul* gegooid. Slechts één fles is gebroken en de benzine heeft zich over de gevel verspreid. De schade is gering.

Maandag, 26 juni, *Akademiestrasse*: voorbijgangers zien in de vroege ochtend een sterke rookontwikkeling in restaurant *Zur Keule*. Weer zijn het molotovcocktails, drie stuks, die door de ramen zijn geworpen. Dit keer is het glas gebroken, alle drie de flessen met benzine ontploffen en de inrichting van het restaurant gaat in vlammen op.

Dinsdag, 25 juli, *Bolker Strasse*: net als bij *Zur Keule* wordt voor de brandstichting professioneel materiaal gebruikt. De daders hebben zich met een voorhamer toegang verschaft, zijn de trap naar de disco afgelopen en gooien in totaal vijf benzineflessen tegen de bar en de muziekinstallatie. De sprinklerinstallatie van het *Power House* is machteloos. Er gaat voor ruim 1,5 miljoen aan technische installaties en meubilair in vlammen op. Bij deze actie wordt de gele terreinwagen voor het eerst gesignaleerd.

Nu was er een meervoudige moord bijgekomen.

Er kwam nieuws binnen over de munitie - de collega's van de nationale recherche waren naarstig op zoek gegaan: het wapen was voor de moordpartij van gisteren nog niet eerder bij een misdrijf gebruikt.

Nul-nulmunitie gebruikten jagers bij voorkeur bij het opsporen van aangeschoten wilde zwijnen - bij agressieve dieren was een zo groot mogelijke vuurkracht van belang, evenals een grote strooihoek. Een voor zulke munitie geschikt wapen - of het nu ging om een jachtgeweer dat je telkens handmatig moest laden of om een automatisch geweer met gasdruklader – was verkrijgbaar in elke winkel die jachtbenodigdheden verkocht. Iedereen met een wapenvergunning kon zo'n geweer kopen. Wie niet in het bezit was van zo'n papiertje, kon op de zwarte markt terecht. De moordenaar hoefde geen jager te zijn. Hij hoefde niet eens goed te kunnen schieten.

Bij Sporen en bij Pathologie werkten ze aan de reconstructie van het misdrijf. Om kwart voor tien bevonden drie leden van de sportschool zich in de kleedkamer. De politieagent en de onbekende zaten in de sauna, die net uitgeschakeld was, maar nog heet genoeg. De saunamedewerkster bevond zich als enige in de voorste vertrekken. Volgens de sporenrechercheurs was ze bezig de sapbar schoon te maken. Toen ze zich verzette, brak de dader haar neusbeen en duwde haar voor zich uit naar achteren. Hij verzamelde de sporters in de kleedruimte en duwde de vier slachtoffers de sauna in, bij de andere twee.

Als hij een geweer met gasdruklader had, was het snel gegaan. Het magazijn bevatte negen patronen. Als er een tiende in de loop had gezeten, had de dader alleen maar zijn vinger aan de trekker hoeven houden tot het magazijn leeg was en niemand zich meer bewoog. Tien schoten, dat waren tachtig loden kogeltjes. Het verbaasde Ela niet dat er geen sporen van verzet waren.

Ze dacht aan de kleren van de slachtoffers die in de kelder van de vesting lagen en vast allang droog waren. Ze zorgde ervoor dat ze naar het laboratorium van de recherche in de *Völklinger Strasse* werden gebracht. Mogelijk had de dader lichaamscontact gehad met een van de slachtoffers. In dat geval zou men wellicht vezels van zijn kleding kunnen aantreffen.

Telefoons rinkelden onafgebroken. De hele stad stond op zijn kop, niet alleen de politie. Het prikbord raakte vol. Alle mogelijke lijsten: slachtoffers, getuigen, sporen, personeel van de sportschool, betalende leden.

Geen andere ooggetuigen - met het uur verdween de hoop dat er zich een fitnessklant zou melden die de onbekende bij het verlaten van de studio had ontmoet.

Engel kwam met twee bekertjes koffie terug van de persconferentie. Ze nipte aan de koffie en roerde de suiker erdoor. 'Hoe was het?' vroeg ze.

'We hebben de foto van de nog niet geïdentificeerde vrouw verspreid. Gelukkig is haar gezicht nauwelijks beschadigd. Voor de media is dit allemaal net Kerstmis. Zes doden bij een schietpartij midden in Duitsland - dat is goed voor de oplage- en kijkcijfers. Poetsch was kwaad dat hij niet op het podium mocht zitten.' De lange nam een slok, toen vroeg hij: 'Wat vind jij van onze afpersingstheorie?'

'Ik weet het niet. Als de moordpartij het hoogtepunt is van een serie die moet leiden tot het afpersen van horeca-ondernemers en andere zakenlui, dan was de moordenaar in ieder geval niet in de war.'

Engel pakte een stoel en ging zitten. 'Hij wilde misschien een duidelijk teken geven. Degenen op wie hij het had gemunt, moeten zich geïntimideerd voelen en betalen. Ik vraag me alleen af wat dat voor ons betekent.'

'Dat is heel eenvoudig. Of zijn plan lukt, ze betalen en zwijgen. Of hij bereikt het tegendeel en ze schakelen ons in.'

'Om elf uur is Schwarzenberg aan de beurt, de eigenaar van de *Body and Soul.*'

Ela zei: 'Er is nog een derde mogelijkheid.'

'Denk je dat de moord niets met de brandstichtingen te maken heeft?'

'Dat geeft in ieder geval een totaal andere kijk op de zaak.'

Engel schudde heftig zijn hoofd. 'Twee keer dezelfde vluchtauto - dat kan geen toeval zijn.'

Schwarzenberg kwam precies op tijd. Een bundel spieren op leeftijd met een paardenstaart - Ela had de voormalig Europees kampioen bodybuilding gisteravond al op de plaats van het misdrijf leren kennen.

Engel en een rechercheur van Brandstichting verhoorden hem, de secretaresse van RA11 tikte het procesverbaal direct op de computer. Ela luisterde en bediende tegelijk de telefoon.

Haar chef confronteerde de eigenaar van de fitnessstudio zonder inleidend praatje met de afpersingstheorie - de collega's van RA13 hadden zich sinds de aanslag in mei niet aan de indruk kunnen onttrekken dat Schwarzenberg bang was en heel goed wist wie erachter zat. Verzekeringsfraude viel af, want de schade was hoger geweest dan het bedrag dat Schwarzenberg van verzekeringsmaatschappij *Victoria* kon verwachten.

Engel beloofde de bodybuilder en zijn gezin te beschermen als hij een verklaring tegen zijn afpersers zou afleggen. Hij liet een paar beschermingsmogelijkheden de revue passeren en bleef aandringen. Ela wist dat haar chef onder druk stond - zijn collega's van Georganiseerde Misdaad stonden al in de startblokken om de leiding van het onderzoek over te nemen als de Saunagroep niet opschoot.

Het onophoudelijke telefoongerinkel werkte op haar zenuwen, tot er eindelijk een extra secretaresse binnenkwam die de telefoondienst van haar overnam - een struise roodharige vrouw die normaal bij de databank werkte. Toch moest Ela steeds weer zelf aan de telefoon komen, als er reacties binnenkwamen op haar vragen aan de rechercheurs buiten het gebouw. Geruchten, waarnemingen en mogelijke tips: de broer van Schwarzenberg zou in het geheim eigenaar zijn van de *Body and Soul*. Medewerkers van de *Keule* beschuldigden elkaar van verduistering en de brand in het *Power House* zou zijn aangestoken door een diskjockey die, nadat hij eruit was gegooid, wraak wilde nemen. Een kassamedewerker had verklaard dat de portier meer dan eens bedreigd was, vermoedelijk door Turken die hij de toegang had geweigerd.

Tot nu toe geen bevestiging van de afpersingstheorie. Geen duidelijke samenhang met de moord in de sauna.

Ela noteerde: *broer van Schwarzenberg, portier, diskjockey ondervragen.*

De eigenaar van de fitnessstudio zei intussen niets meer. Als verklaring gaf hij aan dat hij moe was en in shock verkeerde.

De vrouw met het rode haar kwam het verhoor onderbreken. Aan de poort had zich een zekere Andreas Schalk gemeld die een verklaring wilde afleggen. Engels gezicht lichtte op. Hij vroeg haar de man boven te brengen.

De bodybuilder mocht gaan.

'Ik wed dat die kerel weet wie er achter de aanslag zit', zei Ela toen Schwarzenberg buiten was.

'Dat denk ik ook', antwoordde de lange en keek op zijn horloge. 'Stuur wat mensen op pad die zijn omgeving doorlichten.'

'Is al gebeurd. Schranz en vijf lui van de opsporingsdienst ondervragen zijn medewerkers en controleren de boekhouding.'

'Ze moeten ook de vrouw van Schwarzenberg onderhanden nemen en de gezinnen van die medewerkers. Wat mij betreft ook de kinderen. Iemand weet iets van deze zaak en zal gaan praten. Desnoods verspreiden we in de media het gerucht dat er vrees bestaat voor een herhaling van de aanslag op de sportschool en zetten zo Schwarzenberg economisch onder druk. Bovendien moet hij 24 uur per dag door een mobiel team worden geschaduwd. Bel de lui van Drugszaken en vraag of ze iets weten van doping. Anabolen, Nandrolon, de hele zooi. Maar voorlopig geen woord tegen de collega's van Georganiseerde Misdaad.'

'Helemaal duidelijk.'

'We zouden allebei voor gek staan als die zich met ons onderzoek gingen bemoeien', zei de lange en Ela wist wat hij bedoelde.

Ze hield een van de telefoons stevig omklemd.

De roodharige bracht een tengere man binnen. Andreas Schalk alias Dr. House - de eigenaar van de disco in de *Bolker Strasse*. Eind twintig, slechte tanden, zijn zonnebril hield hij op.

'U wilt ons iets vertellen?' vroeg Engel.

De tengere man ging wijdbeens zitten. 'Het ziet ernaar uit dat ik niks meer te verliezen heb. Het verzekeringsgeld is opgegaan aan mijn schulden. Ik had de tent nog niet lang genoeg om al in de zwarte cijfers te zitten. Er heeft zich wel een financier gemeld, maar ...'
De discojongen wuifde met zijn hand.

'Maar?'

'Zijn muzieksmaak bevalt me niet.'

'Oké. Zijn muzieksmaak.'

'Nou, de hele manier waarop die lui zich opdringen bevalt me niet.'

Ela merkte nu dat haar baas ongeduldig werd. 'Wees eens duidelijk, Schalk. Namen, feiten. Daar bent u toch voor gekomen?' De discojongen leunde achterover. Hij peuterde in zijn oor en bekeek zijn vinger. 'Kunt u mijn veiligheid garanderen?' Engel straalde. 'Eindelijk iemand die begrijpt dat we aan de goede kant staan.'

Schalk haalde een briefje uit zijn broekzak en las voor: 'Een nieuwe identiteit, nieuwe naam, nieuwe pas. Voor mij en mijn vriendin, de hele troep. Verder een woning van minstens honderdtwintig vierkante meter in München, Hamburg of Berlijn. In de binnenstad en toch rustig. En vijfhonderdduizend pegels in contanten.'

Engel voer uit tegen de man: 'Wilt u aan dit misdrijf geld verdienen?'

Dr. House peuterde in zijn andere oor. 'Eerder geef ik geen namen. Ik heb geen zin om zo te eindigen als die zes lui in dat zweethol van Schwarzenberg.'

Engel zei dat hij moest overleggen met het ministerie. De lange keek grimmig, maar achter Schalks rug stak hij zijn duim op naar Ela - de kans op een doorbraak.

26

Het inzicht trof Zander als een licht dat je aanknipt: in het geval de afpersingstheorie aan het wankelen sloeg, zou de Saunagroep in de omgeving van de zes slachtoffers naar een motief voor de moord gaan zoeken. Ze zouden erachter komen dat Arnie een gokker was die grote sommen geld verspeelde en verscheidene vriendinnetjes financieel ondersteunde. Als de onderzoekers eenmaal op dat spoor zaten, zouden ze ook de betrokkenheid van Haffke bij de juwelendiefstal ontdekken. De bontroof, al die andere kleine en grotere bijverdiensten - het was dan slechts een kwestie van tijd en dan zou Zander zelf ook hangen.

In de *Ulmenstrasse* doorzocht hij Haffkes werkplek. Zijn laden:

schrijfmateriaal, een reservezonnebril en een verschrompelde appel. Zander controleerde de kast, zocht naar verborgen hoekjes, legde alle papieren op het bureau en bladerde erin totdat hij er zeker van was dat er geen verwijzingen in stonden naar hun neveninkomsten. Niks te vinden.

Wel viel hem een notitie op:

ma. 31-07 1-120 h
aanvraag Ela Bach / RA11
onderzoek naar Christoph Larue, mediaplanner,
geb. Remscheid 1964
Faunastrasse 9, 40239 D-dorf
Overval Matysek slachtoffer/drugs?
Terugb. op - 31 12

Dat was gek. Waarom had Arnie gistermorgen vroeg ontkend ooit van de naam Larue te hebben gehoord als hij de vorige dag een verzoek om hulp van Ela had gekregen?

Zander probeerde de rechercheur te bereiken maar ze was constant in vergadering. Dat knappe kippetje had het goed voor elkaar: specialistisch recherchewerk op leidinggevend niveau.

Er belden steeds weer journalisten die ontdekt hadden dat er onder de doden iemand van de politie was. Ze wilden van Zander weten wat voor iemand zijn collega was geweest. Of Haffke getrouwd was, of hij kinderen had. Zander wimpelde ze allemaal af.

Hij belde met Tina. De weduwe probeerde hem huilend iets te vertellen - Zander had even tijd nodig voor hij begreep wat ze bedoelde. Ze had tegenover twee gewone agenten Arnies drakentattoo moeten beschrijven. Op haar wens om de dode te zien, waren ze niet ingegaan. Zander wist waarom. Tina kon haar man beter met een ongeschonden gezicht in haar herinnering bewaren.

Ze jammerde tegen hem dat Haffke het lidmaatschap van de *Body en Soul* maanden geleden al had opgezegd omdat hij de fitnessstudio te smoezelig vond, en dat hij gisteravond om acht uur bij haar was weggegaan zonder te zeggen waarheen.

'Ik ben er met de fiets achteraangegaan. Dat wil zeggen: ik ben naar die Maria gereden, omdat ik dacht dat hij naar haar toe wilde. Maar de Honda stond er niet. Martin, wees eerlijk, zag hij haar weer?'

'Nee. Voor zover ik weet, niet. Wie zorgt er voor jou?'

'Mijn moeder komt zo meteen.'

Zander vroeg zich af wat Arnie zijn vrouw over zijn bijverdiensten had verteld.

'Beloof me één ding, Tina. Als die lui van de commissie moordonderzoek bij je komen, vertel ze dan niets wat die arme Arnie in een slecht daglicht kan stellen, oké?'

'Hmm.'

'We moeten ons zijn goede kanten blijven herinneren als we aan hem denken.'

'Je hebt gelijk.'

Zander beloofde meteen naar haar toe te komen en verliet het bureau.

Hij haatte de stilte in zijn auto. Geen Haffke meer die schunnige grappen ten beste gaf. Niemand die hem 'boss' noemde.

Zander reed naar de garage en zei tegen de verbaasde VW-dealer dat de koop van de Lupo niet kon doorgaan. De man in de blauwe stofjas betaalde hem de aanbetaling terug zonder naar het waarom te vragen.

Zander ondertekende de kwitantie en haalde opgelucht adem - als de snuffelaars van Intern Onderzoek een medewerker onder de loep namen, bekeken ze allereerst diens financiële situatie. Geen nieuwe tweede auto die zo van de fabriek kwam - geen pijnlijke vragen naar het geld waarmee hij die had betaald. Ook dit was uit de wereld.

Zijn volgende stop was de flat van Haffke. Het was midden op de dag - één tweehonderd zou de badmeester nu hebben gezegd.

De weduwe wierp zich in zijn armen. 'Waarom moest hij eigenlijk nog weg? Hij zei alleen maar dat hij nog iets te doen had. Hij zou op zijn laatst om elf uur terug zijn.'

Het arme ding dat door Haffke volgens alle regels van de kunst belazerd was. Ze had nooit ingezien dat de man haar alleen maar gebruikte, zoals je een koffiezetapparaat of een wasdroger gebruikte.

Mechanisch streelde Zander haar rug terwijl de jonge vrouw zijn T-shirt bevuilde met haar tranen en mascara.

Op de tv werd het nieuws uitgezonden: buitenopnames van het fitnesscentrum en van de straat, nachtelijke foto's van afzettingslinten, ambulances en mensen in uniform. In het grijs geklede mannen droegen lichamen uit het gebouw. De hoofdcommissaris sprak in een microfoon, hij leek echt ontdaan. De verslaggever ging zich te buiten aan speculaties. Roofmoord, een uit de hand gelopen ruzie, de maffia. Een zwartwitfoto toonde het gezicht van het nog onbekende slachtoffer - dat Arnie zich eveneens onder de doden bevond kon Zander zich maar moeilijk voorstellen, het bleef vreemd en abstract. Toen Tina naar haar moeder in de keuken liep, begon Zander lades en kastdeuren open te trekken. Gejaagd zocht hij naar juwelen of bont dat Arnie mogelijk van de buit had achtergehouden. Het was te riskant om Tina gewoon te vragen wat ze wist over hun bijverdiensten. Toen bedacht hij dat Haffke er helemaal de man niet naar was om een deel van de opbrengst aan zijn vrouw te geven.

Het enige wat Zander vond, was Arnies dienstwapen. Hij haalde het magazijn eruit - Tina moest niet de hand aan zichzelf kunnen slaan.

Op tafel lag de zonnebril van zijn partner. Een Hawaïhemd hing over de stoelleuning. Zander voelde hoe hij die verdomde badmeester miste.

Ze aten goulashsoep. Er was genoeg voor drie.

Tina bracht verslag uit: de kranten hadden haar ook lastiggevallen. Ze had een interview gegeven aan een radiozender: hoe ze haar man tijdens het carnaval had leren kennen en dat ze het jammer vond dat hij haar geen kind naliet. Arnies goede genen - Zander verslikte zich bijna.

Hij probeerde geduldig te zijn, onderbrak de jonge weduwe niet en lepelde verder. De soep was zoals die hoort te zijn: sterk gekruid en het vlees viel in je mond uit elkaar. 'Voorzichtig, heet', waarschuwde Tina's moeder toen ze hem nog een keer opschepte.

De recherche was nog niet langs geweest. Maar wel Karl Thann van Intern Onderzoek.

Tina zei: 'Hij denkt dat jullie ruzie hebben gehad, Arnie en jij.'

Een gehaaide vent, dacht Zander. Die speurneus moest hij niet onderschatten.

'Thann beweert dat Arnie bang voor jou was. Hoe komt hij daar nu bij?'

Het schoot Zander opeens weer te binnen. Gisterochtend vroeg: hoofdagent Erlenmeier was binnengekomen toen Haffke op de grond lag. Zander was door zijn eigen medewerker aan de interne speurders verkocht.

Tina's stem klonk schril, ze was op van de zenuwen. 'Ik heb hem gezegd dat ik me echt niet kan voorstellen dat jij al die mensen in de fitnessstudio hebt doodgeschoten.'

'Dank je, Tina.'

Ze roerde in haar soep, zonder te eten. 'Waarom hebben jullie ruzie gemaakt?'

'Hij was de laatste twee dagen spoorloos, zonder iets tegen me te zeggen.'

'Bij Maria was hij niet, zei je?'

'Niet dat ik weet.'

'Onlangs heeft ze hierheen gebeld.'

'Wie, Maria?'

'Ze heeft de verbinding verbroken toen ik opnam, maar ik durf te zweren dat zij het was.'

Volgens hem kwam elke goeduitziende vrouw tussen de achttien en achtentwintig als mogelijke rivale in aanmerking. Vooral als ze een drugsprobleem had en Haffke de maatschappelijk werker meende te moeten uithangen.

Arnies schoonmoeder schoof Tina's volle bord in zijn richting en knikte hem bemoedigend toe. Zander bedankte en lepelde verder.

'Ik wil afscheid nemen van Arnie', zei de jonge weduwe. Ze greep over de tafel Zanders arm vast. 'Waarom mag ik niet naar hem toe in het forensisch instituut?'

Hij moest weer aan de papieren denken en aan de foto's die aan de leden van de speciale commissie waren uitgedeeld. Aan het gezicht van zijn dode partner. Zander schoof zijn bord opzij. Hij kon niet verder eten.

27

Gordon zat in zijn corduroy broekje op het tafeltje met de telefoon. Het beertje keek hem met zijn bruine glazen ogen zwijgend aan en wist geen antwoord op Leo's vragen. Leo begon weer te trillen en besefte dat de drug een misleidend middel was. Naarmate de stof uit je systeem verdween, werd alles erger dan daarvoor. In plaats van een kortdurende kick had hij rust nodig, maar de heftige twijfels in zijn kop verhinderden dat.

Leo tikte hardhandig het nummer van de speciale commissie in. Een telefoniste met een piepstem verbond hem door met de chef van het spul, een vrouwelijke collega die Bach heette. Ze klonk alsof ze net zo gespannen was als hij. Leo herinnerde zich haar als de rechercheur die om de ME-actie tegen Matysek had gevraagd. Het fiasco in *Rath*.

Hij noemde het afgesproken codewoord en luisterde naar informatie over getuigen, portiers, bedreigingen en over bepaalde Hells Angels. Ela Bach wilde weten: 'Wanneer begint je dienst?'

Hij vroeg: 'Is er al iets bekend over het zesde slachtoffer?'

'Haar ouders hebben de foto op de tv herkend. Het gaat om ...' - Leo hoorde geritsel - '... Ilka Fischer, 23 jaar, woonachtig in *Neuss*. Wat was jouw naam ook al weer?'

Leo legde de telefoon neer. Het bloed klopte weer in zijn aderen. *Ilka Fischer, niet Jasmin Horn.*

Hij snoof een heel klein beetje van het witte spul, zodat het trillen verdween, griste zijn zonnebril naar zich toe en was vijf minuten later in de *Merkurstrasse*. Zijn overhemd viel losjes over de broekrand, de bult aan zijn riem eronder kon net zo goed een mobiele telefoon zijn.

De voordeur stond open. Hij luisterde aandachtig - er kwam hem niemand tegemoet. Leo klom de trap op. Derde etage. Ze leeft, dacht hij.

Hij dacht na over wat hij zou doen als haar ex-vriend niet zou opendoen. Wat hij zou zeggen als hij wel opendeed. Een kwaadaardige cocaïneverslaafde - volgens Jasmin.

Het zelfgeschilderde naambordje met de bloemen en de vlinders deed zijn hart sneller kloppen. Ze leeft, ze leeft, ze leeft.

Hij drukte op de bel.

Voetstappen. Sleutelgerinkel. Het knarsen en ratelen van een deurketting die Leo maandag niet had gezien. Een vrouw deed open - Leo's adem stokte.

Ze was het.

Ze was het niet.

De vrouw had hetzelfde figuur, bijna dezelfde glimlach - nog iets knapper. De moedervlek onder haar oog ontbrak. Haar haar was iets donkerder.

Ze vroeg: 'Wat wilt u?'

In zijn hoofd klopte zijn bloed zo luid dat hij zijn eigen stem nauwelijks hoorde. 'Mevrouw Horn? Jasmin Horn?'

'Ja. Wat is er?'

Leo liet zijn groene legitimatiebewijs zien. 'Ik zou u graag een paar vragen stellen. Het gaat om ... Ilka Fischer.'

Ze sloot de deur achter Leo en leidde hem naar de woonkamer. Het laken was van de bank gehaald, de rommel opgeruimd. Het raam stond open - in de bomen op straat gingen spreeuwen tekeer.

Ze liep naar de keuken waar ze bezig was boodschappen in de koelkast te zetten. Ze riep naar hem: 'Op de een of andere manier wist ik dat het hierop uit zou lopen.'

Leo vond de spottende ondertoon niet gepast. Zijn verwardheid nam toe. 'U *wist* dat men haar zou vermoorden?'

De vrouw kwam de keuken uit, bleef middenin de woonkamer staan en veegde haar handen aan haar rok af. 'Vermoorden? Mijn God, wat is er gebeurd?'

'U hebt nog niets gehoord over het bloedbad in *Pempelfort*?'

'Jawel. Betekent dat dat Ilka ...?'

'Ja. Ze is een van de doden.'

Het meisje liet zich in een fauteuil zakken. Leo zag dat ze mooi haar had. Die smalle, gebogen neus. Jasmin heette in werkelijkheid Ilka Fischer en de echte Jasmin Horn zat tegenover hem. 'Het spijt me', zei hij. 'Was ze uw zus?'

De jonge vrouw ontkende. Aan de manier waarop ze droevig

glimlachte, zag Leo dat haar dat al vaker was gevraagd.

'Ilka lijkt alleen heel erg op mij. Ik bedoel, leek …' Ze onderbrak zichzelf, stond op, trok een schoenendoos uit het onderste vak van het wandrek en zette die op tafel. Ze haalde er een foto uit en gaf die aan Leo.

Twee zangeressen in een rood broekpak. Een reclamefoto .

'Dat is al een tijd geleden. We noemden ons de 'Golden Twins.'

'U wist dat het hierop uit zou lopen? Wat bedoelde u daarmee?'

'Natuurlijk niet deze afgrijselijke moord.'

'Maar?'

'Ilka was nu niet bepaald een braaf meisje te noemen. Ze nam het niet zo nauw, als u begrijpt wat ik bedoel.'

'Niet helemaal.'

'Ze hapte toe zonder aan de gevolgen te denken. Ze was … begerig. Ze zocht avontuur, bevrijding van de dagelijkse sleur. Ze had een ongezonde honger naar erkenning door mensen die in haar ogen de ongedwongenheid belichaamden waar ze zelf naar streefde. Telkens als ze weer eens te ver was gegaan, herinnerde ze zich de tijd dat we samen waren en dook ze bij mij onder. Dat ging niet goed. Ik heb … gewoon niet genoeg plek. Ten slotte trok ze weer bij haar ouders in. Sindsdien heb ik haar niet meer gezien.'

'Dat verklaart nog niet waarom u de politie zou moeten verwachten.'

'Ze heeft me bestolen. Gisteravond heb ik dat ontdekt. Ik heb meteen een ander slot genomen en die ketting aangebracht. Ik dacht dat ik wel niet de enige zou zijn. Ik dacht dat iemand haar had aangegeven en dat u haar daarom zocht.'

'Kunt u zich voorstellen dat iemand een motief had om haar om te brengen?'

'Ik dacht dat de moordenaar waar de politie naar op zoek is, psychisch gestoord is. Dat stond tenminste in de krant.'

'Wij zoeken in alle richtingen. Had Ilka vijanden?'

Jasmin schudde haar hoofd. 'Hoogstens te veel vrienden.'

'Heeft ze, dat u weet, ooit een fitnessstudio bezocht of gezegd dat ze dat van plan was?'

'De laatste tijd niet.'

Ze pakte een map uit de doos. Doorzichtige hoesjes met kranten-knipsels. Snippers waarop enkele derderangs dansavondjes werden aangekondigd. Klein gedrukt: *De Golden Twins zingen chansons uit de jaren twintig.* Leo kwam te weten dat de twee meisjes elkaar vijf jaar geleden bij een concert van de *Bilk Bombers* hadden leren kennen, toen ze allebei nog op school zaten. Jasmin stond als zangeres op het to-neel - vrienden maakten Ilka attent op haar dubbelgangster. Jasmin wist niet meer wie van hen het eerst op het idee was gekomen om in de muziekwereld als zogenaamde tweeling het grote geluk te gaan beproeven. De gag bleek niet goed genoeg te werken - de contracten kwamen slechts mondjesmaat binnen, hun carrière bleek een illusie en de *Twins* verloren elkaar uit het oog, tot het toeval hen vorige herfst weer bij elkaar bracht.

Ilka had een praktijkopleiding tot tandtechnicus gevolgd. Jasmin was juist bezig om haar Hbo-opleiding af te sluiten en had een baantje in een winkel die toebehoorde aan de vroegere gitarist van de *Bilk Bombers.* Zijn vader was tandarts - de rest van het verhaal kende Leo al. Die vader was de rijke tandentrekker met chique cliëntèle die zijn personeel uitbuitte. Zijn zoon was Ilka's ex-vriend.

Leo vroeg zich af of de cocaïne van de voormalige gitarist was geweest of van Jasmin, die erg boos was dat er dingen van haar wa-ren gestolen - ze noemde ontbrekende cd's, kleren, duur parfum.

Hij wees op de foto's aan de muur. De exotische figuren. 'Hebt u die gemaakt?'

'Ja.'

'U reist veel?'

'Mijn passie: vreemde culturen. De meesten van ons zijn verge-ten dat het leven er ook heel anders kan uitzien. Als we ons daar-van bewust zouden zijn, zouden we het leven veel meer over ons heen laten komen. De wereld zou er minder hectisch en boosaardig uitzien.'

Het viel Leo op dat op de foto's uitsluitend oude mensen te zien waren. 'Door uitsterven bedreigd, neem ik aan.'

'Eerst komt Coca-Cola, dan de televisie en het massatoerisme.'

'En daar is niks tegen te doen?'

'Ik had niet verwacht dat een politieagent zo romantisch zou denken.'

'Bent u antropoloog?'

'Nee, psycholoog. Hoewel ik er soms aan twijfel of je met zielenknijperij de mens wel echt kunt helpen. Als de maatschappij niet in orde is, kan de ziel dat ook niet zijn. Soms denk ik dat een studie antropologie misschien beter bij me had gepast.'

'Ik heb de indruk dat van ons tweeën u eigenlijk de romanticus bent.'

'Zal ik u vertellen waarmee ik mijn geld verdien? Ik organiseer cursussen. Mentale training voor leidinggevenden. Ik verdien aan de tekortkomingen van mensen. Of aan hun ingebeelde tekortkomingen.'

'Door managers over scherven te laten lopen?'

'Dat niet bepaald. Maar in wezen berust elke methode op hocuspocus en op de kunst de mensen daarin te laten geloven.'

'En werkt het?'

'Ze geloven erin en ze geven mijn naam door. De eerste contacten heb ik gekregen via een professor, één keer heb ik een advertentie geplaatst en zo langzamerhand loopt het vanzelf.'

'De mensen boeken uw cursussen omdat ze zich daarna beter voelen. En daarmee hebt u uw doel toch in alle opzichten bereikt. Een politieman kan dat niet altijd zeggen.'

Jasmin trok haar schouders op en schonk hem een glimlach.

Hij keek op zijn horloge. Hij zou te laat komen bij de speciale commissie. 'Mocht u nog iets te binnen schieten over Ilka ...'

'Dat loeder heeft zelfs mijn teddybeer gejat. Terwijl ze toch heel goed wist wat die voor mij betekent.'

'Uw teddybeer?' vroeg Leo. Hij begreep dat ze Gordon bedoelde.

'Ik heb hem cadeau gekregen van mijn moeder toen ik klein was. Dat beertje is mijn enige herinnering aan haar.'

'Ik weet zeker dat Ilka's ouders u de spullen zullen teruggeven.'

'Hopelijk.'

Leo bekeek aandachtig de foto van de Golden Twins. Een glanzende afdruk als reclamekaart op A4-formaat: de meisjes droegen nauwe bovenkleding die veel borst liet zien. 'Ongelooflijk, zoals jullie op elkaar lijken.'

'Allemaal make-up en geverfde haren.'

'Mag ik de foto houden?'

'Natuurlijk.' Ze haalde een videocassette uit het doosje en gaf die aan Leo, samen met een visitekaartje. 'Misschien hebt u daar nog wat aan. En als u vragen hebt, kunt u mij bellen. Hier of op mijn kantoor. Ik wil graag dat u Ilka's moordenaar vindt.'

Leo nam afscheid en verliet het appartement opgewonden en verward - hij had een dievegge geholpen en haar in het bed van een andere vrouw bemind. De andere helft van de Golden Twins kwam hem zo vertrouwd voor alsof hij ook met haar had geslapen. Het liefst had hij dat aan Jasmin bekend.

28

Ela verzamelde de binnenkomende tips - een getuige die de dader in de fitnessstudio had gezien, zat er niet bij. Na de brand in mei was de *Body and Soul* grondig gerenoveerd en Schwarzenbergs broer stond sindsdien als mede-eigenaar geregistreerd. De twee waren van plan nog meer filialen op te richten - dat een concurrent daarom naar een jachtgeweer zou grijpen, kon Ela zich niet voorstellen. De broer bevond zich momenteel in Mexico. Naar verluid zou hij zijn vakantie afbreken en morgen terugvliegen.

De eigenaar van de disco zat nog steeds bij Engel op kantoor. De onderhandelingen waren vastgelopen en Schalk, alias Dr. House, had een advocaat in de arm genomen. Het ministerie bood nu honderdduizend en een huurwoning in het Roergebied om onder te duiken - de discojongen probeerde er nog meer uit te halen en voelde zich belangrijk. Tegelijkertijd verhoorde Ela de eigenaar van restaurant *Zur Keule* die, net als Schalk en Schwarzenberg, informatie achterhield over de recente brandstichting in zijn zaak. Om de twintig minuten verscheen Engel in het coördinatiecentrum en overlegde met Ela.

Aan het begin van de middag stapelden de aanwijzingen voor de afpersingstheorie zich op. Ondervragingsteams maakten melding van geruchten over Hells Angels die meer dan eens zowel in het gebouw van de disco aan de *Bolker Strasse* als in het restaurant aan de *Akademiestrasse* rotzooi hadden getrapt. Het bleek moeilijk om betrouwbare ooggetuigen te vinden. De portiers, serveersters en andere personeelsleden waren meestal ongeregistreerde zwartwerkers, uitkeringstrekkers met gefingeerde contracten of studenten van wie zelfs de ouders niet eens wisten waar ze in de vakantie heen waren gegaan. Vrijwel geen enkele medewerker van het *Power House* was volgens de regels aangesteld. De boekhouding van de *Keule* zag er iets beter uit.

De pizza die Ela had besteld, werd koud. Haar collega's Becker en Biesinger kwamen binnen; ze waren uren bezig geweest om de campingwinkels in de stad af te lopen op zoek naar Matyseks handlanger - geen enkele verkoper had zich de spiksplinternieuwe uitrusting kunnen herinneren die bij het lichaam van Matysek was gevonden, of in de onduidelijke foto van de jonge man een klant herkend. Ela zette ook deze twee brigadiers op de saunazaak. Zij moesten de ledenlijst van de *Body and Soul* nalopen en ze allemaal opbellen - het ergerde Ela dat alle geruchten over vernielzuchtige Hells Angels tot nu toe uitsluitend betrekking hadden op de disco en het restaurant in de oude binnenstad.

Verhoren, telefoontjes, meldingen van terugkerende rechercheteams: in de dagen voor de brand in de disco hadden de Hells Angels verschillende keren een portier, die Gunnar heette, lastiggevallen, maar op de papieren, diskettes en harde schijven die haar collega's in het kantoor van Dr. House aantroffen, kwam geen medewerker met die naam voor. Een stamgast van de *Keule* verklaarde dat iemand van de bediening, ene Elke, hem had verteld over mannen met een baard en in motorpakken die een week voor de brand de bar van het restaurant kort en klein hadden geslagen. De eigenaar van het restaurant beweerde dat hij zich dat niet kon herinneren. In de boekhouding van het restaurant was sprake van wel drie Elkes - Ela stuurde er een rechercheteam op af dat van adres naar adres joeg. Het liefst zou ze zelf op pad zijn gegaan - ze was het zo langzamerhand beu om achter de computer en de telefoon te zitten.

Ingo Ritter van de meldkamer kwam binnen. Net als zondag droeg hij een wijd overhemd met grote ruiten. Daar hield hij blijkbaar van. 'Hallo, Ela. Heb je Leo gezien?'

'Wie is dat?'

'Leo Köster. Een nieuwe collega bij ons. Iets jonger dan ik, rood haar.'

'Nee. Zeg, Ritter, rijd jij toevallig motor?' Hij lachte onder zijn Tom-Selleck-snor. 'Krijg je geen dienstwagen?'

'Nee, ik bedoel, ben jij bekend in de motorclub-scene? De moordenaar is mogelijk lid van zo'n bende.'

'Dat moet je aan de collega's van Georganiseerde Misdaad vragen.'

'Dat doe ik pas als ik vastloop.'

Ritter leunde met zijn achterste tegen haar bureau en keek op haar neer. 'Je zou eens even pauze moeten nemen, meisje.'

Een volgend telefoontje voorkwam dat ze haar collega terechtwees: bij twee Elkes hadden ze bot gevangen, de derde heette Elke Möcklinghoff en woonde in de *Dörnbergstrasse*, ver weg in het zuidoosten van de stad. Het team weigerde erheen te gaan - de dienst van de twee rechercheurs liep ten einde en ze moesten hun verslagen nog schrijven. Ela noteerde het adres en pakte haar rugzak.

'Kom mee!' riep ze tegen Ritter en griste een autosleutel van haar bureau.

29

Zander zat op zijn kantoor in de *Ulmenstrasse* en maakte een lijstje: informanten van zijn collega Arnold, pokervrienden en spuitende meiden die Haffke had geholpen.

Zijn strategie stond vast.

Feit één: het hoofdbureau had Matysek twee jaar geleden stilletjes en in het geheim ontslagen en het schandaal in de doofpot gestopt.

Feit twee: Haffke en één of twee andere rechercheurs waren voor straf overgeplaatst, hun superieuren waren er echter ongeschonden vanaf gekomen - de zaak stonk en de pers zou over de politietop heen vallen zo gauw men er lucht van kreeg.

Conclusie: Hij moest materiaal verzamelen over Matysek. Dan zou hij onaantastbaar zijn - de hoge omes zouden speurneus Thann terugfluiten.

Hij werd in zijn overwegingen gestoord door een klop op de deur die vervolgens opening - uitgerekend hoofdagent Erlenmeier, die hem erbij had gelapt. 'Hallo, boss.'

'Jij noemt mij niet zo, Erlenmeier. Niet jij!'

'Rustig, Zander. De officier van dienst wil dat wij voor de Saunagroep een tip natrekken. De man zou hier me om de hoek wonen.'

'Geweldsmisdrijf?'

'Nee, alleen maar een getuige, geen arrestatie. Het gaat om die disco waar brand is geweest. Zou samenhangen met de moord van gisteren.'

'Oh', zei Zander en stak zijn wapen toch maar bij zich.

Toen Leo het coördinatiecentrum van de speciale commissie binnenkwam, was dat zo goed als uitgestorven. Alleen een mollige, roodharige vrouw schonk hem een glimlach, terwijl ze het toetsenbord liet ratelen. Beneden op de *Fürstenwall* bromde een bus van de *Rheinbahn*, de uitlaatgassen van de diesel dreven omhoog, het open raam binnen.

Leo liet zijn ogen over de briefjes, memo's en mededelingen op het prikbord gaan. Hij vond het adres van Ilka's ouders, Marianne en Rolf Fischer in *Neuss*. De gegevens over hun dochter kwamen overeen met wat Leo wist. Het bericht was niet bepaald uitvoerig - de interesse van de Saunagroep ging uit naar de afpersers.

Doordat het tochtte, wapperden er papieren van de tafels. Een dikke kerel stak zijn hoofd om de deur en riep: 'Heeft iemand collega Bach gezien?'

Toen hij Leo zijn hand aanbood, ontblootte hij enkele gouden kronen terwijl zijn overhemd gespannen over zijn kogelronde buik stond. 'Gerres. Ook Saunagroep?'

'Ja.' Leo gaf hem een hand. 'Köster. Eigenlijk bij de meldkamer.'

'Nu herinner ik me het weer. Je komt van de ME en hebt bij ons gesolliciteerd. Is overigens stukgelopen op Ela's veto. Dat kippetje mag de rambo's niet en de lange luistert naar het kippetje. Helaas.' Gerres fluisterde in Leo's oor, speeksel vloog in het rond. 'Er wordt gezegd dat ze sollicitatiegesprekken voert bij de hoge omes in bed. Blijkbaar met succes, want er gaan ook geruchten dat dat kippetje binnenkort onze chef wordt. De wereld op zijn kop, vind je niet, Köster?'

'Doet ze nog onderzoek in de zaak Matysek?'

'Dat kippetje onderzoekt alles waarmee ze indruk denkt te kunnen maken. Op dit moment heeft de saunazaak prioriteit en Matysek ligt in de ijskast. Wist jij dat die kerel ook bij de politie zat?'

'Heb ik gehoord, ja.'

'Hij heeft het goed gedaan. Is er vandoor gegaan voordat de kippetjes het roer overnamen. Die kippetjes kunnen doen wat ze willen. Het bevorderen van de kansen voor vrouwen heet dat tegenwoordig.' Gerres ontdekte de vrouw met het rode haar en wuifde naar haar.

De telefoon ging, Gerres nam op. '*Karstadt*, speelgoedafdeling.'

Hij luisterde even en noteerde iets op een papiertje dat hij op een van de tafels legde. Hij bedacht zich toen en schoof de notitie onder een pizzadoos.

Daarna zei hij tegen Leo: 'Ik heb zo'n idee dat we op stap moeten. Er is verder niemand.' Hij kwam nog een keer dicht bij Leo's oor. 'Die rooie daar heeft een oogje op je, Köster.'

'Niemand thuis', zei Ritter. Ela hoorde kinderstemmen en belde nog een keer. Het lichtpuntje in het kijkgaatje van de deur werd donker - ze haalde haar politielegitimatie tevoorschijn.

Een vrouw met krulspelden in haar haar deed open. Haar lippen waren tot over de rand rood geverfd om ze voller te laten lijken.

'Elke Möcklinghoff?' vroeg Ela. 'Serveerster in de *Keule* aan de *Akademiestrasse*?'

'Af en toe.'

In de woonkamer zaten zes kleine kinderen naar de tv te staren. De vrouw met de krulspelden bukte zich naar de schakelaar, waarna de buis op zwart ging. 'Rot op!' riep ze tegen de kinderen die zonder iets te zeggen naar een andere kamer drentelden.

'Nou mot u niet denken dat die allemaal van mijn zijn.'

Ela staarde naar de geverfde lippen van de getuige. Plotseling leek het alsof haar huid scheurde en er een brede golf bloed uit haar neus en mond stroomde.

De vrouw bleef volkomen rustig. 'Wat willu weten?'

Ela sloeg haar notitieblokje open. Op 3 juni is er in de zaak herrie getrapt. Wat gebeurde er toen?'

'Er kwamen twee gozers binnen en ik weet nog dat Corinna zei, och, daar hebben we die ook weer. Van die types met baarden, bij die ene was er iets op zijn jasje genaaid. *Eén procent* stond erop. Zonder te waarschuwen begonnen ze glazen tegen de spiegels achter de bar te smijten. Ik ken nog steeds niet begrijpen dat de baas de smerissen ... de politie niet heeft geroepen. Voor ons vrouwen werd dat te gek. Ik werk nu als oppasmoeder en Corinna is serveerster in de *Rheinturm*.'

'Corinna wie?' vroeg Ela en pakte haar ballpoint.

Zander pulkte met zijn autosleutel het zwart onder de nagels van zijn vingers vandaan en liet de ondervraging over aan zijn collega Erlenmeier.

'Ze waren met zijn tweeën', zei de portier die Gunnar heette. Erlenmeier moest de informatie stukje bij beetje uit hem trekken.

'En toen?'

'Ze dreigden te gaan slaan.'

'Waarom?'

'Zochten ruzie. Weet ik veel.'

'Hoe zagen ze eruit?'

'Zoals die freaks er altijd uitzien.'

Hoofdagent Erlenmeier draaide zich om. 'Boss, op de een of andere manier wil ie niet. Een rotgetuige.'

Zander zei tegen de portier dat hij moest opstaan. De man gehoorzaamde - hij was stevig gebouwd en bijna een kop groter.Zander sloeg hem met zijn vuist in zijn maag. 'Vlegel, die je bent - je weet toch wel dat je uitvoerig antwoord moet geven als je beleefd iets wordt gevraagd.'

Erlenmeier grijnsde. Gunnar, de portier, hapte naar adem. Zander nam zijn P6 uit de holster en wees daarmee op de stoel. 'Zitten!' De man gehoorzaamde. Hij hijgde: 'Vraag het toch ... aan de doctor.'

'Wie?'

'Dr. House, mijn baas.'

'Ik heb lak aan jouw baas', zei Zander. 'Een van ons is neergeknald. Ik kan het niet verdragen als iemand de moordenaar van een politieman dekt.'

'Oké, oké. De motorbende wil dat de doctor hun mensen als portier aanstelt. Ze willen de controle over de tent.'

'Je kunt mij niet wijsmaken dat het alleen maar om een paar domme baantjes gaat.'

'Vroeger hebben ze het ook al eens voor het zeggen gehad in de tent. Voordat de doctor hem overnam. De disco lag volledig op zijn gat. De *DJ* speelde heavy metal en op het toilet verkochten die freaks heroïne en Hongaarse hoeren. De doctor maakte van het *Power House* echt een hit en toen die freaks in de gaten kregen hoe goed de tent liep, kwamen ze weer aankakken. Ze wilden een percentage en weer meisjes voor zich laten werken. Ten slotte stonden we met drie man voor de deur, voorzien van baseballknuppels met spijkers erin. De doctor zei dat als je toegeeft aan die freaks, ze binnenkort elke tent in de binnenstad onder controle hebben.'

'Een man met een vooruitziende blik.'

'Drie nachten later brandde het *Power House* af.'

Ela startte de dienstauto. Als getuige was de oproepserveerster Elke Möcklinghoff oké. Als haar collega in het restaurant van de *Rheinturm* de twee daders net zo goed kon beschrijven, zou er een goede compositietekening kunnen worden gemaakt. Nog voordat Engel die disco-eigenaar aan de praat zou krijgen - het ministerie zou zich de kosten voor de bescherming van Dr. House als getuige kunnen besparen.

'Ik bedenk ineens dat ik iemand ken die goed thuis is in de wereld van de motorclubs', zei Ritter. 'Een collega die vroeger ooit bij de ME zat en naar bureau Oost ging toen zijn tweede kind eraan kwam. Hij was destijds een fanatiek motorrijder.'

Ela wees hem hoe hij zijn mobiele telefoon op de luidspreker kon aansluiten - ze wilde meeluisteren.

Uit de autoluidsprekers klonk een krakend geluid - aan de andere kant van de lijn werd opgenomen.

'Hallo, Herbert', zei Ritter. Zijn vrolijkheid klonk buitengewoon gekunsteld. 'Hoe gaat het ermee?'

'Niet zo goed. De kat is aan de schijterij, mijn oudste zeurt omdat ik haar videorecorder nog niet gerepareerd heb en over tien minuten moet ik naar basketbal.'

'Oké, ik zal het kort houden.' Ritter legde uit dat het om de moorden van gisteravond ging en zei dat Ela meeluisterde.

'Dag collega', zei Herbert. 'Ik heb gehoord van dat bloedbad.'

'We zoeken een motorrijder.'

'Daar zijn er drie miljoen van in Duitsland.'

'Zegt een embleem met de tekst *Eén procent* je iets?'

'Dat is al iets preciezer. Men zegt dat in de Verenigde Staten een op de honderd motorclubleden gewelddadig is en er zijn bendes waarvan de leden zulke emblemen dragen als teken van hun militante houding. Die dingen worden ook bij ons verkocht. Jullie hebben te maken met iemand die geweld gebruikt. Is het waar dat er ook een collega onder de slachtoffers in dat fitnesscentrum was?'

In het noorden van de stad, voor de afslag naar de A52 naar *Essen*, sloeg Gerres een zijstraat in.

'Waar gaan we naartoe?' vroeg Leo.

'Anonieme tip. Eens kijken of we er wat aan hebben.'

Een volkstuincomplex. Gerres reed langzamer en zocht met zijn ogen het terrein af. *Angels' Paradise* las Leo op een bordje. Het opschrift werd geflankeerd door doodskoppen waaruit vleugels groeiden.

Het was het laatste stukje grond van het complex. Een roestig hek, afgesloten met een ketting. Een zwarte brievenbus, daarboven een videocamera. Prikkeldraad. Waar het pad heen leidde nadat je het hek was gepasseerd, kon je vanaf de weg niet zien. Langs het perceel liep de spoordijk, de lijn naar *Ratingen*.

Ze reden langzaam onder het spoor door en stopten aan de andere kant van de tunnel. De dikke stapte uit, woelde in zijn tas die in de kofferbak stond en haalde er een verrekijker uit. 'Kom Köster', zei hij - alsof hij een hond commandeerde.

Met tegenzin volgde Leo hem de spoordijk op. Over het dorre struikgewas spiedden ze het perceel af dat zich onder hen uitstrekte. Platte gebouwtjes, ertussen allerlei rotzooi en een zestal motorfietsen. Gerres gaf hem de verrekijker.

'Kun jij de kentekens ontcijferen?'

Leo stelde scherp: vrij rondlopende herdershonden, een vrouw in bikini die afval wegbracht, een man in het leer met op zijn rug de gevederde doodskop. De motorrijder knutselde aan zijn machine. Leo probeerde de verrekijker rustig te houden. Het effect van de cocaïne leek af te nemen.

De rechercheur drukte een paar toetsen in op zijn mobiele telefoon en gaf de nummers door die Leo hem voorlas. Daarna wilde hij de kijker terug en zocht nu zelf de barakken achter het struikgewas af.

Leo vroeg zich af wat de Hells Angels eigenlijk met Ilka en het fitnesscentrum te maken hadden - een gele terreinwagen had hij nergens kunnen ontdekken.

De telefoon rinkelde: de informatie. Gerres luisterde, noteerde een paar namen en bleek tevreden.

Hij vroeg aan Leo: 'Wat zou jij doen, Köster, als onze man in een van die hutjes daar beneden huist?'

'Bedoel je dat de saunamoordenaar daar beneden zit?'

'Hij, zijn maten, de hele bende.'

Wat Leo het liefst zou doen? Naar binnen gaan en de moordenaar grondig te grazen nemen. Namens de Golden Twins.

'Ik heb je iets gevraagd, Köster.'

Leo haalde diep adem. 'Een situatie voor de ME. Aanval tegen vier uur in de ochtend, voor hun eerste koffie zijn die lui gemakkelijker te overtuigen. Een pantservoertuig walst het hek plat, rijdt als dekking naar binnen, acht man erachteraan. Hagel voor de honden en voor de ruiten. Voor alle zekerheid twee complete commandoteams, zou ik zeggen.'

Ela voegde haar Omega in tussen de auto's van het zeer drukke verkeer op de A46, die de stad in het zuiden doorkruiste. Ritter draaide aan de luidsprekerknop.

'Tot november vorig jaar bestonden er in Duitsland vier grote bendes', vertelde Herberts stem uit de aangesloten gsm. 'De Bones, de Hells Angels, de Gele Ghostriders en de Bandidos. Deze clubs hebben niets te maken met de gewone motorliefhebbers. Het zijn gesloten, streng hiërarchisch georganiseerde bendes. Het duurt jaren tot je van *supporter* opklimt tot *full member*. Als leden van vijandige bendes elkaar ontmoeten, vliegen de stukken eraf. Maar niet zoals bij de hooligans, waar ze elkaar alleen maar haten en een uitlaatklep zoeken voor de frustratie van alledag. Bij deze gangs gaat het om marktaandelen: drugs, wapens, hoertjes.'

'Criminele organisaties dus', onderbrak Ritter hem terwijl hij langs zijn snor streek.

'Zonder meer.'

'Wat gebeurde er afgelopen november?' vroeg Ela.

'De Bones en de Hells Angels vierden toen hun grote *patch over party*. De volgende ochtend hadden alle Bones hun logo met het handskelet van hun rug afgehaald en in plaats daarvan het embleem van de Angels erop genaaid. De doodskop met vleugels. Kort daarop gingen de Ghostriders eveneens een fusie aan, met de Bandidos. De concurrentie wordt steeds harder. In Canada en in Scandinavië gaat er geen maand voorbij zonder dat er in de oorlog tussen de Angels en de Bandidos doden vallen. De gangs, die tot nu toe alleen uit Duitsers bestonden, sloten zich bij de internationale bendes aan om hun zaken te kunnen uitbreiden.'

'Bedrijfsfusies in het tijdperk van de globalisering.'

'Precies', antwoordde Herberts stem uit de luidsprekers.

'En in Düsseldorf?' wilde Ela weten.

'Heb·je sinds de fusie alleen nog te maken met de Hells Angels. Bandidos bestaan hier niet. In de hele Bondsrepubliek zijn er zo'n zeshonderd Angels, verdeeld over tweeëntwintig hoofdkwartieren. Een van die headquarters bevindt zich in onze mooie stad. Als die gozer met het één-procent-embleem geen gevleugelde doodskop op zijn rug droeg, gaat het om een supporter. Mogelijk wilde hij met moord indruk maken op de bende om in de binnenste cirkel te worden opgenomen.'

'Hoe weet je dat allemaal?'

'Ik heb ooit een cursus bij de nationale recherche gevolgd. De collega's van Georganiseerde Misdaad wilden mij under cover laten werken en bij de Bones naar binnen smokkelen. Daar is helaas niets van gekomen.' Ela bedankte hem en reed de afslag *Bilk/Hafen* op.

Ritter maakte een einde aan het gesprek. Na een poosje zei hij: 'Arme kerel.'

Ela kwam in de file voor de zuidelijke ring tot stilstand en keek haar collega vragend aan.

'Een motorongeluk heeft hem arbeidsongeschikt gemaakt', legde hij uit. 'Zit nu in een rolstoel.'

Gerres gaf Leo een knipoog terwijl hij in zijn mobiele telefoon sprak: 'Meneer Poetsch, we hebben onze man gevonden, hoor ... Ja, de saunazaak. Hij heet Adrian Köhler en zit op het volkstuincomplex aan de *Vogelsanger Weg*. Dat is de centrale van de Hells Angels in Noordrijn-Westfalen ... Ja, ogenblikje.' Gerres gleed het talud af en sprak buiten gehoorsafstand verder.

Leo voelde dat er iets niet deugde.

Hij nam de tijd om Gerres te volgen. Toen hij bij de auto aankwam, was de rechercheur klaar met zijn telefoontje.

Leo vroeg: 'Waarom heb je je groepschef ingelicht en niet Engel of Ela Bach? En wat was dat voor een briefje dat je op het coördinatiecentrum hebt verstopt?'

'Dat heb ik niet verstopt, maar achtergelaten, zoals het hoort. Ik kan er toch niets aan doen als dat kippetje niet op haar plaats zit? De informatie over die kerel is bij Poetsch in buitengewoon goede handen. Wat bezielt je Köster? Heb je last van paranoia of zo?'

'Ik doe niet mee met jouw spelletje.'

'Pas op, Köster. Niemand binnen RA11 wil dat kippetje als chef hebben. En jij hebt alleen kans om bij ons te komen als zij uit beeld is. Je wilt toch bij ons komen, Köster?'

Leo zweeg.

Gerres zei: 'Hé, je beeft als een opa!'

'Geef me je telefoon.'

'Waarvoor?'

'Ik wil het aan Engel melden of aan Ela Bach.'

'Rustig, Köster. Ik zie toch wat er aan de hand is. Je hebt de bibberatie en waarschijnlijk is dat de reden dat de ME je niet meer kan gebruiken. Je hebt bij de actie tegen Matysek een collega omgelegd die nu op sterven ligt, en opperhoofd Enders, je chef, heeft je zonder meer afgeschoven omdat hij niet betrokken wil raken bij deze zaak. Als Friedrichsen dat in de gaten krijgt, ben niet alleen jij de klos, maar ook Enders en al je lieve maten die jou gedekt hebben. Denk dus goed na voordat je iets doet. Je wilt toch niet dat de interne speurneuzen een onderzoek tegen je maten beginnen?'

Leo dacht eraan hoe het zou zijn om Gerres in het donker op te wachten en hem eens grondig te verbouwen.

De zwaarlijvige man van RA11 liet zich op de bestuurdersstoel vallen. 'Ik wist wel dat wij elkaar zouden begrijpen, Köster.'

30

Ze vonden Corinna Keil op haar nieuwe werkplek, in het draaiende *Günnewig*-restaurant in de *Rheinturm* op 172 meter hoogte. De grote vrouw met zwart haar bracht Ela en Ritter naar een leeg tafeltje. Onder hen lag de haven - Ela zag de jachten oplichten in de zon, het gebouw van de *WDR*, de nieuwe *Gehry*-torens, de graanmolens op het industrieterrein ernaast. Aan de andere kant van de *Hammer Brücke* zag je door de opstijgende waterdamp niets meer.

De serveerster had met haar vroegere baas afgesproken te zwijgen over de incidenten in de *Keule*. Ela spreidde het dossier uit en liet de serveerster foto's zien van de plaats van het misdrijf. De zes slachtoffers in de sauna - al bij de eerste foto rolden de tranen over haar wangen.

Ela gaf haar een papieren zakdoekje. 'Dus?'

'U denkt dat het diezelfde kerels waren?'

'Ze hebben de *Keule* en de disco in de *Bolker Strasse* bedreigd en in brand gestoken. Na de brand in de disco is dezelfde vluchtauto gezien als na die meervoudige moord. Ook naar het fitnesscentrum zijn brandbommen gegooid. Het *waren* dezelfde kerels.'

'Mijn baas zei dat hij niet zou toegeven, maar ik wist dat die lui hem klein zouden krijgen. Tegenwoordig zitten in de *Keule* prostituees uit Oost-Europa aan de bar. Ik heb met een collega gesproken. Elke avond om sluitingstijd komt er een Hells Angel geld ophalen. Die Adrian die indertijd de bar heeft vernield.'

'Adrian?'

'Zo noemde die andere Hells Angel hem. Dat heb ik onthouden.'

'Herinnert u zich nog hoe de twee mannen eruit zagen?'

'Jazeker. Die avond zal ik niet gauw vergeten.'

'Kunt u met ons meegaan naar het hoofdbureau? We zouden graag met uw hulp compositietekeningen maken.'

'Dat moet ik dan wel even zeggen.'

Corinna Keil maakte haar schort los en liep naar de keuken.

Ela telefoneerde met bureau Zuidoost en vroeg om een wagen te sturen om de ex-serveerster Elke Möcklinghoff op te halen. Daarna berichtte ze aan de expert van de compositietekeningen dat er zo direct twee vrouwelijke getuigen zouden arriveren.

'Gefeliciteerd', zei Ritter.

Ela's ogen zochten de horizon af. In de verte rezen stralend witte wolken loodrecht omhoog - de elektriciteitscentrales aan de rand van de bruinkoolmijn bij *Grevenbroich*. Het restaurant was maar een klein stukje verder gedraaid.

Ze bedacht dat de aanslag met de molotovcocktail tegen de *Body and Soul* anders van karakter was dan die tegen de twee zaken in de oude binnenstad - meer die van een amateur, minder verwoestend, alleen de gevel was beroet. Naar de gele terreinwagen was de laatste weken overal gezocht. Wat als de saunamoordenaar zo'n voertuig alleen maar had aangeschaft om de politie op een dwaalspoor te brengen?

De serveerster nam de tijd, wellicht deed haar baas moeilijk. Ela werd ongeduldig. Ze had haar plaats in het onderzoekscentrum verlaten, al bijna een uur zat de speciale commissie zonder coördinator. Ze stopte het dossier in haar rugzak.

Eine Kleine Nachtmusik. Haar diensttelefoon. 'Ja?'

'Ela, ben jij het? Je spreekt met Martin Zander. Je oude partner in de zaak Matysek.'

'Zeg het eens.'

'Die motorclubleden die je zoekt, zijn Hells Angels.'

'Dat weet ik.'

'Ik heb die Gunnar opgedoken en nog een andere vent die in de disco in de *Bolker Strasse* als portier heeft gewerkt. Ik heb hen naar de vesting gestuurd. Niet naar hen luisteren als ze zich beklagen over mijn verhoormethoden.'

'Toch bedankt.'

'Zeg maar als ik weer iets voor je kan doen. Arnold Haffke was mijn partner.'

Nog meer getuigen - des te beter voor het onderzoek. De serveerster kwam terug, zonder schort, maar met bijgewerkte lippen en gepoederde wangen.

Ela's mobieltje meldde zich voor de tweede keer.

Het was Engel.

Ela bracht verslag uit: 'We hebben vier getuigen. Het waren de Hells Angels.' Ze keek rond - geen van de gasten zat zo dichtbij dat ze haar zouden kunnen horen. 'Een van de motorrijders heet Adrian van zijn voornaam. De getuigen kunnen twee daders beschrijven. Tot nu toe is er bewijs voor zowel de aanslag op de *Keule* als voor die op het *Power House*. Het gaat om afpersing, drugshandel en prostitutie. De collega's van Georganiseerde Misdaad zijn nog altijd zoals jij wou.'

'De Angels, ja.' Engels stem klonk nors, bijna woedend. 'Adrian Köhler heet hij voluit. En de planning voor de ME-actie tegen het hoofdkwartier is al in volle gang.'

Haar ogen zochten de serveerster, daarna haar collega Ritter. 'Hoe kan dat?' vroeg ze in de gsm.

Engel ontplofte, zijn woede was onmiskenbaar: 'Dat vraag ik aan jou! De districtschef heeft mij ingelicht. En Friedrichsen heeft het van Poetsch. Ik ben als laatste geïnformeerd. Je kunt je wel voorstellen hoe pijnlijk dit is.'

'Sorry.'

'Is dat alles wat je kunt bedenken?'

'Ik heb het zelf nu pas gehoord', zei Ela, maar de lange had het gesprek al afgebroken.

Het was maar driehonderd meter naar de vesting. Ela joeg de Omega naar zijn hoogste toerental. Op de achterbank zat de getuige, als enige met een gordel om.

Ritter zei: 'Zo erg is het toch niet, Ela.'

Via de mobilofoon vroeg ze het hek te openen. Het duurde een eeuwigheid. Ela parkeerde de Omega op de binnenplaats en liet de getuige aan haar collega over. Ela rende de trap op tot de derde verdieping. Buiten adem bereikte ze de kamer van de onderzoekscommissie.

Districtschef Enders van de speciale eenheden stond over een plattegrond gebogen een sigaar te roken. Een commandochef met de naam Adomeit was net bezig uit te leggen hoe hij het zou gaan doen: drie groepen, twee pantservoertuigen voor het hek en voor dekking. Jachtgeweren, lichtgranaten, alle toeters en bellen van de rambo's. Uit te voeren vroeg in de ochtend als de desbetreffende personen diep in slaap zouden zijn.

Inspecteur Friedrichsen stond bij alles te knikken. Het hoofd van de recherche, Dresbach, beloofde voor versterking uit Essen of Keulen te zorgen. Poetsch, de gifkikker, was in alle staten. Hij stond op zijn tenen te wippen en leek wel bijna twee centimeter te zijn gegroeid.

Engel leunde met zijn armen over elkaar tegen de muur en zei geen woord. Ela voelde zich verantwoordelijk voor deze blamage. Achter haar rug om had de club van Poetsch gerechercheerd en was sneller geweest.

Ela stelde voor de actie 's avonds nog uit te voeren.

De mannen deden alsof ze haar niet hoorden. Enders zei dat de ervaring leerde dat de uren voor zonsopkomst het meest geschikt waren.

Friedrichsen sloeg met zijn vuist op tafel - waarschijnlijk beschouwde hij dat als een teken van daadkracht. 'Ik heb het volste vertrouwen in de mannen van de ME. Meneer Engel en mevrouw

Bach, u neemt aansluitend de verhoren voor uw rekening. We hebben snelle bekentenissen nodig. Persconferentie morgen vroeg om negen uur in de zaal voor de vroege ochtendvergaderingen. Meneer Dresbach en meneer Poetsch, ik wil dat u daarbij aanwezig bent. De uitnodiging aan de media gaat vandaag nog de deur uit. Ik dank u.'

Nog voor de bobo's stormde de lange de kamer uit. Ela had graag nog even met hem gesproken.

Toen Ritter met de compositietekeningen kwam, was de bespreking allang voorbij.

31

's Middags om vijf uur vond de laatste voltallige vergadering van de speciale commissie plaats. Rechercheur Bach had alle beschikbare mensen bij elkaar gebracht en lichtte hen in over de laatste stand van zaken. De chef van het rechercheteam voor geweldsmisdrijven stond te luisteren alsof hij moest oppassen dat de vrouw niets verkeerds zou zeggen. De lange chef van het speciale team liet zich niet zien. Gerres knipoogde samenzweerderig naar Leo.

De machtsspelletjes in de vesting hingen Leo de keel uit en van de voorbereidingen van de ME-actie wilde hij niets weten. De speciale commissie werd in twee groepen verdeeld. De ene had pauze tot na de actie, de andere moest verder gaan met de verhoren om nog meer materiaal tegen de motorrijders te verzamelen. De observatie van het hoofdkwartier aan de *Vogelsanger Weg* was de taak van een mobiel rechercheteam.

Leo kneep er tussenuit en reed naar huis.

Hij probeerde nieuws over het kuiken aan de weet te komen en kreeg de secretaresse van opperhoofd Enders aan de lijn. Het leek beter te gaan met Massimo, maar hij was nog steeds niet bijgekomen. Zijn koorts, die onveranderd hoog bleef, vervulde de artsen met zorg. De secretaresse beloofde Leo te zullen waarschuwen als er iets in de toestand van de jongen veranderde.

Hij haalde de kalender met Naomi Campbell van de wand en prikte in plaats daarvan de foto van de Golden Twins op de muur.

Twee lieve meisjes op zoek naar roem - als een van de zes lijken had Ilka het nieuws gehaald.

De Twins hielden microfoons in hun hand en deden alsof ze zongen. Een gearrangeerde foto, opgenomen in een studio. Leo zag aan Ilka dat ze er plezier in had om zich hoerig voor te doen. Jasmin leek het geheel als een parodie op te vatten - de psychologe had klasse.

In Leo's hoofd had zich een gedachte genesteld die hem niet losliet. Ilka was overduidelijk geen meisje dat halters opdrukte, op steps trainde of regelmatig sit-ups deed. Hij had kunnen zweren dat ze nog nooit een stap in een sportschool had gezet. Hij had meegeluisterd toen twee leden van het speciale team over de mogelijkheid hadden gespeculeerd dat het zesde slachtoffer een keer een proefles had genomen - hij geloofde daar niet in. Dat hoorde niet bij Ilka.

Hij dwong zichzelf een minuut stil te zitten en zijn ogen gesloten te houden. En besloot toen dat hij het cocaïnepeil in zijn lijf niet zou opvoeren. Het gif werkte niet meer.

Daarna nam Leo de teddybeer mee in de auto en reed over de zuidelijke brug naar *Neuss*.

Hij moest aan die eigenaardige brief denken - als het in het Journaal niet over de saunamoord ging, waren er berichten over de topman van *Geminag* en de op handen zijnde fusie van de concerns.

Darius Jagenberg, Albrecht-von-Hagen-Platz 14.

De afzender van de envelop lag sinds zestien uur in de koelruimte van het forensisch instituut - de borst van het meisje was doorzeefd met drie ladingen hagel van acht millimeter.

Leo moest nog een keer met Jasmin praten.

Twee keer bestudeerde hij voor een rood stoplicht de stadsplattegrond, toen vond hij de straat waarin Ilka's ouders woonden. Hij had er lang over nagedacht wat hij zou zeggen bij het afgeven van de teddybeer.

Uit de kofferbak haalde hij een sporenzakje. Op het etiket schreef hij *Voor Ilka's vriendin Jasmin Horn*. Hij stopte de beer in het zakje, legde hem voor de voordeur en drukte op de bel.

Vanuit de auto keek hij naar het huis en zag hij hoe een in het zwart geklede vrouw opendeed en de teddybeer oppakte. Ze keek om zich heen zonder Leo te ontdekken. Een jongere vrouw kwam naar buiten, nam het zakje in ontvangst en haalde de beer eruit alsof ze wilde controleren of alles er nog aan zat - Jasmin.

De psychologe had zijn raad opgevolgd en was de spullen komen halen die Ilka van haar gestolen had. Platen, kleren, de teddybeer Gordon, de beer. De enige herinnering aan haar moeder, had Jasmin gezegd. Het had weemoedig geklonken - wellicht lagen de redenen voor haar beroepskeuze uiteindelijk in een droevige jeugd.

Leo keerde en reed terug.

Op zijn voordeur was een briefje geplakt: *We zijn bij Unbehaun. Als je wilt, kom dan ook. Tot ca. 18 uur - Dani en Brigitte.*

De *Unbehaun* was een ijssalon, vijf huizen verder. Het tijdstip van 18 uur was al tien minuten verstreken. Leo dacht dat de twee er nog wel zouden zijn. Dani pleegde grote porties te bestellen, waar hij minstens een half uur voor nodig had.

Voor de zaak hingen de gebruikelijke jongelui met hun brommers en ijsbekertjes, bij de toonbank stonden de mensen in de rij voor nog een ijsje. Binnen zat naast Brigitte zijn zoon aan een van de ronde tafeltjes en lepelde van zijn choco-ijs dat al tot pap was gesmolten.

Brigitte vroeg Leo of ze het niet toch nog eens met elkaar moesten proberen. Ze vond dat ze allebei domme dingen hadden gedaan. Hij keek Dani aan - de donkere saus droop van zijn kindermond, de ogen van de kleine straalden.

'Jullie willen weer bij mij komen wonen?'

'Echt waar?' riep Dani.

Zijn ex-vrouw legde uit dat ze haar flat voorlopig wilde aanhouden. Ze zou niet meteen met alle spullen bij hem intrekken. Een tweede begin - op proef.

Leo gaf toe. De kleine balde zijn vuist als een keeper na een gestopte strafschop.

Zijn ex merkte op dat Leo er ellendig uitzag en nodig bijgevoerd moest worden. Hij liet niets los over het beven en over de drugs waarmee hij dat van tijd tot tijd bestreed. Niets over Massimo.

En geen woord over Ilka en Jasmin, aan wie hij onophoudelijk moest denken.

Toen hij weer thuis was, genoot hij van het gevoel alleen te zijn. Vanaf morgen zou hij de flat met zijn gezin delen. Het gebeurde allemaal zo plotseling.

Hij deed het alleen voor Dani.

32

Het warme licht van de laagstaande zon deed de stad oplichten en doopte alle hoeken ervan in een diepe schaduw. Zander reed naar het zuidoosten, langs videotheken, pizzeria's, zonnestudio's. Langs tentjes waar zatlappen rondhingen.

Aan de *Leverkusener Strasse* in de wijk *Wersten* liep hij een muf flatgebouw binnen waar het in het trappenhuis al schemerde - slechts in elk tweede trapportaal brandde een klein lichtje. Zander was vergeten op welke verdieping de woning van Maria lag. Hij wist niet eens of ze hier nog wel woonde.

Haar verklaring tegenover een politieambtenaar die haar verhoorde vanwege een armzalige winkeldiefstal, had de politie twee jaar geleden attent gemaakt op Matysek. Maria had gedacht dat ze zich kon vrijkopen met wat ze over de corrupte drugsrechercheur wist.

Nadat hij was ontslagen, nam Matysek wraak door haar het ziekenhuis in te slaan. Arnie Haffke ontfermde zich over haar, hoewel haar verklaring er ook toe had geleid dat hij voor straf werd overgeplaatst. Hij zorgde ervoor dat ze bij de drugshulpverlening terecht kon en het lukte Maria af te kicken. Zander had Haffkes vriendin al ongeveer een jaar niet meer gezien.

Hij vond haar naam naast een deur waarvan het slot eruit zag alsof het als schietschijf had gediend. Hij hoorde muziek en drukte op de bel. Niemand deed open. Hij duwde met zijn schouder tegen de deur, die gemakkelijk opensprong.

Zander herkende het lawaai – Pink Floyd in hun vroege jaren. De geur van wierookstaafjes herinnerde hem aan de kamer waarin hij na zijn eindexamen had gehuisd - dertig jaar geleden was dat. Hij stootte tegen een grote hoeveelheid houtjes, metalen staafjes en klokjes die aan het plafond in de hal bungelden - het meerstemmig geklingel kwam zelfs boven de rockmuziek uit.

Zander stapte de kamer van Maria binnen en zag dat de wierook nodig was om de vieze troep op de grond niet te hoeven ruiken: beschimmelde etensresten, puddingbekertjes vol peuken, braaksel dat op de vloerbedekking opdroogde.

Maria lag languit op de bank, een spuit in haar arm. Ze keek hem met wijdopen ogen aan en ging door met het in haar ader drukken van de bloederige inhoud - heel langzaam.

'God allemachtig', liet Zander zich onwillekeurig ontvallen.

Hij vond de installatie en zette de muziek af.

'Hallo, Martin', zei Maria zachtjes. Ze zag eruit als veertig, maar Zander wist dat ze pas eind twintig was.

'Je moet je deur eens repareren.'

'Dat zal me een rotzorg wezen.'

Tijdschriften, waarvan de bladzijden door koffie aan elkaar waren geplakt en een schoteltje met nog meer peuken schoof Martin van een stoel. Maria had wierookstokjes in de zitting gestoken - Zander gooide ze op de grond, zodat hij kon gaan zitten.

Haffkes vriendin trok de naald uit haar arm. Zander gaf haar een schone papieren zakdoek die ze op de plek van de prik kon drukken om een bloeduitstorting te voorkomen.

'Ik neuk heus niet met iedereen, alleen om aan het spul te komen', zei ze mat.

'Oké.'

'Zeg maar tegen Arnie dat ik het weer eens niet heb gered.'

Zander antwoordde dat Haffke dood was. Dat men hem had omgebracht.

Haar oogleden trilden hevig. Hij keek naar het wit van haar ogen en werd bang dat ze een overdosis had genomen. Hij had de vrouw nodig voor zijn strategie.

Na een minuut was ze weer enigszins bij haar positieven.

'Ik dacht dat je clean was', zei Zander.

'Was ik ook. Dankzij Arnie is het me gelukt.'

'Leg me dan eens uit …' Zander ontdekte dat de gloed van een wierookstaafje het vloerkleed in brand begon te zetten. Met een kussen drukte hij de vlam uit.

Maria zei: 'Hij gaf geen moer om me.'

'Je weet heel goed dat dat niet klopt.'

'Hij controleerde niet eens meer mijn handtas. Anders keek hij altijd of ik spul had.'

'Wanneer heb je Arnie voor het laatst gezien?'

'Geen idee. Eergisteren.' Ze haalde een plukje tabak uit een pakje en begon een sigaret te rollen. 'Hij heeft het gepresteerd om met mij te slapen en meteen daarna met een andere vrouw aan de telefoon te gaan zitten smoezen. Hij noemde haar schat. In mijn bijzijn. Ik heb hem er meteen uitgegooid.'

'En toen?'

'Ben ik naar het station gegaan en heb een paar lui uitgenodigd die ik van vroeger kende.'

Slechts twee dagen, om van haar huis zo'n zwijnenstal te maken.

'Ik dacht, als ik aan de spuit hang, dan gaat hij wel weer voor me zorgen. Weet je zeker dat hij dood is?'

'Wie was die vrouw die hij belde?'

Ze deed de manier van praten van de badmeester na: 'Waar ben je, schat? Heb je alles geïnstalleerd zoals we hebben afgesproken? Fantastisch, schat. Je bent echt een geweldige meid, schat.'

'Wanneer was dat precies?'

'Klotezooi. Maandag. Vlak voor *Tagesthemen*.'

Het viel Zander op dat er geen tv-toestel in haar kamer stond. Hij vroeg zich af wat Maria's vrienden van het Centraal Station nog meer hadden meegenomen.

'Arnie zei dat ik er niets van moest denken. Dat het alleen maar een aan de coke verslaafde tante was om wie hij zich tijdelijk bekommerde. Ik heb zijn gezicht opengekrabd.'

'Die haal heb ik gezien. Dat heb je grondig aangepakt.'

Ze likte nu al voor de derde maal aan het vloeipapier. Sliertjes tabak kleefden aan haar mondhoeken en dwarrelden op de bank. Maria wist geen naam of adres van de cokegebruikster.

'Vertel eens wat over Matysek', vroeg Zander haar.

Haffkes vriendin sloeg met haar vuist tegen haar ingevallen kin. 'Die klootzak van een Matysek zul je bedoelen, net als dat melkmuiltje dat altijd om hem heen hangt. Dirk Matysek is een vuile, verlopen, perverse smeerlap, een bruut! Alleen al als ik aan hem denk, krijg ik wratten in mijn kut!'

'Hij is ook dood. Iemand heeft hem neergeschoten.'

'Goed zo.'

'Vertel eens wat Matysek de laatste tijd deed.'

'Dat weet ik alleen maar van horen zeggen. Dat heb ik ook tegen Arnie gezegd.'

'Arnie?'

'Ik had hem een week niet gezien en ik dacht: we gaan er een mooie avond van maken samen. Maar hij vroeg alleen maar naar Matysek, steeds weer. Daarna pakt hij mijn telefoon en gaat met zijn liefje zitten smoezen.'

'Wat weet je over Matysek?'

'Nu stel je al dezelfde vragen als Arnie.'

'Vertel me dan wat je tegen hem hebt gezegd.'

'Heeft dat iets met Arnies dood te maken?'

'Misschien.'

Maria stak de zelfgedraaide sigaret aan. Ze nam een trekje en daarna gaf ze hem aan Zander. Hij sloeg het af.

Ze vertelde over Matyseks tijd als drugssmeris. Zander luisterde aandachtig en schreef mee. Hoe zijn ex-collega zich door dealers liet omkopen. Hoe hij ertoe overging om af te rekenen met alle junks en drugsdealers die hem voor de voeten liepen. Hoe hij op zijn werkkamer in beslag genomen heroïne snoof. Hoe hij eens van Maria's neef spul afpakte en het ter plaatse vernietigde. Voor de ogen van zijn collega's. Maria zei dat haar neef de namen van die collega's kende.

Ze wist ook wie Matysek uiteindelijk ten val had gebracht. Het was zoals Zander had vermoed: niet de collega's van de drugsrecherche, maar de mannen van Intern Onderzoek hadden een eind aan zijn praktijken gemaakt.

Terwijl Maria zich beklaagde over de artsen die haar gezicht niet konden repareren, vroeg Zander zich af waarom de badmeester het opeens zo op de voormalige smeris had voorzien. Hij moest aan de geheimzinnigdoenerij van Haffke over Larue denken. Een schot voor de boeg: 'Zegt de naam Christoph Larue je iets?'

'Larue? Misschien iemand uit de hoogste kringen waarmee die klootzak van een Matysek de laatste tijd zaken deed.'

'O ja, is dat zo? Wat weet jij daarvan?'

'Niks. Maar Arnie was helemaal bezeten van die gedachte. Hij heeft mij het hemd van het lijf gevraagd. Heeft die Larue Arnie omgebracht?'

'Geen idee. Het zou om een lid van een motorbende gaan en dat die Larue lid is van de Hells Angels, acht ik onwaarschijnlijk.'

Maria nam een trekje van haar sigaret. Er flakkerde een vlammetje op. De drugsgebruikster hoestte, er dwarrelde wat as naar beneden en een vonkje viel op haar T-shirt. Als ze zo doorging, gaf Zander haar hoogstens drie dagen voor ze haar woning in brand zou hebben gestoken.

Hij vroeg: 'Heeft Arnie het ooit gehad over een fitnesscentrum met de naam *Body and Soul*?'

'Nee, maar als je wilt, kun je een stuk soul in mijn body steken.'

Ze glimlachte. Ondanks haar carrière als spuitster waren haar tanden nog grotendeels intact. Arnie had goed voor haar gezorgd.

Zander beantwoordde de glimlach. 'Kleed je uit.'

'Arnie zei altijd liefje.'

'Kleed je uit, liefje.'

'En je moet me beloven dat je de volgende keer spul meebrengt.'

'Komt in orde.'

Het meisje ontdeed zich van haar nauwe spijkerbroek en stroopte haar slipje af.

'Wees lief, Martin. Arnie was altijd lief.'

Zander pakte de broek op en onderzocht de zakken. Raak: twee pakjes heroïne. Hij liet het spul in zijn zak verdwijnen en verliet de woning.

De tingelinstallatie in de hal werd twee keer na elkaar in gang gezet - de verslaafde vrouw kwam hem achterna.

'Rot op, ouwe rukker!' galmde haar stem door het trappenhuis.

Om één negenhonderd uur drukte Zander op de bel bij de ingang van *Faunastrasse* 9. Hij glimlachte in de lens van de kleine camera. Een goede buurt, goed beveiligd ook. Voordat de vrouw van Larue de deuropener liet zoemen, moest Zander zijn naam en die van zijn bureau spellen en zijn politielegitimatie voor de camera houden. Hij dacht aan de verkrachters. Matysek was dood, van zijn handlanger ontbrak elk spoor. Zander wist nog dat Ela de verdenking had geopperd dat de familie Larue niet toevallig het slachtoffer was geworden en dat men de achtergrond van dit misdrijf in de drugsscene moest zoeken. Arnie had hem verzwegen dat Ela hem om hulp had gevraagd, in plaats daarvan had hij zijn vriendin Maria op haar zenuwen gewerkt met vragen over Matysek en Larue. Haffke had op eigen houtje informatie verzameld.

Waarom?

De familie Larue was sinds hun klacht over de gluurder verhuisd, van de *Krahkampstrasse* in *Volmerswerth* naar deze chique wijk rond de dierentuin. Het huis ademde de geest van de hogere burgerij in het Rijnland aan het begin van de twintigste eeuw. De woning was even ruim opgezet als de ingang en het trappenhuis, maar veel lichter en ingericht volgens de laatste mode. Het rook er naar pas geverfde muren. Veel glas. Het uitzicht vanuit de woonkamer op het park was schitterend. Hier zou een voyeur een kraan moeten neerzetten.

Verena Larue was een tenger gebouwde, elegante vrouw, jonger dan Zander zich haar had voorgesteld. Door haar make-up heen schemerden op haar kin en slapen blauwe vlekken en haar bovenlip was aan één kant iets gezwollen. Het jonge ding leek zenuwachtig en geïnteresseerd tegelijk. Zander merkte dat ze het prettig vond dat hij was gekomen - een onderbreking van het alleenzijn in een huis dat een plaats delict was geworden. Haar man was op dit tijdstip nog op zijn kantoor, zei ze.

Ze serveerde gekoelde appelsap in grote wijnglazen die eruit zagen alsof ze bij Schmiedinger waren gekocht, en legde tegelijkertijd uit dat ze eigenlijk alle reden had om een hekel te hebben aan de politie. De agent naar wie ze vanwege die voyeur toe waren gegaan, had geweigerd hun aangifte te behandelen. Hij had hun aangeraden om als het donker werd, de gordijnen te sluiten - Verena had het gevoel dat zij en haar man niet serieus werden genomen. Ze hadden uit principe geen gordijnen en waren hoe dan ook al van plan geweest te verhuizen, omdat zij een baby verwachtte. Toch had de gluurder hen nerveus gemaakt - steeds weer hadden ze de lichten uitgedaan en met de zaklamp het donker in geschenen om hem te betrappen. In de eerste weken van juli ontdekten ze hem drie keer - het silhouet van een man van gemiddelde lengte. Preciezer kon Verena hem niet beschrijven, omdat de gluurder er elke keer tussenuit was geknepen zodra de lichtbundel op hem viel. Toen het ernaar uitzag dat de familie Larue naar de flat in de *Faunastrasse* zou gaan, belde Verena niet langer naar de *Jürgensplatz* om daar door een ongeïnteresseerde politieagent met een kluitje in het riet te worden gestuurd.

'Dat was ik al bijna allemaal vergeten', zei de elegante vrouw. 'Maar de rechercheur die 's zondags na de overval bij ons kwam, was pas echt erg. Die heeft mijn man en mij als misdadigers behandeld. Die verkrachter heeft mij en mijn baby misschien wel met aids besmet en die vrouw deed alsof dat onze schuld was.'

Zander deed alsof hij haar verontwaardiging deelde. Hij klaagde over collega's die of overijverig waren of lui. Hij zette zijn charme in. Ze vulde zijn glas bij.

Geen spoor van drugsgebruik.

Haffke die net deed alsof hij de naam Larue niet kende - Zander vroeg zich af of Arnie hier ook was geweest. Hij beschreef de badmeester voor haar. Verena zei dat ze hem niet kende.

'Heeft die gluurder ook bij u ingebroken? Of is er in de tijd dat u hem zag, bij u ingebroken?'

'Nee.'

'Kent u de winkel *Skin Bizarre*?'

'Nee.'

'Daar wordt van die fetisjmode verkocht: lak en latex en zo. Excuseert u mij mijn indiscretie, maar ...'

Ze glimlachte: 'Nee, zoiets draag ik niet.'

'Dank u. Kent u toevallig een vrouw van uw leeftijd met de naam Sina Dorfmeister?'

'Ook niet.'

Vier keer nee - Zander had niet de indruk dat Verena iets voor hem verborgen hield. Blijkbaar was zijn speculatie - dat de gluurder die de familie Larue had lastiggevallen, mogelijk dezelfde was als de inbreker die bij Sina Dorfmeister het lijfje had gestolen en het in de villa van de *Geminag*-directeur had achtergelaten - toch te wild geweest. Waarschijnlijk was hij alleen maar op dat idee gekomen omdat de naam Larue hem nieuwsgierig had gemaakt. Zander kwam tot de slotsom dat hij hier in deze flat zijn tijd aan het verdoen was. Verena Larue wist van niets en wellicht was ook de verdenking tegen haar man slechts een schot voor de boeg.

Zander bedankte toen de jonge vrouw hem iets te eten aanbood. Hij had nog maar één laatste vraag: 'Kent u misschien Claudia en Darius Jagenberg - ik bedoel, persoonlijk?'

Ze ontspande zich en haar ogen begonnen te stralen alsof ze terugdacht aan een mooie tijd. 'Heel goed zelfs. We waren al buren toen ik een kind was. Darius en mijn vader werkten bij dezelfde firma en waren vrienden. Na de Wende gingen wij naar het oosten, naar Dresden. Voor mijn vader was het de kans om hogerop te komen, maar voor mij was het een ramp. Alles was er zo grauw en onverzorgd. Ik was blij dat we vier jaar geleden zijn teruggekomen. Darius, meneer Jagenberg dus, was inmiddels directievoorzitter geworden en haalde pappa naar het hoofdkantoor. Met Marco, zijn zoon, was ik zo goed als verloofd. Daarna sloeg het noodlot diverse keren toe, maar Darius heeft als een tweede vader voor me gezorgd. Toen ik van school kwam, heeft hij me een baantje op de marketingafdeling van *Geminag* bezorgd. Daardoor heb ik mijn man leren kennen.'

'Het noodlot sloeg toe?'

'Leven *uw* ouders nog, meneer Zander?'

'Ik begrijp het. Vergeet u mijn vraag maar, mevrouw Larue. U hoeft er niet over te praten.'

'Ik zeg steeds tegen mezelf dat het goed met ze gaat, waar ze nu ook mogen zijn. Kort nadat we terug waren gekomen, kreeg mijn vader een verschrikkelijk auto-ongeluk. De bestuurder van de andere auto ging er vandoor en de dader is nooit gevonden. Mijn moeder kon dat niet verwerken. Nog geen vier weken na de begrafenis van mijn vader heeft ze zich van het leven beroofd.'

'Dat spijt me.'

'Het was maar goed dat ik de familie Jagenberg had. Ik ging net naar de middelbare school. Zij namen me in huis en regelden alles voor me. Het leven moest doorgaan.'

'En Marco, uw verloofde?'

'We waren zelfs getrouwd.' Ze giechelde. 'Toen we elf waren, wikkelde mijn moeder mij in een overgordijn en gooide rijst over ons heen. Toen we uit het oosten van Duitsland terugkeerden, werd het bijna serieus. Maar Marco veranderde. Hij ging van school af en ging er vandoor. Hij raakte in verkeerd gezelschap.'

'Hebt u hem nog teruggezien?'

'Nee. Niet meer nadat hij van huis is weggelopen. Hij heeft nog slechts sporadisch contact met zijn moeder. Voor zover ik weet, zit Marco op dit moment in de gevangenis.'

'Waarvoor?'

Verena verstijfde. 'Ik denk niet dat dat nog iets met uw zaak te maken heeft. Weet u, de familie Jagenberg heeft altijd alle mogelijke moeite gedaan om te verhinderen dat de pers iets over Marco te weten zou komen en u kunt zich wel voorstellen dat dat niet makkelijk was. Ik hoop dat ik erop kan rekenen dat u hierover zwijgt. Meneer en mevrouw Jagenberg hebben zoveel voor mij gedaan en ik wil ze niet graag teleurstellen.'

'Daar hoeft u niet bang voor te zijn. Ik mag die lui van de media nog minder dan u de politie.'

Ze glimlachte. 'Ik vraag me af hoe u me zover hebt gekregen dat ik u dat allemaal vertel. Arme u, ik heb u de oren van het hoofd gekletst met oude, saaie verhalen.'

'Er was niets saais aan, mevrouw Larue.'

Ze bracht hem naar de deur en wuifde hem kort na. Toen viel de voordeur in het slot, waarna diverse grendels achter elkaar met een klikgeluid in hun verankering werden geschoven.

33

Compositietekeningen op het prikbord: twee baardige gezichten.

Ela zette de transistorradio uit. Op het nieuws kwamen steeds dezelfde berichten langs.

'Ik zal bij de actie ter plekke aanwezig zijn', zei ze tegen Ritter. 'Als je je hier om acht uur in het coördinatiecentrum meldt, is dat vroeg genoeg.'

'Mijn dienst begint pas om drie uur.'

'Ook goed.'

'En nu?' vroeg Ritter.

'Pauze, wat anders?'

Hij nodigde haar uit om samen iets te gaan drinken. Daarbij glimlachte hij enigszins spottend onder zijn Magnum-snor alsof hij haar intiemste gedachten had geraden. Ze wierp een blik op zijn trouwring. Toen hij het over Franse witte wijn had, stemde ze toe.

Op de binnenplaats stond de glanzende BMW van Ritter. Hij wilde niet zeggen waar ze heen gingen. Ela dacht niet dat haar collega haar in een situatie zou brengen die ze niet meer in de hand had.

Ritter startte de auto en vroeg: 'Hoe gaat het verder met jou?'

'Alsjeblieft, laat dat', antwoordde ze. 'Ik kan dat niet meer horen.'

'Wat is er aan de hand?'

'Iedereen vraagt me dat, alsof ik net uit het ziekenhuis ben ontslagen. Toen was niemand ook maar half zo bezorgd. Maar sinds een paar dagen wil iedereen weten hoe het met me gaat.'

'Het is dus maar een gerucht.'

'Wat voor gerucht?'

'Nou ja, dat je ... een probleempje hebt.'

'Wat voor probleempje?'

'Met je zenuwen. Beetje overbelast en zo.'

'Er gaat niets boven collega's die zich zorgen maken.'

'Sorry.'

Na een poosje zei ze: 'Je hoeft je niet te verontschuldigen. Wie in ons werk niet af en toe een knauw krijgt, is niet normaal.'

'Je hebt gelijk', antwoordde Ritter en gaf gas. Hij voegde in op de rijstrook die naar de brug leidde en stak de rivier over. Ze reden de laatste zonnestralen tegemoet.

Kort na de brug stopte Ritter. Het was een privéhuis, dat hij opende met een grote sleutelbos. Ze volgde hem in een lift waarvan de cabine van hout was. Haar collega draaide een tweede sleutel om, waarna ze langzaam en zachtjes schokkend omhoog gingen. Ela sloot haar ogen - de paniekaanval bleef uit.

Toen Ritter op de derde etage de deur openduwde, schoot haar te binnen dat hij er als makelaar bijkluste. Ze had niet gedacht dat hij zulke luxe woningen in de aanbieding had: de zaal die ze binnenstapte was een woonkamer van minstens vijftig vierkante meter. Ela liep naar de erker en keek door het raam op de *Kaiser-Wilhelm-Ring* en over de weilanden die zich uitstrekten tot aan de rivier.

Ritter verklaarde: 'Wat wonen in *Oberkassel* betreft is de Rijnoever een van de meest begeerde plekken in de stad. Dat zeg ik vaak, maar hier klopt het ook echt.'

De gevels van de binnenstad aan de overzijde leken te gloeien, overal gingen nu de lichten aan. Ela probeerde zich Ritters voornaam te herinneren. Ze moest denken aan het laatste zomerfeest van het korps. Tafels van een bierbrouwerij, een standje waar *Altbier* werd geschonken, een countryband - muziek waar ze eigenlijk niet van hield. Toch had ze zich door Ritter laten overhalen tot een dansje.

Haar collega speelde de verkoper: 'De aangeboden woning bevindt zich op de bel-etage van een herenhuis van rond de eeuwwisseling. In 1991 grondig gerenoveerd, waarbij de historische bouwelementen zijn behouden. U bereikt het object via de prachtig gerestaureerde jugendstiltrap of via een lift die rechtstreeks in de woning uitkomt. De internationaal gerenommeerde binnenhuisarchitecte Karin Saale heeft het interieur op tijdloze wijze in de stijl van het Bauhaus ...'

'Houd op met die reclamekreten, Ingo.'

Ritter zette de cd-speler aan. Vivaldi. Hij haalde een fles uit de koelkast van de bar.

Ela vroeg: 'Waar zijn de mensen van wie dit is?'

'Je hoeft niet bang te zijn. Die zijn bezig hun huis op Mallorca in te richten. Chardonnay?'

'Je pronkt met andermans veren!'

'Die wijn heb *ik* gekocht.'

'Precies, dat bedoel ik.'

'Hoezo?'

'Hoeveel vrouwen heb je hier al naartoe gelokt?'

Haar collega schonk in. Ritter zei: 'De aangeboden woning heeft in de kelder een eigen zwembad, een Finse sauna en een whirlpool met zicht op de tuin waarop u het recht van alleengebruik hebt.' Hij gaf haar een glas. 'Zin om een rondje te zwemmen?' Zelfs handdoeken had Ritter meegebracht. Ook in de whirlpool werd hij niet eens handtastelijk. Ze wreven zich droog - Ela registreerde Ritters bruinverbrande lichaam, zijn behaarde borst, zijn platte buik en dat wat er verder nog aan hem zat.

Ze kleedden zich aan en gingen weer met de lift naar boven, de woning in. Ritter liet haar de bibliotheek zien - de droom van elke boekenwurm. De eigenaren waren schrijvers, legde haar collega uit. Hij schreef kinderboeken, zij misdaadromans. Hun rijkdom hadden ze geërfd. Een trap van oud eikenhout leidde naar de zolderverdieping.

Een terras aan de tuinkant. Uitzicht op oude bomen, de tegenoverliggende huizen ver weg. Niet erg spectaculair, vond Ela. Het zicht vanaf haar balkon in *Pempelfort* was niet veel anders.

Het was donker geworden. Ze keek omhoog of ze vallende sterren zag.

Ritter keek op zijn horloge. Hij zei: 'De slaapkamer heb ik je nog niet laten zien.'

Een laatste trap omhoog naar de kapverdieping. Links een badkamer, rechts de dakuitbouw met een glazen front aan de tuinkant. Ritter knipte het licht aan en dimde het wat. Boven het bed was een spiegel aangebracht. Ela vroeg zich af of die ook op het conto van de internationaal gerenommeerde binnenhuisarchitecte moest worden geschreven.

'Kijk hier eens door', zei haar collega.

Voor het raam stond een verrekijker. Ritter stelde scherp en maakte plaats voor Ela.

Haar ogen vonden twee mensen in een vreemde kamer. Een paartje op een bed. Zo dichtbij alsof er nauwelijks tien meter tussen zat. Eerst wilde Ela de man van de meldkamer uitschelden omdat hij een voyeur van haar maakte, maar toen keek ze toch weer naar de overkant. De onbeschaamdheid waarmee Ritter de woning van zijn cliënten in beslag had genomen, werkte aanstekelijk en haar schaamtegevoel verdween - de afstand tot het paartje waarnaar ze stond te kijken, maakte dat ze zich veilig voelde.

Ze keek toe – het prikkelde haar.

Ela vroeg zachtjes: 'Heb je die twee betaald om het precies nu te doen?'

'Het is hun tijd. Tenminste op doordeweekse dagen. Als ze van hun werk komen, pakken ze elkaar. Niet elke dag. Maar mijn score is enorm.'

'Ingo, je bent een smeerlap', zei ze, zonder haar ogen van de verrekijker af te halen.

De bewegingen van de twee werden langzamer en stopten ten slotte.

'Doen ze het nog een keer?'

'Meestal niet', antwoordde Ritter. Hij stond nu heel dicht achter haar. Ze rook zijn aftershave en gokte op *Cool Water*. 'Draai eens een stukje naar links. Voorzichtig. Een klein stukje maar.'

Ela bewoog de verrekijker iets naar links. Haar blik ging over een fauteuil, een televisie, door de lege ruimte tussen het raam en de muur.

'Zie je het?' vroeg hij.

'Ja.' Ela's antwoord klonk als hees gefluister.

'Pikant hé?'

Ela staarde naar een tweede verrekijker. Die stond precies op haar gericht.

Ritter zei: 'Ik vraag me af of die twee paren contact met elkaar hebben of dat ze elkaar - om zo te zeggen - alleen van gezicht kennen.'

Ze ging op het bed zitten dat toebehoorde aan de schrijvers en trok haar blouse uit.

Haar collega keek haar aan alsof hij daar niet op gerekend had.

'Waar wacht je op?' vroeg ze.

Ritter maakte het lint los dat het gordijn open hield.

'Lafaard', zei Ela.

Op zeker moment vroeg ze hem haar naar huis te brengen. Toen ze over de *Rheinkniebrücke* terugreden, zei hij: 'Als je eens behoefte hebt aan iemand om je hart te luchten …'

'Denk je dat ik eenzaam ben of is dit een verkapt aanzoek?'

Ritter concentreerde zich op het inhalen van een tankauto die uit een aantal wagens bestond.

'Je hebt je overhemd verkeerd dichtgeknoopt', stelde Ela vast.

'Dank je.'

'Zorg dat het goed zit voor je vrouw iets merkt.'

'We wonen apart.'

Ela vroeg zich af of ze een fout had gemaakt. Mogelijk zou haar collega meer van haar willen. Als een klit aan haar gaan hangen en haar gaan benauwen. Zo waren mannen nu eenmaal. Haar moeder had haar al neurotisch genoemd, maar Ela hield de kerels liever op een afstand zodra ze de indruk kreeg dat ze haar van haar zelfstandigheid wilden beroven.

De snor zei: 'Nemen we de woning of zoeken we verder?'

'Wil je echt horen hoe het met me gaat?'

Hij keek haar even van opzij aan.

'Mijn collega's', zei Ela, 'beweren dat ik met mijn afdelingschef naar bed ga. Sommigen kletsen zelfs rond dat ik het met de baas van de recherche doe. Toen ik in '94/'95 in Keulen bij de zedenpolitie werkte, had ik een zaak van een pooier die een vrouw had verkracht. Hij sloeg haar in elkaar omdat ze weigerde zijn sperma door te slikken. Nadat we het slachtoffer verhoord hadden, vroeg mijn collega: En, slik jij het in? Ik heb hem toen een klap verkocht.'

'Terecht.'

'Daarna begonnen ze me onderuit te halen. In mijn dossier staat dat ik niet bestand ben tegen de psychische druk die het werk bij de recherche met zich meebrengt. Ik heb me laten overplaatsen naar de recherche van Noordrijn-Westfalen en dacht dat ik er toen vanaf was. Ik zat bij de afdeling die oude nazi's opspoort.' Ze stak een sigaret op zonder te vragen of hem dat stoorde. 'Er zijn inderdaad nog steeds smeerlappen van vroeger, die ergens in Europa vrij rondlopen. In sommige gevallen kon ik meehelpen ze te pakken. Ik ben een verdomd goed rechercheur, ook al zit ik er nog niet zo lang als Gerres of Schranz. Op een gegeven moment ben ik aangerand door mijn chef bij de nationale recherche. In een lift die hij tussen twee etages liet stoppen. Ik heb hem in zijn ballen getrapt en de hele ellende begon weer van voren af aan.'

Ingo zweeg.

'Ik moest me zelfs door zo'n psychotante laten keuren om bij RA11 te worden toegelaten. Dat was voordat de kannibaal mij op zijn werkbank vastbond. Met de zaak van de kannibaal heeft het helemaal niets te maken. Engel weet dat. Hij is oké. Ik heb nog nooit gehoord dat hij vrouwelijke collega's kippetjes noemde. Hij waardeert mijn werk. Maar ik ben bang dat de anderen over me heen vallen zodra hij weg is. Het is elke keer met dit soort geruchten begonnen.'

De BMW stopte voor Ela's huis.

'Soms krijg ik plotseling geen lucht meer', ging ze verder. 'Soms gaat mijn hart als een gek tekeer in een lift of als de metro de grond induikt. Soms sta ik op straat en heb totaal geen idee waar ik eigenlijk naartoe wilde. Maar hebben we dat niet allemaal wel eens? Het bloedbad van gisteravond was nog geen vijf straten hiervandaan. Natuurlijk kan ik niet vergeten hoe het eruitzag daar. Maar daarom ben je toch nog wel in staat om je werk te doen?'

'Ik moet er ook voortdurend aan denken.'

Toen ze hem aankeek, hield hij zijn ogen op de straat gericht. Zijn handen omklemden het stuurwiel.

'Dank je', zei Ela. 'Het beste.'

Ze stapte uit en keek niet om. Een lamp in het trappenhuis flikkerde en zoemde. De tijdklok liet een zacht getik horen. Op de treden lag linoleum - misschien wel helemaal niet roodbruin, zoals ze dacht, maar eerder naar groen neigend.

Maar ze had het gevoel dat daarboven ergens een slachthuis was, dat iemand de klep had geopend en dat de bloedige smurrie in een brede stroom in haar richting golfde.

Langzaam zette ze haar ene voet voor de andere, tot ze haar deur bereikte.

34

Eindelijk hoorde Zander gelach en gitaargetingel. Hij zette het biervat neer en pauzeerde even. Op de oever van de rivier ontdekte hij het schijnsel van een kampvuur. Hij wist dat hij goed zat. Toen hij het vat weer optilde, voelde hij een steek onderin zijn rug.

Pia liep hem tegemoet. Ze wilde hem om zijn hals vallen, maar er zat tien liter *Altbier* tussen hen in. Hij sleepte het vat tot bij het vuur.

Zo'n twintig jonge mensen braken in gejubel uit en Zander betwijfelde of hij wel genoeg had gekocht.

'Van harte gefeliciteerd, jongedame', zei hij tegen Pia en liet zich omhelzen.

Haar vriend stond op en gaf Zander netjes een hand - eigenlijk was die jongen best oké. Hij gaf hem de autosleutels om de glazen en het tapgereedschap te halen.

Op de barbecue lagen worstjes en varkenskarbonades te pruttelen. Zander had trek, sinds de goulashsoep bij Tina had hij niets meer gegeten. Pia schepte een bord vol voor hem terwijl een paar van haar vrienden zongen onder gitaarbegeleiding. Zander ervoer het als een weldaad, zo normaal als die jonge mensen waren - heel anders dan de kids waarmee hij in zijn werk te maken had.

Een jongen met een paardenstaart begon Beatleliedjes te spelen. Het ontroerde Zander dat deze jongeren die oude deuntjes nog kenden. Hij zong mee - hits uit zijn tijd. Hij was al gauw het middelpunt van het gezelschap. Allemaal wilden ze zijn dienstpistool zien en verhalen over het dagelijkse politiewerk horen. Dat hield hij af - geen zin in die zooi.

Toen vroeg hij aan Pia met hem naar de auto te lopen. Hij haalde het pakje uit het handschoenenvakje. Ze scheurde het open en beet op haar onderlip toen ze het mobieltje zag.

'Hopelijk bel je daarmee je ouders eens op, als je op de camping zit.'

'Ik heb er al een. Wist je dat dan niet?'

Hij pakte het terug. 'Jammer. Ik verzin wel iets anders.'

Zander had verwacht dat ze zo snel mogelijk terug zou willen naar haar vrienden, maar Pia ging op de stoel naast die van de bestuurder zitten. Ze lieten de deuren open staan. De geluiden van de rivier dreven op de wind naar hen toe. De jongelui zongen *Maxwell's Silver Hammer*.

'Gaan die allemaal mee naar Nederland?' vroeg Zander.

'Niet allemaal. Alleen Kevin, Anna, Katja, Nicole, Lukas, Klaus en Drago.'

'Jullie vertrekken morgenvroeg?'

'Ja. Met de VW-bus van Drago.'

'Leuke vrienden heb je', zei hij.

Maxwell Edison, majoring in medicine ...

'Pap?'

'Ja.'

'Waarom hebben jullie ruzie gemaakt?'

Zander wist niet wat hij moest zeggen.

'Heb je een vriendin?'

'Heeft ze dat beweerd?'

'Nee. Ze praat er met mij niet over.'

'Geluksvogel. Met mij praat ze helemaal niet meer.'

'Wat is er aan de hand met mam? Ze was bij dr. Heinrich.'

'Dat weet ik. Ze wil weer werken.'

'Nee, hij heeft haar nieuwe tabletten voorgeschreven. Iets wat haar rustig moet maken. Wat is er aan de hand, pap? Vertel het me, alsjeblieft.'

Pia was achttien. Meerderjarig. En soms inderdaad zo verstandig als een volwassene.

Zander begon te vertellen. Dat niemand zonder fouten is. Dat hij in al die jaren als brigadier binnen de regionale opsporingsgroep te vaak als een gangster had moeten denken en voelen. Dat het alleen maar logisch was dat hij op een gegeven moment ook zo gehandeld had.

Ook Beate was geen engel geweest. Jarenlang had ze voor een paar zakenmensen in de buurt de belastingaangifte gedaan. Hen geholpen om hun zwarte geld te verdoezelen. Een van hen was Schmiedinger, de opkoper en heler.

De juwelenzaak van het weekend noemde Zander niet. Ook de bontroof niet en de verduistering van de buit. En de wezel al helemaal niet.

Pia zei: 'Mijn vader is dus een corrupte smeris.'

Zander keek in de achteruitkijkspiegel. Geen mens in de buurt.

'Ik heb nooit iemand pijn gedaan die dat niet had verdiend. Slechts eenmaal iets achterovergedrukt wat anderen hadden gestolen in plaats van het af te leveren. Die schurken kwamen toch in de nor. Snap je?'

'Maar één keer?'

'Het is beter als je de details niet kent.'

'Ze kunnen me niet dwingen om tegen mijn vader te getuigen.'
Zander was blij met dat antwoord. 'Zover zal het niet komen. Ik heb me ingedekt. Bovendien stop ik ermee. Het gaat alleen niet zo snel als je moeder graag zou willen. Soms komt er iets tussen en moet je eerst nog het een en ander regelen.'
'Ze wist ervan?'
'Ja. Maar ze is van mening veranderd.'
'Heeft dat met dat Jezus-gedoe te maken?'
'Ja. Met schuldgevoelens en zelfverwijten.'
'Omdat ze jou ertoe heeft aangezet?'
'Misschien.'
In de achteruitkijkspiegel flakkerde het kampvuur. De jongelui zongen: *Bang-bang, Maxwell's silver hammer came down on her head ...*
Zander zei: 'Je weet hoe godsdienstig ze is opgegroeid. Op een gegeven moment heeft dat haar ingehaald en plotseling gelooft ze in dingen als hemel en hel, zonde en vergeving.'
Bang-bang, Maxwell's silver hammer made sure that she was dead.
'Het gaat om Basti', raadde Pia.
'Waarschijnlijk.'
'Is mam ziek?'
'Ik weet het niet.'
'Maar ze hoeft zich toch geen verwijten te maken over de dood van Basti.'
'Zij zat achter het stuur.'
'Maar die ander is op haar ingereden. Bovendien was die klootzak dronken. Of was dat niet zo?'
'Jazeker. Hoe vaak, denk je, heb ik niet geprobeerd haar dat duidelijk te maken? Je moeder zit iets gecompliceerder in elkaar dan wij.'
Een paartje slenterde innig omstrengeld voorbij. Zander en Pia zwegen een tijdje.
'En ik dacht altijd dat jij zo'n droogkloot van een smeris was die mensen verbiedt plezier te hebben.'
'Heb ik je ooit verboden om plezier te hebben?'

Ze lachte schaterend. 'Vandaag nog niet.'

'Ik moet wel een vreselijke vader zijn.'

'De beste die er bestaat.' Ze omhelsde hem en kuste hem op zijn wang. 'Pas goed op mam als ik in Nederland ben', zei ze.

Op dat moment wist Zander dat hij zijn dochter kon vertrouwen.

35

Op de cassette die Jasmin hem had gegeven, was alleen nog wat sneeuw te zien. Leo spoelde de band terug en startte hem weer.

Aldoor maar weer: de Golden Twins.

Hij kon er geen genoeg van krijgen. De illusie was perfect - Leo had moeite om de zangeressen uit elkaar te houden.

Show me the way to the next whisky bar - het geluid was verwrongen en de opname bewogen, het licht veel te zwak. Hij vond de twee vrouwen adembenemend.

Sneeuw - terugspoelen - starten.

De een had hem op het dieptepunt van zijn leven opgevangen en hem tot een medeplichtige gemaakt - de dag daarna was ze een zinloze, gruwelijke dood gestorven. Hij bewaarde de beelden van hun optreden in zijn hart en zwoer Ilka's spoor te volgen. De moord op haar mocht niet ongestraft blijven.

De ander leefde, slechts een paar straten verderop.

Toen hij de whiskyfles leeg had, besefte Leo dat Jasmin *hem* bedoelde als ze zong over de maan boven Alabama, over de haai met de tanden en over de man met het mes dat je niet zag.

Deze film zou niet alles zijn.

Met moeite stond Leo op uit zijn stoel. Hij wankelde naar het tafeltje met de telefoon en nam de hoorn op. Hij koos het nummer van Jasmin.

De stem op haar antwoordapparaat overrompelde hem en de pieptoon kwam voordat Leo de tekst had verstaan. Geen tijd om na te denken.

Hij overwon zijn neiging om gewoon op te leggen.

'Met Leo Köster. Ik heb nog een belangrijke vraag aan u en zou het fijn vinden als u me zou willen terugbellen.'

Jasmin zou wel weten welke vraag hij bedoelde. Ze leefde en hij wilde haar.

Toen bedacht hij dat hij vergeten was om haar zijn telefoonnummer te geven. Hij belde voor de tweede keer en sprak op het bandje het nummer in.

Hij keerde terug naar het beeldscherm.

Warmte overspoelde zijn lichaam. Hij sloot zijn ogen en de tweeling was bij hem.

Ze zongen en dansten en droegen hem een wereld binnen die geen dood kende.

Deel vier
Getuigen in de nacht

"Je hebt me als talisman meegenomen naar je schuilplaats. Ik heb gefaald als geluksbrenger. Daarom wil ik je getuige zijn. Jouw dood bepaalt mijn leven. Ik wil de liefde vinden die wij samen nooit beleefden en die verklaren in jouw naam."

James Ellroy, *De vrouw met het rode haar*

Donderdag, 3 augustus, *Blitz*, voorpagina:

GESTOORDE SAUNAMOORDENAAR: POLITIEMAN ONDER SLACHTOFFERS

WIE ZIT ER ACHTER DEZE BLOEDIGE DAAD?

Door Alex Vogel. *De dag na het bloedbad. Meer dan zestig rechercheurs van een speciale commissie meten de plaats van het misdrijf op, analyseren sporen, kammen de omgeving van de 'Body and Soul Gym' uit. 's Morgens laat Volker Dresbach, chef van de Centrale Criminaliteitsbestrijding, de bom barsten: één enkele dader heeft dinsdagavond de vijf gasten van het fitnesscentrum en een medewerkster doodgeschoten. Het vluchtvoertuig is mogelijk dezelfde auto als de wagen die bij de brandstichting in de discotheek 'Power House' is gebruikt. Het is niet uitgesloten dat er een verband bestaat met de reeks brandstichtingen die in mei ook de 'Body and Soul' heeft getroffen, aldus Dresbach. Volgens informatie van BLITZ verwacht men nog deze nacht iemand te kunnen aanhouden.*

Onder de doden van deze ongelooflijke misdaad bevindt zich ook een politieman: Arnold Haffke (26), hoofdagent bij de zogeheten regionale opsporingsgroep (RO) van districtsbureau Noord. Hij was al lange tijd lid van het fitnesscentrum. Zijn collega's beschrijven Haffke als een geëngageerd rechercheur: 'Wij hebben in hem een jonge, veelbelovend politieman verloren, die onder andere bij de drugsrecherche geweldig werk heeft verricht', aldus de chef Centrale Criminaliteitsbestrijding Dresbach. 'Wij rouwen om een uitstekend collega die het nog ver had kunnen schoppen. Ons medeleven gaat uit naar zijn echtgenote.'

De politietop heeft later op de middag een algemeen embargo afgekondigd op nieuws over het bloedbad en de achtergronden ervan; dit om de voortgang van het onderzoek niet te belemmeren. Inspecteur Benedikt Engel (40), leider van de speciale commissie, verklaarde tegenover BLITZ: 'Het is mijn mensen gelukt om binnen zeer korte tijd uit de stroom van binnengekomen tips een spoor te destilleren dat we als zeer kansrijk beschouwen. We vertrouwen

erop u binnenkort belangrijke vorderingen te kunnen melden.'
Op de volgende pagina's: Alles over de onschuldige slachtoffers.
De aanslagen in chronologische volgorde. Reacties van vooraan-
staande Düsseldorfers. Foto's van de plaats delict en beelden van
de gruweldaad - exclusief in BLITZ.

36

Om twintig voor vijf kwamen de busjes met de arrestanten bij de politiecellen aan. De eerste berichten over de actie op de *Vogelsanger Weg*: geen schotenwisseling, geen verzet. Vier mannen en drie vrouwen in hun slaap verrast. Drie kleine kinderen - Bureau Jeugdzorg ontfermde zich over hen. Springstof, munitie en allerlei wapens waren er gevonden. Honderdzeventigduizend euro aan zwart geld in contanten. Gifkikker Poetsch blies hoog van de toren - euforisch als hij was in afwachting van de persconferentie.

Drugsspeurhonden snuffelden ter plekke naar geheime plaatsen in barakken, voertuigen en op het terrein. Technici van de recherche plakten stroken folie op de aangetroffen kledingstukken, zodat de laboranten naar overeenkomsten met vezels op de kleren van de slachtoffers konden speuren - het zoeken naar een speld in een hooiberg, zonder welke de bewijsvoering vaak niet mogelijk is.

De gele terreinwagen was tot nu toe niet gevonden.

Ela Bach belde aan bij de ingang van het arrestantenblok, de zoemer ging over en de bewaker achter het raampje zei: 'Als dit zo doorgaat, doe ik valium in het ontbijt van die gekken.'

Ritmisch gebonk tegen stalen deuren. *Boemm-boemm, boemm-boemm.*

Ela liep de trap op. Een zenuwslopend lawaai. Op de gang zag ze Gerres en drie agenten in uniform met getrokken wapens. Ze duwden een Hells Angel op een houten stoel. Daarvoor stond het tafeltje waarop vingerafdrukken werden afgenomen.

Het was een grote kerel met een hoogrood hoofd, dikker nog dan Gerres. Tatoeages in zijn hals, een slordige baard tot op zijn borst - de eerste compositietekening klopte.

Terwijl zijn vrienden in hun cellen steeds meer lawaai produceerden, bood de Hells Angel op de stoel geen verzet. Gerres drukte de vingertoppen van de corpulente man een voor een op het gekleurde kussentje en rolde ze daarna over het formulier. *Fuck the Bandidos* stond er op het T-shirt van de man. De kerel staarde naar Ela's borsten.

Ze liet hem de tweede compositietekening zien. 'Ken je die?'

De biker zei: 'Ik kan je pruim ruiken, kleine.'

Gerres grijnsde.

Adrian Köhler, de man van wie ze de naam hadden, zat niet bij de gearresteerden. Ela verbaasde zich erover dat ze in de computer niets over hem vond, niet in het aangifteregister, noch bij de Rijksdienst voor het Wegverkeer.

Ze gaf naam en compositietekening door aan de opsporingsdienst. Samen met Engel verhoorde ze de Hells Angels. Een van hen noemde zich president van de afdeling Noordrijn-Westfalen van de Hells Angels. De mannen weigerden een verklaring af te leggen en eisten contact met hun advocaat, een bekende strafpleiter die voor de CDU in de gemeenteraad zat - een vriend van de president van de Hells Angels. Alle vier hadden ze een lange criminele carrière, hun strafblad vermeldde van alles en nog wat.

Poetsch kwam even kijken en toonde tekenen van ongeduld - buiten werd het licht, het tijdstip van de persconferentie naderde.

Ela nam de vrouwen onderhanden. Een van de motorclubliefjes was duidelijk zenuwachtiger dan de anderen. Ela onthield haar koffie en sigaretten - dreef haar met steeds weer dezelfde vragen tot wanhoop en kort na zevenen had het clubtrutje al verraden waar Adrian Köhler woonde.

Ze werd steeds spraakzamer: de president van de motorclub had een gele Jeep Cherokee gehad. Die hadden ze in een van de baggermeren bij *Angermund* laten zinken - uit angst dat de auto herkend zou worden.

Engel bestelde duikers en een bergingsvoertuig van de technische dienst om de terreinwagen te zoeken en in beslag te nemen.

De arrestatie van Adrian Köhler was een zaak voor de ME. Ela en haar chef gingen op weg, ze wilden erbij zijn. Engel had het erover dat hij bang was dat als hij over twee jaar van de politieacademie bij de recherche als hoofdinspecteur zou terugkeren, hij alleen nog maar kantoorwerk moest doen. Ela vond dat de lange niet hoefde te doen alsof het niets voorstelde. Het was alleen maar natuurlijk om carrière te willen maken. De voordelen waren groter dan de nadelen.

Ela zat te denken hoe ze het Gerres betaald kon zetten dat hij zich vrolijk had gemaakt over de belediging van dat bendelid. Als ze eerst maar eens de baas van die dikke was.

Ze arriveerden bij de groep auto's, twee blokken van Köhlers adres vandaan. Een rood-witte ziekenwagen, de snelle limousines van de rambo's, een Mercedes-busje met daarin de spullen van de ME en een groene Transit voor het afvoeren van arrestanten.

Alles verliep gladjes - geen vluchtpoging, geen schietpartij, geen ME-er die een collega neerknalde. Het duurde maar een paar seconden.

Engel en Ela gingen naar binnen.

Een Amerikaans straatbordje met het opschrift *Route 666* op de huisdeur - de drievoudige zes als teken van satan. In de gang posters van motorfietsen. Zo'n zes keer een Harley Davidson. In de keuken de gebruikelijke rommel: resten van het ontbijt op de grond en gebroken serviesgoed. Een geïmplodeerde beeldbuis, gescheurde gordijnen. De elitemanschappen waren niet kinderachtig geweest.

Voor een omgevallen tafel lag een jonge man in ondergoed op zijn buik, twee mannen in zwarte pakken hielden een knie op zijn rug en bonden enkels en polsen met plastic riemen bij elkaar. Twee andere ME'ers hielden hun machinepistolen op hem gericht. Boven hen hing een vlag van de Geconfedereerde Staten van Amerika.

'Einde van het huisbezoek', zei de commandoleider. 'Het touwtje zit om het pakje.'

Engel draaide de Angel op zijn rug en hielp hem tegen het tafelblad te gaan zitten. De jonge man maakte een rustige indruk. Een baard als van een Arabische fundamentalist. Ela's blik viel op zijn T-shirt: *Eén procent.*

Ze dacht aan de lijken die ze in de *Body and Soul* had gezien - in de toiletruimte neergelegd en bedekt met doeken. Ze dacht aan het bloed dat de vloer en muren van de sauna bedekte, aan de patroon-hulzen die erin dreven. *Met de moord wilde hij indruk maken op de bende om in de binnenste cirkel te worden opgenomen.*

'Adrian Köhler?' vroeg Engel.

De man knikte.

Engel legde hem uit dat hij in voorlopige hechtenis werd genomen.

De man met de baard vroeg: 'Wat heeft dit te betekenen? Nog maar één week en we zouden de *peetvader* te pakken hebben. Zijn mijn collega's van Georganiseerde Misdaad eigenlijk wel ingelicht?'

Ela had een paar seconden nodig voordat het tot haar doordrong.

De geboeide man was verbijsterd: 'Jullie wisten echt niet dat ik een collega ben?'

'Dat meen je niet', zei Engel.

De kamer voor de vroege ochtendbesprekingen zat propvol. Het was de tweede dag na de saunamoord – de persmuskieten stonden op scherp. Friedrichsen legde een verklaring af over de razzia tegen de Angels. Acht arrestaties, daaronder de president van de afdeling Noordrijn-Westfalen. In beslag genomen: heroïne, dynamiet en wapens, waaronder handgranaten en een machinegeweer dat zo dienst kan doen in een oorlog. De aanklacht luidde: deelname aan een criminele organisatie, brandstichting, afpersing, ongeoorloofd bezit van en handel in wapens en handel in verdovende middelen.

Over de zesvoudige moord repte Friedrichsen met geen woord.

Ela volgde het debacle vanaf de achterste rij.

De districtschef suggereerde dat een van de arrestanten uit de omgeving van de Hells Angels bereid was als kroongetuige op te treden. Agenten onthulden een tafel met daarop in beslag genomen bewijsstukken: het machinegeweer, de handgranaten, pistolen, revolvers en heroïne in grote zakken. Als decoratie een leren jack met de gevleugelde schedel en het opschrift *Hells Angels Deutschland*; een kleurrijk geheel en een paar minuten lang werkte het ook. Een horde fotografen en cameramensen drong naar voren, ze duwden elkaar weg en schoten scheldend hun plaatjes.

Toen nam de opwinding af en kwam de eerste vraag naar de resultaten van het onderzoek in de moordzaak van de *Body and Soul*. Friedrichsen verklaarde de persconferentie voor beëindigd - tumult in de vergaderruimte.

Ela haastte zich naar de kamer van de speciale commissie waar Adrian Köhler zat, die in werkelijkheid Langhammer heette en brigadier was bij RA21, de afdeling voor georganiseerde drugscriminaliteit, een van de drie afdelingen van de groep Georganiseerde Misdaad, afgekort: GM.

Hij weigerde meer te noemen dan zijn personalia. Hij wachtte tot zijn superieuren hem het groene licht gaven.

In de daaropvolgende minuten kwamen ze binnen: afdelingsleiders en groepschefs. Het hoofd van de recherche. Afdelingschef Friedrichsen met het zweet op zijn voorhoofd en een losgemaakte stropdas - hij had het benauwd.

Langhammer koos zijn woorden zorgvuldig - het gezelschap was te groot om te kunnen toegeven dat hij als undercoveragent de wet had overtreden. Steeds weer viel de groepschef Georganiseerde Misdaad hem in de rede, om maar te verhinderen dat men de indruk zou krijgen dat zijn medewerker de Hells Angels actief zou hebben ondersteund.

Stukje bij beetje drong de omvang van de catastrofe tot Ela door.

Samen met de nationale recherche van de Bondsrepubliek en die van verscheidene deelstaten had de GM-groep al ruim een jaar geprobeerd te ontdekken op welke wijze de Hells Angels samenwerkten met de Albanese maffia. De Albanezen brachten grote hoeveelheden heroïne via de Balkan naar Midden-Europa en ruilden die binnen de stadsgrenzen van Düsseldorf deels tegen wapens die ze in Kosovo nodig hadden. Daar terroriseerde de UCK, als militaire arm van de maffia, iedereeen die in de weg liep: Serviërs, concurrerende clans en Kosovaren die neutraal wilden blijven. Dit alles onder het toeziend oog van de KFOR-troepen, die machteloos stonden.

De Hells Angels waren weliswaar slechts een schakel van lokale betekenis, maar tegelijkertijd de enige groepering in het hele spel waar je met succes een spion kon binnensluizen. Het had vele weken gekost om Langhammer te instrueren, en nog eens maanden tot hij zich bij de motorclub naar binnen had geslijmd en in de rang van supporter inzicht kreeg in hun praktijken.

Het werd Ela duidelijk dat de GM-groep het met Langhammer al voor de tweede keer probeerde, nadat Ritters vriend Herbert door zijn ongeluk was uitgeschakeld. De operatie vond in het diepste geheim plaats. Alleen de groepschef van GM en twee medewerkers die contact met Langhammer onderhielden, waren op de hoogte. Na ruggespraak met de nationale recherche hadden ze de Hells Angels hun gang laten gaan in hun oorlog tegen kroegbazen in de oude binnenstad van Düsseldorf - de brandstichtingen en afpersingszaken waren peanuts vergeleken met de zaken die over heel Europa speelden en waarvan het hoogtepunt zich bijna aandiende: komende zondag verwachtten de motorrijders bezoek van de hoogste chef van de Albanese clan, de baas van de heroïnemaffia die de mensen van GM 'Oom Hashim' noemden. Er was sprake van tweehonderd kilo heroïne, die de maffiabaas in zijn bagage bij zich zou hebben. Spul ter waarde van dertig tot veertig miljoen euro. Heroïne tegen wapens. Wat de medewerkers van Engel en Ela die ochtend in het hoofdkwartier van de Hells Angels in beslag hadden genomen, was slechts een klein voorproefje.

Het had waarschijnlijk de grootste drugsdeal van het jaar in de hele Bondsrepubliek moeten worden.

De overval van de Saunagroep had alle plannen tenietgedaan. De naar binnen gesmokkelde undercoverman was onbruikbaar geworden. Nooit meer zou men zo dicht bij de baas van de Albanezen komen.

De groepschef van Georganiseerde Misdaad ging tekeer: door het eigenzinnige optreden van de speciale commissie kon men nu de internationaal opererende kring van drugshandelaren niet aanpakken. Engel en Bach hadden hem moeten inlichten toen ze hun onderzoek op de motorclub gingen richten. Met de arrestatie van een paar Hells Angels kun je hoogstens één of twee dagen de kolommen van de lokale dagbladen vullen - de heroïne zou gewoon naar Duitsland blijven stromen.

'Een politieman op de loonlijst van Oom Hashim had het niet beter kunnen regelen', zei de chef van de GM-rechercheurs giftig.

Ela gooide eruit: 'Wat wil je daarmee zeggen?'

'Het zou niet de eerste keer zijn dat een Duitse rechercheur zich door de Albanese maffia liet omkopen.'

Ela zag Engel zachtjes met zijn hoofd schudden - een teken dat ze zich moest inhouden.

Afdelingsleider Friedrichsen wond zich erover op dat binnen de Centrale Criminaliteitsbestrijding de linkerhand niet wist wat de rechter deed - een duidelijk verwijt in de richting van het hoofd recherche, Dresbach.

Ela had het gevoel dat dit falen pas mogelijk was geworden door de geheimzinnigdoenerij van de GM-rechercheurs. Ze zweeg. Zelfs Dresbach waagde het niet om stelling te nemen tegen Friedrichsen en de mensen van GM.

De besluiten die volgden, accepteerde ze als een reeks natuurrampen waartegen ze niets kon beginnen: de leiding van de Saunagroep droeg Friedrichsen over aan de chef van de 1ste opsporingsgroep, gifkikker Poetsch - Engel en Ela werd de leiding uit handen genomen. Daarop verklaarde de lange dat hij in de periode tot hij op de politieacademie in Hiltrup zou beginnen, nog veel overuren moest compenseren en dus vanaf heden niet meer ter beschikking stond van de recherche in Düsseldorf.

Ela overdacht wat dit alles betekende voor de moord in de *Body and Soul*.

De Jeep Cherokee van hun president had de motorbende al laten zinken toen er in verband met de discobrand melding van de auto was gemaakt - vijf dagen voor het bloedbad. De auto die de zesvoudige moordenaar had gebruikt, was dus een andere terreinwagen.

Met het bloedbad in het fitnesscentrum hadden de Hells Angels niets te maken. Het onderzoek naar de zaak moest weer van voren af aan beginnen.

Gifkikker Poetsch maande Ela: 'De nieuwe Saunagroep komt over een uur bijeen. Zorg dat u op tijd bent. We hebben u het een en ander te vragen, mevrouw Bach.'

Zonder iets te zeggen liep Ela naast de lange over de *Lorettostrasse*. De lucht boven het asfalt trilde. Vlak voor de *Bilker Kirche* vonden ze een café waar ze nog een ontbijt konden krijgen. Ze waren de enige gasten.

Engel praatte over zijn vakantieplannen. Ze zei tegen zichzelf dat ze niet boos op hem mocht zijn. Het was zijn goed recht om zijn overuren op te nemen. Hij liet haar niet met opzet in de steek.

Ten slotte vroeg ze: 'Als het niet de Hells Angels waren, wie dan wel? Toch een psychopaat?'

Haar mobieltje speelde Mozart. 'Ja?'

Het was Thilo Becker. Haar medewerker klonk opgewonden: 'Er ontbreekt kleding van een van de slachtoffers. Die medewerkster van het fitnesscentrum is immers eerst naar het ziekenhuis gebracht.'

'Shit', zei ze onwillekeurig. 'Ben ik vergeten. Bel ze meteen op.'

'Heb ik al gedaan. Ze zeggen dat als de kleren kapot zijn en onder het bloed zitten, ze meteen naar de afvalverbranding gaan. Het ziet er niet goed voor je uit, Ela.'

'Hoezo?'

'De gifkikker zal dit aangrijpen om je op te hangen. Herinner je je nog dat bloedspoor dat naar de sauna leidde?'

'Natuurlijk.'

'Het laboratorium heeft bevestigd dat dat bloed is van die medewerkster. Het lijkt erop dat de dader haar vlak voor zich uit heeft geduwd. Als hij met een van de slachtoffers lichaamscontact had, dan was het met deze vrouw. De gifkikker is in alle staten.'

'Is jullie bespreking al begonnen?'

'Vergeet het maar. Jij wordt geacht je weer met de moord op die verkrachter bezig te houden.'

'Ik ben er over drie minuten.'

'Begrijp je het dan niet, Ela? Je hoort niet meer bij de Saunagroep. Jij doet nu Matysek. Biesinger en ik moeten verder werken aan de saunazaak. Dat betekent dat jij op jezelf bent aangewezen. Het spijt me, Ela. De gifkikker heeft je aan de dijk gezet ... Ik ... ik moet nu stoppen.'

Ela hoorde stemmen op de achtergrond en Thilo beëindigde het gesprek.

Ze legde Engel uit wat er aan de hand was.

De lange probeerde haar gerust te stellen: 'Met de arrestatie van de Angels zal de top naar buiten toe de blits maken. Over Oom Hashim en de Albanezen zal geen hond iets te weten komen. En als het gaat om personeelszaken, heeft het ministerie een duidelijke lijn uitgevaardigd en die luidt: voldoen aan het vereiste quotum vrouwen op het niveau van het middenkader. Je moet het hoofd niet laten hangen. Jij zult de volgende chef van RA11 zijn.'

Ela wist niet zeker of ze die baan nog wel wilde.

37

Leo en Brigitte brachten de spullen naar boven. Ongelooflijk hoeveel speelgoed Dani had. De kleine pakte meteen zijn lego uit en begon te bouwen.

Brigitte vond een vaas voor de bloemen die ze had meegebracht. Ze wilde omhelsd worden - Leo constateerde dat ze was afgevallen. Ze vroeg: 'Weet je wat voor dag het vandaag is?'

Leo antwoordde: 'Donderdag, drie augustus. De dag waarop we een tweede poging wagen.'

'Dat niet alleen. Vandaag veertien jaar geleden hebben we elkaar leren kennen.'

'Ik dacht dat het de vijfde was.'

'Op die dag zijn we voor het eerst met elkaar naar bed gegaan. Typisch, dat jij alleen dat onthoudt.'

Zijn ex ontdekte de reclamefoto boven de telefoon. De Golden Twins. 'Wat is dat dan?'

'Materiaal van de zaak waaraan ik werk.'

'Materiaal?'

'Ja. Dat meisje links is een van de slachtoffers van de moord.'

'Moet dat *hier* hangen?'

Leo haalde de foto van het behang.

'Dani's kamer moet geverfd worden', stelde Brigitte vast. 'Het hele huis moet een beurt hebben. We beginnen er morgen mee.' Ze had het hoogste gezag heroverd.

Leo ging naast zijn zoontje zitten. De kleine liet hem trots een monsterachtig ding van Lego zien, een soort ruimteschip waarmee je aanvallende Klingons kon neerschieten. Blijkbaar had Dani ook gelogen toen hij zei dat hij niet naar *Star Trek* mocht kijken.

'Mamma zegt dat je ander werk hebt.'

'Ja, maar het is geen werk voor een saai burgermannetje.'

'Je werkt nu met je verstand, niet meer met je spieren, toch?'

'Soms heb je ze allebei nodig. Ik ben blij dat jullie er weer zijn. Vanaf nu blijven wij tweeën altijd bij elkaar, oké?'

Zijn zoon had het te druk om te antwoorden. Hij zette een ruimtestation in elkaar - een cadeautje van Thomas, zei de kleine.

De telefoon in de woonkamer rinkelde. Voordat Leo bij het apparaat was, had Brigitte al opgenomen. Ze luisterde en smeet meteen de hoorn weer neer.

'Wie was dat?' vroeg Leo.

'Geen idee. Heeft opgelegd zonder iets te zeggen.'

De telefoon meldde zich opnieuw. Dit keer was Leo sneller. Het was Jasmin.

'Hebt u zonet ook al een keer gebeld?' vroeg hij.

'Ja. Ik dacht dat ik een verkeerd nummer had gekozen. Dan was dat vast uw vrouw.'

Leo wierp een blik op Brigitte die met haar armen over elkaar stond af te wachten. 'Mijn ex-vrouw', zei hij.

'U had nog vragen? Moet ik naar het hoofdbureau komen?' De psychologe klonk terneergeslagen. Veel meer nog dan gisteren, toen ze gehoord had dat haar vriendin Ilka dood was.

'We kunnen ook bij u afspreken. Zegt u maar wanneer het u schikt.'

'Maakt niet uit. Kom nu maar, dan heb ik het achter de rug.'

Leo legde neer en zei tegen Brigitte: 'Binnen hooguit een uur ben ik weer terug.'

'Wie was dat?'

'Een getuige die ik moet verhoren.'

'Ik dacht dat je dienst pas om drie uur begon.'

'Dat geldt voor de recherche, niet voor de speciale commissie. Heb je gehoord van die moord in die sportschool?'

'Verschrikkelijk.'

'Als dat is opgehelderd, zal ik weer veel tijd voor jullie hebben.'
'En waarom heb je tegen die vrouw gezegd dat wij gescheiden zijn?' wilde Brigitte weten.
'Omdat het zo is.'

38

Beate praatte nog steeds niet met hem, maar ze liep ook niet meer weg als ze hem zag. Martin Zander zag daarin een teken dat het beter met haar ging.

In haar deel van de spiegelkast had hij een medicijn gevonden dat ze vroeger niet gebruikt had. *Tavor* - hij bestudeerde de bijsluiter: *voor de symptomatische behandeling van acute en chronische klachten bij gespannenheid, opwinding en angst.* Hij nam aan dat dr. Heinrich wist wat hij deed.

Eerst ging hij nog even bij Tina langs. Collega's van de recherche hadden haar gisteravond een uur lang uitgehoord over Arnie. Waarom hij een paar weken voor de brandstichting bij de *Body and Soul* zijn lidmaatschap had opgezegd. Waarom hij er dinsdag naartoe was gegaan. Of hij Schwarzenberg, de eigenaar, had gekend. Of hoofdagent Arnold Haffke vijanden had gehad.

Tina wist zeker dat het rechercheurs van de speciale commissie waren geweest, niet die lui van Intern Onderzoek. Zander was verbaasd - voor zover hij wist, joeg de speciale commissie op Hells Angels en brandstichters.

Op Haffkes telefoon toetste hij het nummer van de speciale commissie in en vroeg naar Ela Bach. Hij werd doorverbonden met een collega, een zekere Gerres die hem naar het afgesproken codewoord vroeg.

'Rot op met je codewoord', zei Zander. 'Ik wil collega Bach spreken.'

'Het kippetje?'

'Ja, het kippetje dat samen met Engel de Saunagroep leidt.'

'Die zijn klaar met leiden. Ze hebben alle twee niets meer met de onderzoekscommissie te maken. Dat kippetje heeft er een zooitje van gemaakt en die lange is 'm gesmeerd. Wil niet de tweede viool spelen. Poetsch staat nu aan het hoofd van de speciale commissie.'

Gerres vroeg hem of hij de collega was die de wezel had doodgeschoten.

Zander bevestigde dat. Dat scheen de man van de Saunagroep te imponeren, want hij klapte meteen uit de school met de mededeling dat de verdenking van moord tegen de Hells Angels verdampt was. De zaak moest helemaal van voren af aan onderzocht worden. Het codewoord was gewijzigd en luidde tot vrijdagavond *brandblaar* - naar het gezicht van hun collega die in de sauna was omgekomen.

Zander legde neer en besloot dat hij Gerres niet mocht.

De moordzaak lag nu weer helemaal open - hij vroeg zich af wat dat voor hem betekende.

'Heb je een idee waar Arnies auto is?' vroeg Tina.

Dat had hij niet.

'Het is ook mijn auto', zei ze. 'Ik wil hem terughebben.'

De kar van Haffke - misschien dat hij daarin iets zou vinden waaruit op te maken was wat zijn partner in de dagen voor zijn dood had uitgespookt. Zander stak Tina's reservesleutel bij zich en beloofde er achteraan te gaan.

Zijn volgende doel was de neef van Maria - de man die wist welke collega's van de drugsrecherche Matysek hadden gedekt. Het was tevens een van Arnies pokervrienden, vroeger had hij voor Haffke in de drugsscene gespioneerd. Het was hem, beter dan Maria, gelukt om van de spuit af te komen. Maar Zander veronderstelde dat het hem verging als elke ex-junkie - ook Maria's neef zou vast af en toe van een shot dromen.

De poepbruine dienst-Vectra van Zander reed rammelend door het havengebied, de *Kesselstrasse* op en neer, tot hij eindelijk het bordje ontdekte: *Jan Terlinden - interieurvernieuwing en meubelmakerij.* Hij sloeg af en reed de inrit op; de Vectra schommelde bij het rijden over rails en gaten in het wegdek. Zander stopte voor een laadplatform met uitzicht op vuil water dat tegen de kade van het havenbekken klotste.

Een jongen in een blauwe overall snauwde hem toe dat hij hier niet mocht parkeren. Zander vroeg naar zijn baas. De jongen wees naar boven.

Via de buitentrap kwam Zander het kantoor binnen. Niemand aanwezig. Door een raam kon je de hal in kijken. De jongen sleepte planken van een stapel die door iemand anders op maat werden gezaagd.

Zander hoorde een wc doortrekken.

Er ging een deur open die hij niet had gezien omdat er geen klink op zat en over de volle breedte bedekt was met Pamela Anderson in Baywatch-outfit.

Terlinden kwam het toilet uit, een rimpelige kerel met dun, springerig haar om zijn verder kale hoofd. Hij sloot de deur door zijn duim tegen een van Pamela's tepels te drukken.

'Wat kan ik voor u doen?' vroeg hij breed grijnzend.

Zander trok zijn dienstpistool. 'Politie. Routinecontrole. Omdraaien en handen tegen de muur.'

Hij fouilleerde de man snel - geen wapen. Hij beval hem zijn armen te laten zakken en deed hem handboeien om. Daarna deed hij een greep in zijn eigen broekzak.

'Wat hebben we hier nou?'

Terlinden staarde naar de pakjes heroïne van Maria die Zander omhoog hield.

'Wat wil je van me, Zander?'

'Kijk eens aan, je weet nog wie ik ben?'

'Ik heb een goed geheugen voor personen. Ik weet dat je met Arnie in de regionale opsporingsgroep werkt en dat jullie werkterrein aan de andere kant van de *Hofgarten* ligt. Wat is dit voor onzin?'

Zander vergrendelde de deur en haalde een opgerolde doek uit de zak van zijn jack. Daaruit kwamen een spuit, een lepel en een aansteker tevoorschijn. 'Als je je verzet, wordt dit je grootste nachtmerrie, maar als je meewerkt, heb je er een welwillende vriend en helper bij.'

Terlinden zweeg.

Zander zei: 'Een goed geheugen voor personen is een waardevol talent. En je talenten moet je gebruiken.'

'Doe dat spul weg.'

'De aanblik ervan laat je niet koud. Nog steeds niet na al die tijd. Dat is zo, hè, Terlinden?'

'Je kan me wat.'

'Natuurlijk. Namelijk je in een handomdraai naar de hel sturen. Ik weet hoe je moet spuiten. Ik weet alleen niet of de naald schoon is.' Zander strooide iets op de lepel, spuugde erop en roerde erin met zijn vinger. Hij hield de aansteker eronder om het spul op te koken. De drab begon te pruttelen.

'Je bent de grootste schoft die ik ken, Zander.'

Zander doopte de naald in de drab en liet de spuit omhoog komen. 'Er is eigenlijk maar één probleem. Hoe gemakkelijk heb je niet een overdosis te pakken?'

Op het voorhoofd van Terlinden verschenen zweetdruppeltjes. Hij tilde zijn geboeide handen op. 'Ik vertel wat je wilt weten, maar doe die spullen weg.'

'Eerst vertel je me alles wat je weet over Matysek. Ik hoop dat je je hem ook herinnert.'

Maria's neef liet een zenuwachtig lachje horen. 'Vraag maar aan Arnie. Ik heb geen zin om alles twee keer te vertellen.'

Zander legde de spuit weg en ramde zijn elleboog in de maag van de meubelmaker. Hij keek door het raam. De twee werknemers waren braaf aan het werk. Terlinden kromp ineen en hapte naar adem.

Haffke had dus ook bij Maria's neef naar de ex-politieman gevraagd. De badmeester was ijverig geweest, en dat achter Zanders rug om. 'Mij interesseert maar één ding: Wie dekte Matysek toen hij nog bij de drugsrecherche zat?'

De voormalige junkie kreunde.

'Wat zeg je?'

'Zijn baas.'

'Poetsch? Geloof ik niet.'

'Toch is het zo. Die was het.'

Terlinden vertelde over situaties die aan duidelijkheid niets te wensen over lieten en waarvan hij indertijd getuige was geweest. Hij noemde de namen van anderen die eveneens op de hoogte waren en Zander noteerde alles op ruitjespapier dat hij op de stoffige tekentafel had gevonden.

Poetsch in eigen persoon. De gifkikker had het geweten en had door de vingers gezien dat Matysek zich liet omkopen, van junkies stal, in beslag genomen heroïne voor eigen gebruik achterhield en wat overbleef verkocht aan verslaafden die hij zijn tipgevers noemde.

Poetsch zou niet zelf hebben deelgenomen aan de zaakjes van Matysek. Zoiets zag je wel vaker: een zwakke chef gooide het op een akkoordje met het zwarte schaap om de rust in de tent te bewaren.

Hiermee had Zander het afpersingsmateriaal in handen dat hij nodig had om zijn baan te behouden, zelfs als de interne speurneuzen de bontzaak op het spoor zouden komen.

'Was dat het?' wilde de meubelmaker weten.

'Heeft Arnie ook naar een zekere Christoph Larue gevraagd?'

'Die moest ik hem zelfs aanwijzen.'

'Hoe bedoel je?'

'Ik heb voor Larue meubels gemaakt. Hij is een klant van me. Arnie kwam mij met zijn nieuwe vriendin opzoeken. Ze stonden hier voor het raam te kijken hoe Larue in de hal fineer uitzocht.'

'Wat wilde Arnie van Larue?'

'Waarom vraag je hem dat zelf niet?'

'Omdat hij dood is.'

Terlinden moest die informatie even verwerken.

'Arnie is vermoord. Lees jij geen krant?'

'Weet Maria het al?'

Zander bevestigde dat. Hij bracht de lepel met de opgeloste heroine naar de wastafel en spoelde die af. In Terlindens ogen las hij: wat zonde!

Hij maakte de handboeien los. De meubelmaker wreef over zijn polsen en vroeg: 'Heeft Larue hem omgebracht?'

'Dat is gek. Je bent al de tweede die die mogelijkheid oppert.'

'Hoe is het dan gebeurd?'

'Heb je niet gehoord over die toestand in de *Body and Soul?*'

'Getver.'

'Vertel me eens wat meer over die nieuwe vriendin van Arnie.'

'Een jong ding. Arnie vroeg haar of Larue degene was die ze bedoelde. Voor zover ik weet, ging het om cocaïne. Het meisje had daarvoor bij een tandarts gewerkt die het spul aan zijn patiënten verkoopt. Bankiers, politici, types uit de showwereld, je weet wel. De happy few. Het meisje had schulden bij haar baas en Arnie heeft haar vrijgekocht. Ik schat dat ze zelf zwaar aan de coke was en dat Arnie weer eens de barmhartige Samaritaan speelde. Je weet hoe hij was. En die Larue had kennelijk een vrij grote partij sneeuw bemachtigd en werd daarmee een concurrent van de tandarts.'

'Het ging dus om afpersing.'

'Arnie was altijd kien op handeltjes, en dealers haatte hij als de pest. Waarschijnlijk wilde hij terugkrijgen wat hij in dat meisje had geïnvesteerd.'

Zander veronderstelde dat Haffke met de afpersing in eerste instantie indruk wilde maken op zijn nieuwe vriendin en daar zijn aandeel uit de juwelendiefstal van zaterdag aan had vergooid. Echt iets voor de badmeester: *Baby you can turn me on.*

'Rest nog de vraag wie Arnie wilde afpersen - Larue of de tandarts?'

Terlinden trok zijn schouders op. 'Geen idee. Weten ze intussen al wie Arnie ...?'

'Nee. De dader is nog niet opgespoord.'

Zander pakte de telefoon van Terlinden. Voor de tweede maal die dag probeerde hij Ela Bach te bereiken. Met wat hij wist, kon ze de moordenaar van Haffke oppakken. Met haar hulp zou hij Intern Onderzoek de wind uit de zeilen nemen. Ze verkeerden beiden in een situatie waar je bondgenoten nodig hebt.

Bij RA11 was ze niet, haar gsm stond uitgeschakeld en bij haar thuis kreeg hij alleen het antwoordapparaat.

Hij rolde de spuit en de lepel in de doek en zag dat Terlinden al een poosje verlekkerd naar de twee zakjes heroïne stond te staren. Hij vroeg aan de meubelmaker: 'Heeft dat meisje toevallig ook een naam?'

'Imka of Inka. Zoiets, een bijzondere naam.'

Zander herinnerde zich het slachtoffer dat als laatste geïdentificeerd was - de vrouw waarmee Haffke in de sauna had gezeten. 'Je bedoelt Ilka. Ilka Fischer.'

'Precies.'

Zander wierp hem de heroïne toe. 'Dat spul mag je houden. Maak er een mooie dag van. Als je een hart in je donder hebt, laat je ook iets over voor je nicht.'

De meubelmaker mompelde een bedankje.

Een half uur lang reed Zander rondjes door de straten in de buurt van de *Body and Soul* zonder Arnies rode Honda te ontdekken. Daarna reed hij rammelend alle binnenplaatsen af. Voor zover er parkeerplaatsen waren, waren die zonder uitzondering gereserveerd voor omwonenden - waarschuwingsborden dreigden met wegslepen.

Eén telefoontje naar de verkeerspolitie en Zander wist dat Arnies auto op het terrein van de firma Bender op zijn eigenaar wachtte.

Het kostte Zander honderdzesenzeventig euro om de wagen van het sleepbedrijf mee te krijgen. Hij maakte hem met Tina's reservesleutel open en besloot de Honda coupé te onderzoeken op een plek waar geen publiek was. Zijn dienstauto liet hij bij de inrit naar het wegsleepbedrijf staan.

Hij reed de weg omhoog naar het *Grafenberger Wald*. De renbaan daar had verschillende parkeerterreinen. Het terrein dat het verst van de baan af lag, werd buiten de rendagen alleen maar gebruikt door wandelaars en op donderdagochtend liep daar bijna niemand. Zander gooide de vloermatten eruit, trok de wieldoppen eraf en keek onder het reservewiel. Hij voelde tussen de bekleding van de zijkant, demonteerde de stoelen en porde in de tank. Hij haalde de grote luidsprekerboxen uit elkaar die - zoals van de badmeester te verwachten was - onder de achterruit lagen en voelde zich net Gene Hackman als Popeye Doyle in *The French Connection* - op zoek naar gesmokkelde heroïne.

Na veertig minuten had hij alles weer in elkaar gezet.

Niets. Geen sieraden van de laatste buit. Geen drugs, geen contanten. Geen aantekeningen die hem hadden kunnen verraden, ook niet op de plattegrond. Zelfs uit het afval achter de stoelen kon je niets opmaken over Haffkes activiteiten.

Behalve een zenderzoeker, een Sony-walkman van het duurdere soort die ook als opnameapparaat kon worden gebruikt, en een half dozijn cassettes zonder opschrift was er niets belangwekkends te vinden.

De zenderzoeker was zo'n geval dat je in winkels kon krijgen die bewakingsapparatuur verkochten. Haffke had dat ding en de walkman met een kabeltje aan de autoradio gekoppeld. Zander zette de ontvanger aan en draaide het volume van de autoradio hoger. Hier buiten bleef het op de ingestelde frequentie volkomen stil. Voor de politieradio had Haffke in ieder geval niet veel belangstelling gehad.

39

Jasmin zag eruit alsof ze een kater had. Ze maakte een norse indruk en keurde Leo aanvankelijk nauwelijks een blik waardig. Ze pakte de gieter weer op die ze had neergezet en ging verder met het water geven van haar planten.

'Ik begrijp niet wat u nog van me wilt.'

'Wilt u nu weten hoe het staat met de opheldering van de moord op uw vriendin of niet?'

Jasmin nam hem enkele seconden lang op. Daarna begoot ze de palmen aan beide kanten van de bank.

'Ilka Fischer is de enige van de slachtoffers op wie meer keren is geschoten', ging Leo verder. 'Ze is het enige slachtoffer dat geen enkele binding had met de fitnessstudio. U hebt zelf gezegd dat ze niet aan bodybuilding deed. Wellicht ging het bij de moord om drugs.'

'Hoe komt u daarbij?'

'In Ilka's lichaam zijn sporen van cocaïne gevonden', zei Leo. Het was niet echt een leugen - als de patholoog ernaar zou zoeken, zou hij die vinden. 'Gebruikt u zelf cocaïne?' vroeg hij.

'U bent een vreemde rechercheur.'

Onwillekeurig tastte Leo naar de pakjes cocaïne in zijn broekzak. Het ene was bijna leeg. 'Hoezo?'

'Nou moet u eens luisteren. Wat zou er gebeuren als ik zo'n vraag met ja zou beantwoorden?'

'Wist u dat Ilka coke gebruikte?'

'Ja. En mede daarom heb ik haar het huis uitgezet. Ik wou dat spul niet in mijn huis. Ze noemde me burgerlijk. Ze begreep niet dat ze mij en mijn vriend daarmee in moeilijkheden zou brengen.'

Jasmin had een vriend. Natuurlijk.

Leo moest ineens denken aan de chique pakken die hij in de kast had zien hangen, aan de scheerspullen in de badkamer. Die behoorden toe aan de vriend van de psychologe, niet aan Ilka's ex-lover die hier had gewoond, de ex-musicus en zoon van de tandarts.

Leo vermande zich. 'Ik zou graag de naam en het adres van uw vriend willen hebben.'

'Waarom?'

'Misschien moeten we hem als getuige horen.'

'Hij kende haar nauwelijks. Bovendien heb ik het uitgemaakt en ik wil niet dat hij bij deze zaak betrokken raakt.'

Ze bracht de gieter naar de slaapkamer.

Hij volgde haar. 'Hij is dus uw ex-vriend?'

Ze goot water in een terracottapot waaruit een bananenplant oprees.

'Hij heet Darius Jagenberg, woont op de *Albrecht-von-Hagen-Platz* en als u hem naar mij vraagt, zal hij waarschijnlijk zeggen dat hij me niet kent. Hij is getrouwd en leidt het *Geminag*-concern. Als u hem naar Ilka vraagt, zal hij zeker zeggen dat hij haar niet kent. Hij is haar op zijn hoogst één of twee keer tegengekomen.'

De zwartwitfoto met de oudere heer die hij maandag voor Ilka's vader had gehouden, stond niet op zijn plaats op het fruitkistje. Hij lag op het bed - Jasmin volgde Leo's blik.

Ze draaide de foto om. 'Ik was tot gisteren zijn minnares. En vandaag gaat het niet goed met me. Bent u nu tevreden?'

'Denkt u dat hij chantabel was? Omdat u een verhouding met hem had?'

Jasmin nam de tijd voordat ze antwoordde.

Ze gingen terug naar de woonkamer. Het viel Leo op dat er, behalve de zwartwitfoto in de slaapkamer en de exotische plaatsjes aan de muur, verder geen foto's waren. Geen herinneringen aan vroeger, geen familiefoto's.

De psychologe pulkte voorzichtig een sigaret uit de verpakking die op tafel lag. Leo pakte de aansteker en gaf haar vuur. Jasmin stond heel dicht bij hem.

Hij beefde ondanks het snufje coke dat hij had genomen en nam het vuur in zijn linkerhand.

Ze boog zich over zijn hand en raakte die met de hare aan. 'Darius laat zich niet afpersen. Hij had affaires voor mij en zal die altijd wel hebben. Hij is er de man niet naar om zich te laten afpersen. Hij heeft geen last van zijn geweten en weet wat hij doet.'

Leo zag dat naast haar telefoon een notitieblokje lag. Bovenaan stond zijn nummer. 'U kunt me altijd bellen als u nog iets te binnenschiet over Ilka. Dag en nacht.'

'Uit wat ik in de krant heb gelezen, maak ik op dat de moord op Ilka iets te maken heeft met de brandstichtingen in de oude binnenstad. Als dat zo is, was Ilka slechts een toevallig slachtoffer.'

Leo voelde zich warm worden: 'Zoals gezegd, onderzoeken wij momenteel alle mogelijkheden.'

'U bent niet toevallig persoonlijk bij deze zaak betrokken?'

Een schot in de roos. Hij wachtte totdat hij er zeker van was dat hij met rustige stem kon antwoorden. 'Leer je als psychologe ook gedachten lezen?'

'U hebt Ilka dus gekend?'

Die zat, en goed ook. Hem bleef alleen nog de vlucht naar voren. 'Als ik eerlijk moet zijn, ben ik persoonlijk meer geïnteresseerd in de andere helft van de Golden Twins.'

'Oh ja. Doet u dat altijd? Het aanleggen met vrouwelijke getuigen?'

'Ik weet het niet. U bent de eerste.'

Jasmin pakte zijn rechterhand. Die trilde een beetje in de hare. 'Hebt u het zo te pakken?'

'Te veel overgewerkt. Dat gaat wel weer over.'

Ze liet hem los en deed haar armen over elkaar. 'Dat ligt in ieder geval niet aan mij.'

'Jij roept bij mij nog iets heel anders op.'

'Dan moest je misschien maar eens naar een dokter gaan.'

Hij voelde aan dat hij voorzichtig te werk moest gaan. 'Heb je zin om vanavond met mij uit eten te gaan?'

'Ilka zou nu ja hebben gezegd.'

'En Jasmin?'

'Ik kan niet op de ene avond het met mijn vriend uitmaken en de volgende avond weer lief doen tegen een nieuwe.'

'Ik heb het over eten. Ik heb het over de Italiaan in de stadspoort. Jij vertelt over je reizen naar vreemde volkeren en ik vertel jou over onze stad zoals je die gegarandeerd nog niet kent.'

'Alleen maar eten en praten?'

'Eten en praten.'

'Maar niet voor achten.'

Leo opende de deur van zijn flat.

'Hoe was het?' riep Brigitte hem uit de keuken tegemoet. Ze had het servies en de glazen op het aanrecht gezet en maakte de binnenkant van de bovenkastjes schoon. Andere vrouwen werkten als tandtechnicus of gaven als psycholoog trainingen. Brigitte deed het huishouden. Alsof hij niet bewezen had dat hij ook zonder haar poetswoede niet in het vuil omkwam. Brigitte had de flat in bezit genomen alsof ze nooit was weggegaan.

Het werd hem duidelijk hoe saai zijn ex-vrouw eigenlijk was.

Leo wilde bij Dani gaan kijken.

Brigitte zei: 'Trouwens, Olli heeft gebeld.'

'En?'

'Ik moest je zeggen dat ene Massimo vannacht is gestorven.'

40

Terwijl de speciale commissie bijeenkwam in de kamer voor de vroege ochtendvergaderingen, ruimde Ela haar bureau in de kamer van de Saunagroep op. Haar computer sleepte ze terug naar haar eigen kamer. Ze begon het dossier van Matysek te bestuderen en probeerde haar ongenoegen over de ontwikkelingen van de laatste uren te verdringen.

Ze herinnerde zich dat ze Larue had gewantrouwd omdat hij de overval door Matysek en zijn handlanger eerst had willen verdoezelen, evenals de verkrachting van zijn vrouw. Volgens Ela opereerde Larue zelf met één been in de illegaliteit.

De suikerpot - bij amateurs een geliefde bergplaats voor drugs. Mogelijk had Larue geprobeerd te dealen en had een professionele dealer die daar last van had, zijn knechtje Matysek erop af gestuurd. Precies het soort klusje dat Ela de ex-smeris wel toevertrouwde. De opdrachtgever van Matysek kon op zijn vingers uitrekenen dat Larue niet naar de politie zou gaan. Hij moest zijn knechtje echter wel uit de weg ruimen toen ze achter diens identiteit waren gekomen. De handlanger van de verkrachter was de sleutelfiguur. Hij was of de moordenaar van Matysek of een belangrijke getuige.

Ela verzamelde alles wat ze over deze tweede man wist - gezien de verklaring van de buurman was hij een meter tachtig lang en begin twintig. Volgens Verena wat gezet. *Hij heeft geen woord gezegd*, stond in de verklaring die ze ondertekend had. *Hij gedroeg zich vreemd*, had haar man verklaard. *Alsof hij het er niet mee eens was* dat Matysek de prinses verkrachtte. *Alsof hij stond te huilen.* Vermoedens.

Ze las de verslagen van Becker en Biesinger, die op zoek waren gegaan naar de winkel waar de kampeeruitrusting was gekocht waarmee Matysek zich in het struikgewas achter de Rijnhaven van Neuss had verstopt. Haar collega's waren alle zaken in Düsseldorf langsgegaan.

Ela bleef erbij. Als die kampeerspullen pas gekocht waren nadat Matysek op maandag was ondergedoken, dan had zijn handlanger dat waarschijnlijk gedaan - zij had, als zij voortvluchtig was geweest, zich ook niet onder de mensen begeven. Het gevaar om te worden herkend zou te groot zijn geweest.

Ela vroeg de secretaresse van RA11 haar de Gouden Gids te geven om naar adressen buiten de stad te kunnen zoeken. Ze belde met een zaak in Hilden en beschreef de voorwerpen die op de plaats delict in beslag waren genomen. De verkoper kon zich niets herinneren, zijn cheffin was niet in de winkel.

Dat bracht Ela ertoe om de verslagen van haar collega's eens wat beter te bekijken. Biesinger had zorgvuldig genoteerd dat het personeel met wie hij had gesproken, die hele maandag in de winkel aanwezig was geweest. In Beckers notities ontbrak die aanwijzing.

Ze zou ze allemaal moeten checken en desnoods bij de winkels waar de blonde was geweest, nog een keer langs moeten gaan. Op dit moment was haar collega niet te bereiken - die zat in een bespreking van de speciale commissie.

De telefoon rinkelde – Thann van Intern Onderzoek. 'Ik wil je even waarschuwen, Ela.'

'Waarvoor?'

'Poetsch ligt op ramkoers. Ik heb de indruk dat men in jouw team tegen je samenspant en dat ze, nu Engel weg is, de groepschef tegen je opzetten.'

'Dat is niets nieuws.'

'Dresbach heeft een dossier op zijn bureau gekregen. Daarin geeft Poetsch jou er de schuld van dat de speciale commissie niet met het team van GM heeft samengewerkt. Bovendien zou je in de saunazaak een belangrijk spoor hebben verknoeid. Is daar iets van waar, Ela?'

'En al was dat zo. Iedereen maakt wel eens een fout.'

'Ik wil open kaart met je spelen, Ela. De baas van de recherche vindt dat zware verwijten en weet niet wat hij moet doen. Het gaat hier natuurlijk niet om zomaar een moordzaak. Je weet dat ik zo ongeveer Dresbachs rechterhand ben en ik heb wel enige invloed op hem.'

'Wat wil je?'

'Ondertoezichtstelling en schorsing zijn zwaar geschut en ik zou liever zien dat de chef dat aan mensen oplegt die het verdienen.'

Schorsing - dat het zover zou komen, dat had Ela niet gedacht. Ze overwoog de mogelijkheid dat Thann haar misschien alleen maar schrik wilde aanjagen. Ze vroeg zich af of die kerel soms dacht dat hij haar voor de gek kon houden?

Hij vroeg: 'Ben je daar nog?'

'Ja. Ik wacht op de deal die je me wilt voorstellen.'

'Ik heb met Zanders informant gesproken, die stotteraar, Bodo Heintze, je kent hem wel. Ik verdenk Zander en Heintze ervan dat ze vorig jaar te weten zijn gekomen dat er bij bontatelier Schenkenstein ingebroken zou worden. Wiesmann ging als het brein van die bende de bak in. Toen hem duidelijk werd dat hij slechts Zanders marionet was, ging hij er vandoor om zijn aandeel veilig te stellen. Zander heeft hem met opzet gedood.'

'Dat geloof ik niet.'

'Hij heeft het zo ingekleed dat jij als getuige van de schietpartij zijn noodweerversie hebt ondersteund. Tijdens ons gesprek dinsdag had ik de indruk dat jij niets van die bontroof en de verdwenen buit afwist. Is dat zo?'

'Ja.'

'Dan heeft Zander jou schaamteloos gebruikt om Wiesmann om te brengen. Je moet er maar eens over nadenken.'

'Ik kan me dat niet voorstellen.'

'Mannen als Zander ondermijnen het systeem. Doe je niet naïever voor dan je bent, Ela. Er zijn maar twee mogelijkheden. Of je legt een verklaring af tegen Zander of je speelt met hem onder één hoedje.'

'Wat voor verklaring moet ik afleggen?'

'Ik zal iets op papier zetten. Je hoeft het alleen maar te ondertekenen.'

'En wat levert mij dat op?'

'Geen schorsing, geen procedure voor ondertoezichtstelling, niet eens een aantekening in het personeelsdossier.'

'Dat is te weinig.'

'Ik denk dat dit een fatsoenlijk aanbod is. Maar ik zal met Dresbach praten of er meer in zit.'

'Hoe zit het met de functie van teamchef?'

'De opvolging van Engel? Dat zijn wel erg grote schoenen. Ik weet niet of dat wel een goed idee is. De stemming in jouw groep is daar niet bepaald naar. Misschien dat de baas van de recherche een baan voor je vindt die geschikter is. We praten er morgenochtend vroeg over. Om acht uur op mijn kantoor?'

'Goed', zei Ela.

Een baan die geschikter is - wat dachten die heren wel niet?

Ze had dorst gekregen en opende haar kast om een fles water uit een kist te halen die ze er bewaarde. Toen haar blik op de spiegel aan de binnenkant van de deur viel, ontdekte ze iets donkers aan haar oor.

Ze draaide haar hoofd. Haar oorschelp was zwart gekleurd. Ze wreef erover, maar de kleur bleef zitten. Ze vloog naar haar bureau en streek met haar vinger langs de hoorn van de telefoon. Het topje van haar vinger werd zwart.

Zilvernitraat.

Een stof voor het prepareren van bankbiljetten. Die tast het bovenste laagje van de huid aan en kleurt die donker.

Ela rende de kamer uit, de gang op. De bespreking van de speciale commissie was net afgelopen. De medewerkers stroomden de vergaderzaal uit. Sommigen grinnikten toen ze Ela's oor zagen.

Ze schoot Gerres aan: 'Ik kan dat niet leuk vinden, klootzak!'

Daarna verliet Ela het hoofdbureau.

In de tram bedekte ze haar oor alsof ze haar hoofd in haar hand liet rusten. Thuis ging ze aan het schrobben met een washandje en veel zeep. Daarna ontkurkte ze een fles wijn.

Aangifte doen? De strijd voortzetten?

Als ze Thann moest geloven, stond het hoofd van de recherche niet meer achter haar.

Je trekt altijd aan het kortste eind.

Ela dacht aan collega's die door zulke incidenten voor een andere locatie hadden gekozen en liever meer dan honderd kilometer per dag op en neer reisden. Sommige vrouwen zeiden hun baan op. Anderen zagen zelfs daarin nog geen uitweg en beroofden zich van het leven - dat vrouwen in het voormalige mannenbastion gelijke rechten hadden, was je reinste 'wishful thinking' waarin alleen nieuwelingen en politici geloofden.

Ela nam een flinke slok. Ze negeerde de telefoon die steeds weer rinkelde.

Het antwoordapparaat sprong aan en een mannenstem sprak op de band in: 'Hallo, Ela. Ik ben het, Ingo Ritter. Ik heb een leuke woning in de aanbieding die ik je graag eens ...'

Ze trok de telefoonstekker uit de muur.

Op een gegeven moment werd er hard op de deur geklopt.

'Ela?' riep iemand van buiten.

Ze pakte de nog halfvolle fles op, schonk zichzelf in en rook het boeket: voorjaarsbloemen, grassen, groene appels.

Ze bedacht dat juist die collega's het ergst waren, die net deden alsof ze het goed met haar voor hadden. *Rot op. Laat me eindelijk met rust!*

'Doe open. Alsjeblieft!'

Ela keek uit het raam. Volgens het weerbericht kwam er vanaf de Atlantische Oceaan een lagedrukgebied naderbij. Nu lag de stad nog onder een blauwe hemel. Waarom zat ze niet allang op haar balkon? Misschien wel de laatste kans om nog wat zon te scoren.

'Ik heb iets gehoord dat interessant voor je is', riep de man voor haar deur. 'Ik geloof dat de zaak Matysek en het bloedbad in de *Body and Soul* met elkaar samenhangen!'

Ela schrok even. Ze dacht na, wat niets opleverde.

'Laten we samenwerken!'

Ze gooide een paar rondslingerende kledingstukken de slaapkamer in. Ze veegde de kranten van tafel en schopte ze in één keer onder de bank.

Klop-klop-klop - de oude macho liet het er niet bij zitten.

Ela deed open.

Na een pot koffie en drie sigaretten voelde ze zich weer min of meer nuchter. Ze probeerde te achterhalen wat het verhaal van haar collega voor haar betekende. Voor haar positie binnen RA11 en voor de deal die Thann haar had aangeboden.

Volgens Martin Zander had zijn partner Haffke samen met Ilka Fischer een grote cocaïnedealer afgeperst. De mediaplanner Larue en een tandarts voor wie Ilka had gewerkt, zouden ook bij de zaak betrokken zijn. Het eerste deel paste bij wat Ela zelf al had bedacht: Larue als concurrent van de tandarts, Matysek als diens knechtje - Zander zei dat hij een getuige had.

De rest was speculatie.

'Waarom zou Haffke uitgerekend de sauna in de *Body and Soul* als plek voor de overhandiging van het geld hebben gekozen?' vroeg Ela.

'Omdat hij dat in de bioscoop heeft gezien. Dat leek hem veilig.

Hij heeft me eens verteld hoe cool hij het vond dat in die film twee concurrerende maffiabazen elkaar voor onderhandelingen in een Turks bad ontmoetten. En de sauna in de *Body and Soul* was de enige die hij kende.'

'Dat is toch onzin!'

'Zo was Haffke. Je had hem moeten zien.'

'Ik heb hem gezien, helaas.'

'Ik bedoel toen hij nog leefde.'

Ela wist niet of ze de oude macho kon vertrouwen. De laatste keer dat ze met hem onder één hoedje speelde, kostte dat het leven aan een voortvluchtige gevangene die hem blijkbaar voor de voeten liep.

'Waarom kom je met dat verhaal bij mij?' vroeg ze.

'Omdat ik er niet in geloof dat Poetsch de moordenaar van mijn partner gaat vangen.'

'We moeten het tegen Poetsch zeggen. Zonder de speciale commissie kunnen we niets beginnen, noch tegen de tandarts noch tegen Larue.'

'Dat zie ik anders, Ela.'

Ela vroeg zich af waar Zanders bedenkingen tegen de gifkikker vandaan kwamen. Zander werkte in bureau Noord, Poetsch in de vesting - die twee konden niet in elkaars vaarwater hebben gezeten.

'Dan gaan we naar RA34. Die gaan over drugsdelicten.'

'Onmogelijk. Bij de drugsrecherche kun je niemand vertrouwen die daar ten tijde van Matysek al werkte. En dat geldt voor minstens de helft van de afdeling.'

Ela bedacht dat Poetsch tot twee jaar geleden RA34 had geleid. Dat was het dus. Zander wist iets over haar groepschef wat hij voor Ela verborgen wilde houden.

Hij zei: 'Je kunt het beste met Dresbach zelf gaan praten. Als hoofd van de recherche kan hij alles in het werk stellen wat nodig is om de bende dealers op te rollen.'

'Dan zou Thann er ook bij betrokken moeten worden. Want met Matysek en Haffke zijn twee voormalige politieambtenaren in deze zaak verwikkeld. Reden genoeg om de afdeling Intern Onderzoek in te schakelen. En als het hoofd recherche jouw bedenkingen tegen de drugsrecherche deelt, móet hij dat zelfs doen.'

Zander liet niets merken - de ouwe zak was uiterst geslepen. 'Wat is het probleem, Ela? Met jouw charme kun je ook die interne speurneuzen wel voor je karretje spannen.'

Dat was het hele geheim, dacht Ela: iedereen gebruikt iedereen. Iedereen haalt iedereen onderuit. Of probeert het althans. Zo waren de spelregels en Ela kon die niet veranderen.

41

Zander hoopte dat het kippetje zijn toespeling had begrepen. Hij had het gevoel dat Thann met haar gesproken had en bezig was Ela tegen hem in stelling te brengen. Hoeft geen slecht teken te zijn, dacht Zander. De strop om zijn nek werd weliswaar steeds nauwer, maar Intern Onderzoek had nog niet genoeg bewijs om hem dicht te trekken.

Zander zei tegen zichzelf dat hij zich met een lijst van getuigen die tegen Poetsch verklaringen zouden afleggen, perfect had ingedekt.

Op de passagiersstoel in de auto van Haffke lagen nog altijd de radio-ontvanger en de walkman - op de terugweg naar bureau Noord stopte Zander het eerste van de zes bandjes in de recorder.

Een geruis, daarna twee stemmen in een dialoog. Een man en een vrouw.

Hij: *Als ik aan die jeep denk, word ik er nog beroerd van.*

Zij: *Voor jullie huis?*

Vlakbij. Ik moest over een tuinmuurtje springen om mezelf in veiligheid te brengen.

Hij was vast dronken.

Haar stem klonk jong. Duidelijk jonger dan die van de man.

Ik weet niet.

Denk je dat de Engelsen je willen ombrengen?

Nee. Je hebt gelijk. Die kerel moet dronken zijn geweest.

Blijf vannacht hier. Bij mij ben je veilig. Ik heb niemand iets over ons verteld.

Zander negeerde het getoeter van een auto achter hem - een taxichauffeur vond dat hij op de linkerrijstrook van de Rijnoevertunnel te langzaam reed. Afluisteren en op de band opnemen - het paste perfect bij zijn theorie dat Arnie iemand had afgeperst.

De spoelen draaiden verder. Hiphop, rap, hits van jongensbandjes. Jingles: *Eins Live macht hörig.* Zander hoorde radiomuziek van een slechte geluidskwaliteit tot het bandje afliep. Allemachtig, hoe lang had Haffke wel niet op de loer gelegen?

Denk je dat de Engelsen je willen ombrengen - de Engelsen als codewoord voor een concurrerende drugsbende?

De cassettes droegen geen opschrift - Zander kon niet zien in welke volgorde ze opgenomen waren. Hij wist alleen dat geen enkele rechtbank ze als bewijsmateriaal tegen de drugshandelaren zou accepteren. Haffke had de gesprekken illegaal opgenomen.

Zander bereikte het politiebureau in de *Ulmenstrasse* en reed door. Hij had zich bedacht - op het bureau was hij niet veilig voor nieuwsgierige collega's.

Met in zijn hand de cassettes opende hij zijn voordeur. Beate lag in de woonkamer en deed haar middagslaapje. Zander liep de kamer van Pia in.

Toen hij de installatie van zijn dochter aanzette, klonk er een 'plop'.

Hij legde het zojuist afgeluisterde bandje erin. De andere kant.

De vrouwenstem zei: *One, two, testing, testing. De Golden Twins zijn weer on tour.* Het klonk alsof ze direct in de microfoon sprak – er was minder galm bij dan bij de eerdere stemmen.

Zander vermoedde dat Ilka zojuist het afluisterapparaatje had geïnstalleerd. Dus deze kant van de cassette bevatte het allereerste dat Haffke had opgenomen. Hij zocht een viltstift met onuitwisbare inkt en schreef *Nr. 1* op het grijze plastic.

Verder. Zander hoorde voetstappen, daarna muziek. Bij Tom Jones moest Zander weer aan badmeester Haffke denken: *Baby you can turn me on!*

De bel ging, het nummer werd zachter gezet.

De vrouw begroette de oudere man. Ze leken over ditjes en datjes te praten. Eten, het weer. Hij drong er bij haar op aan te stoppen met roken - en klaagde over eindeloze vergaderingen met raden van bestuur die zijn kamer vol rook zetten. De twee klonken als een liefdespaar dat elkaar lang genoeg kende om niet meer meteen met elkaar het bed in te duiken, maar nog niet lang genoeg om de fase van het wederzijdse aftasten al te hebben afgesloten.

De twee verruilden de woonkamer voor de slaapkamer, het werd stil. Weer radiomuziek die naar de achtergrond werd gedrongen door een kort afscheid. Woorden van de radiopresentator: *Acht uur. De radionieuwsdienst.* Blijkbaar had Haffke zowel 's morgens als in de avond op zijn afluisterpost gezeten.

Het volgende bandje.

Radiomuziek. De nieuwsberichten, weer muziek. Zander herkende Mariah Carey. Hij vond troost bij de gedachte dat het voor Haffke nog veel frustrerender geweest moest zijn om in de auto te wachten en niets anders te horen dan het gekweel van smartlappen. Zander liep naar de keuken om een glas melk te halen. Toen hij terugkwam, werd de muziek net afgebroken.

Een sprong in de tijd: een ander tijdstip, mogelijk een andere dag. Een jongere man dan op het eerste bandje zei: *Je kunt binnenkomen, Jasmin. Hij is er niet.*

Ze antwoordde: *Blijf alsjeblieft totdat ik gepakt heb.*

Geen probleem.

Wacht bij de deur, als je wilt. Ik wil niet dat mijn ex ons overvalt. Geluiden. Gerommel en geritsel. Het duurde een hele poos.

Toen kwam haar stem, zachtjes en van heel dichtbij: *One, two, testing, alles in orde? De Golden Twins nu ook live uit de slaapkamer.*

Nog een vertrek voorzien van afluisterapparatuur.

Je hebt iets gemist, liever. Ik weet al wie de brief gaat bezorgen.

Het meisje had zich direct tot Arnie Haffke gewend. Ze wist dat hij meeluisterde.

Bijna gelijktijdig begon de man te praten: *Ik ben het, Leo. Heb jij mij opgepiept?*

Een telefoontje, concludeerde Zander, gevoerd vanuit de andere kamer.

Via het eerste afluisterapparaatje klonk het: *Betekent dat dat ik bij de eenheid blijf?*

Klik. Einde van het bandje.

Weer niets over handel in cocaïne. *Je hebt iets gemist* - de tweede man heette Leo. Dat hij de vrouw Jasmin noemde, irriteerde Zander. Aan de meubelmaker had Haffke het meisje voorgesteld als Ilka. En welke eenheid bedoelde die gozer?

Nog een cassettebandje.

De eerste, oudere man zei: *Mijn vrouw zuipt en mijn zoon ziet ze vliegen. Ik heb er zo genoeg van. Er is ingebroken en Claudia doet net alsof ik daar iets aan kan doen. Zo gauw ik deze zaak heb afgesloten, dien ik een verzoek tot echtscheiding in. Ik ben er morgenavond weer en dan heb ik alle tijd voor je.*

De vrouw antwoordde: *Dat heb je al zo vaak gezegd.*

Ik zal je niet meer teleurstellen, liefje.

Hoe staat het met die reis naar Amerika? Moet je die fondsmanagers niet nog een keer spreken?

Dat is niet meer nodig. Ik ben in principe met de Engelsen tot overeenstemming gekomen.

Zander wist nu wie de man was wiens echtgenote Claudia heette. 'De Engelsen' was niet de codenaam van een drugsbende, maar een concurrerend concern.

Zijn geliefde zei: *Maar op het nieuws ...*

Ik onderhandel alleen nog maar voor mezelf, niet voor Geminag. De Engelsen bieden vijftig miljoen als ik mijn raad van toezicht zover krijg dat zij in het nieuwe concern de meerderheid verwerven. Bij zeventig hap ik toe. Dat noem je een gouden handdruk.

En de aandeelhouders?

Tot op het laatst zal het lijken alsof ik in hun belang handel. Ik sta sterker dan ooit. Ik bepaal de regels.

En de arbeidsplaatsen die daarbij verloren gaan? Je hebt gezegd dat ze een paar divisies zullen sluiten.

Ze brengen ze als eigen maatschappij naar de beurs.

Dat betekent toch hetzelfde.

Zander kauwde op een mueslireep.

Ik zou dat vroeger of later ook hebben moeten doen. Ik denk nu alleen maar aan jou en mij. Zodra ik die provisie heb geïncasseerd, is het uit met verstoppertje spelen. Jasmin, ik hou van je. Binnenkort zijn we er alleen nog voor elkaar.

Zander spoelde terug.

Er is ingebroken en Claudia doet net alsof ik daar iets aan kan doen.

Het gesprek was op dinsdag opgenomen. 's Ochtends was de inbraak bij de familie Jagenberg ontdekt en 's avonds om tien uur was Arnie dood.

Op de B-kant was te horen hoe die twee lagen te neuken.

Ook Jagenberg noemde het meisje Jasmin. Iets klopte er niet. Toen ze de microfoons installeerde en met die Leo praatte, klonk de jonge vrouw onverschillig. Als ze bij Jagenberg was, klonk het alsof ze echt van hem hield.

Ze speelde haar rol perfect. Te perfect.

Zander wisselde van cassettebandje. Steeds weer. Hij luisterde aandachtig en vergeleek de stemmen totdat hij het verschil hoorde. *De Golden Twins zijn weer on tour* - die meisjes waren blijkbaar een tweeling. Jasmin en Ilka. Tegenover Leo was Ilka in de rol van haar zus geglipt. Als Jasmin had ze voor Haffke de flat van haar zus voorzien van afluisterapparatuur.

Aan de hand van het radionieuws dat op alle bandjes wel ergens te horen was, zette Zander de opnames in de juiste volgorde.

Op een ander cassettebandje hoorde hij een Jagenberg die de strijd tegen de Engelsen nog niet had opgegeven.

Het vliegtuig was weer eens te laat.

Jasmin, de echte Jasmin, vroeg: *Hoe was je dag?*

Ik haat die promotietours. Die stomme opgeblazen koppen.

Het gaat je lukken. Je hebt die fondsmanagers nodig. Je zult ze aan jouw kant krijgen.

Valt dit nu onder mentale training?

Lachen.

Hij: *De samenwerking met de Fransen is van de baan.*

Wat jammer.

Aan de fusie valt nu niet meer te ontkomen. De vraag is alleen nog wie die 51 procent krijgt. Wij of de Engelsen.

Je raad van toezicht zal naar jou luisteren, Darius. Wie kracht uitstraalt, stelt de regels vast.

Ik heb een cadeautje voor je meegebracht. Zou je dat voor mij willen dragen?

Tjonge, het lijkt wel een duikerspak.
Jagenberg vroeg: *Wat doe je nu?*
Zander hoorde een geluid. Het klonk als het ratelen van een jaloezie die naar beneden werd gelaten.
Jagenberg: *Zit die gluurder weer op het dak?*

42

Ze hadden het kuiken opgebaard in het mortuarium van de begraafplaats *Südfriedhof.* Massimo was in uniform, zijn zwarte haren waren naar achteren gekamd. Zijn gezicht had de wasbleke kleur van de dood.

Massimo Buonaccorso, die zoveel van het leven verwacht had. Het kuiken had geprobeerd net zo te worden als hij - en was door zijn voorbeeld gedood.

Leo besloot naar Friedrichsen te gaan en alles op te biechten. Hij was het van het begin af aan van plan geweest. Hij mocht geen rekening meer houden met Enders en Adomeit. Hij moest ophouden zijn depressies alleen maar voor zich uit te schuiven met dope en alcohol.

Er weerklonken voetstappen op de grijze tegels.

Het was Massimo's vriendin, helemaal in het zwart. Ze groette niet, maar Leo merkte dat Ivana hem had herkend. Stil en eensgezind stonden ze naast de dode.

'Hij ziet er zo anders uit', zei het meisje na enige tijd.

'Ik dacht dat de operaties goed verlopen waren en dat hij er zo langzamerhand weer bovenop kwam.'

'De zuster op de intensive care zei dat Massi aan sepsis is gestorven.'

'Sepsis?'

'Een infectie. Het projectiel moet op de een of andere manier besmet zijn geweest. Het schot heeft de stof door de long verspreid. Ze hebben het met alle mogelijke antibiotica geprobeerd.' Ivana begon te snikken.

Hij voelde zich niet in staat een arm om haar heen te slaan. Hij kon haar niet troosten. Hij was schuldig aan dit alles.

Toen ze kalmeerde, vroeg hij: 'Heb je al gehoord wanneer de begrafenis is?'

'Maandag om tien uur.'

Begraafplaatsen hoorden net als ziekenhuizen en spreekkamers van dokters tot de plaatsen die Leo sinds de dood van zijn broertje had gemeden.

Ivana zei: 'Ik heb gehoord dat Massi geraakt zou zijn door iemand van jullie eenheid.'

'Ik heb ... dat ook gehoord', antwoordde Leo en voelde zich een lafaard.

'Massi zou niet op zijn plaats zijn gebleven en zo is het toen gebeurd.'

'Hij was een goede jongen.'

'Ja. Het ga je goed, Massi.' Ze wendde zich van de dode af. 'Hij heeft naar je gevraagd.'

'Naar mij?'

'Vannacht. Hij is wakker geworden, heel even. De zuster op de intensive care dacht dat Massi zich bij jou wilde verontschuldigen. Dat wilde ik je nog zeggen.'

De kamers van de medische dienst van de politie lagen aan het eind van de gang waar ook de recherche huisde. Leo meldde zich op de administratie en ging in de ruimte ernaast bij de wachtenden zitten, zonder uitzondering mannen die naar de benen van de doktersassistente staarden als ze binnenkwam om iets in de dossierkast op te zoeken. Ze droeg een walkman en haar witte jas zat erg krap. Een keer bukte ze zich om iets uit de onderste la te pakken. Toen ze weer weg was, zei de collega naast Leo: 'Je kunt zelfs zien wat ze gegeten heeft.'

Leo dacht de hele tijd alleen maar aan Massimo, wiens dood hij op zijn geweten had en aan alle leugens die hem verhinderden zijn oude rust te hervinden.

Na een tijdje schoof de doktersassistente het luik open en zei tegen Leo dat hij aan de beurt was.

In de spreekkamer werd hij begroet door de politiearts. Het was een vriendelijke brildragende man die bijna met pensioen ging. 'U komt voor het eerst hier op mijn spreekuur?'

Leo antwoordde: 'Ik ben eigenlijk ook niet ziek. Het komt alleen maar door de zenuwen.'

'Vertelt u dan maar eens wat er aan de hand is.'

Hij somde op: drukte op het werk en privézorgen. Een scheiding. Financiële problemen. De ruzies om de voogdij waarmee hij het de laatste weken vooral moeilijk had gehad. Hij bedacht dat de dokter elke dag te maken had met medewerkers met dezelfde problemen als hij. Hij voegde eraan toe: 'Bij mijn laatste ME-actie is een van de jongens in mijn bijzijn dodelijk verwond. In de nacht van zondag op maandag. Ik heb dat nog niet verwerkt.'

'Zo,zo', zei de arts. 'U trilt.'

Leo strekte zijn hand uit. 'Ik heb alleen wat rust nodig. Misschien kunt u mij de rest van de week … Mijn collega's kunnen ook wel een paar dagen zonder mij.'

'Legt u uw handen eens op tafel, alstublieft.'

Hij gehoorzaamde. Zijn rechterhand bleef trekken hoewel die op het tafelblad lag. De hele arm schudde. Dokters hadden Leo altijd al op zijn zenuwen gewerkt. Goden die bij iemand naar binnen konden kijken. Zijn broertje hadden ze van de ene op de andere dag met chemicaliën en gammastralen gebombardeerd. Hij had beter wat dope kunnen snuiven, maar de dokter had dat misschien wel gemerkt.

Leo zei: 'Stuurt u me nu alstublieft niet naar de psych. Normaal kan ik wel omgaan met stress.'

De witte jas liet hem opstaan en in de spreekkamer heen en weer lopen. Hij liet hem iets opschrijven. Hij vroeg aan Leo: 'Schreef u vroeger iets groter?'

'Mogelijk.'

'Komt u 's morgens maar moeilijk uw bed uit?'

'Voor wie geldt dat niet?'

'Struikelt u soms zonder dat er sprake is van een hindernis?'

Leo zweeg.

'Wanneer hebt u deze tremor voor het eerst geconstateerd?'

'Dat beven? Ruim een week geleden.'

De dokter pakte een formulier uit een brievenbakje en krabbelde daar wat op. 'Ik verwijs u eerst maar eens door naar een neuroloog.'

Neuroloog - was dat niet gewoon een andere naam voor psychiater? Leo had geen zin om voor een paar vrije dagen nog naar een andere dokter te gaan. Hij had er spijt van dat hij hier überhaupt naartoe was gekomen.

'Dat is echt niet nodig, dokter. Ik moet alleen maar even echt tot rust komen. Mijn vrouw is bij me terug. Dat komt weer goed. Eigenlijk ben ik alleen maar zo nerveus door de dood van mijn collega. Ik ben niet iemand die bij elk pijntje naar de dokter holt, echt niet.'

'Dat neem ik direct van u aan. Toch zou de neuroloog bij u eens een magneetresonantie-tomogram moeten maken.'

'Een wat?'

'Als het is wat ik denk, moeten we daar niet mee wachten. In een vroeg stadium is de ziekte het best te behandelen.'

'Welke ziekte?' Even zag Leo zich wegens zijn cocaïnegebruik in de beklaagdenbank zitten. Een smeris als cokesnuiver. Maar om dat te kunnen bewijzen zou er bloed bij hem moeten worden afgenomen. Daarvoor had je geen magneetresonantiedinges nodig.

De dokter nam zijn bril af en wreef in zijn ogen. 'Ik ben van huis uit chirurg, geen neuroloog. Maar de symptomen zijn duidelijk. Het schudden van uw hand alsof u deeg aan het roeren bent.'

Leo besloot de politiearts niet serieus te nemen. Hij was als alle doktoren. Ze leefden van de ziekten van de mensen en ontdekten die overal.

'Morbus Parkinson, meneer Köster. In het Duits *Schüttellähmung* genoemd, een verlamming die je doet schudden. De meeste mensen krijgen de ziekte van Parkinson pas na hun zestigste. Kent u Michael J. Fox, de Amerikaanse acteur? *Back to the future*? Die heeft het ook op uw leeftijd gekregen.'

'Ik kan dit soort grappen niet waarderen.'

Alsof Leo het Latijn machtig was, sprak het hoofd van de medische dienst over verwoeste substantia nigra en gebrek aan dopamine, over hypokinese en akinese, decarboxylase-remmers en bijwerkingen. In Engeland werden er proeven gedaan met stamcellen uit de middelste hersenen van geaborteerde foetussen en een Schotse universiteit zou een patent hebben genomen op een procédé waarmee men zulke cellen uit bevruchte eicellen kon kweken. Maar logistiek gezien was dat nog een hele tour, in ethisch opzicht barbaars en bovendien in Duitsland verboden.

Leo kon niet begrijpen wat deze vreemde, afschrikwekkende woorden met hem te maken hadden. Hij herinnerde zich alleen maar hoe geschokt hij was geweest toen hij jaren geleden op de televisie naar Mohammed Ali had zitten kijken. De grootste sportman van de twintigste eeuw die in Los Angeles het Olympisch vuur ontstak - schokkend over zijn hele lichaam en daardoor bijna niet in staat zich te bewegen.

Zou hij er binnenkort ook zo uitzien - als een hulpbehoevende idioot?

De dokter zei: 'Het is niet te genezen, maar met L-Dopa zijn de symptomen heel goed te bestrijden. Ik zal contact opnemen met de neuroloog. We zullen ervoor zorgen dat u een plaats in een kliniek krijgt. In Aken zijn ze heel goed op dit gebied. U moet geen wonderen verwachten, maar bij een juiste behandeling ontwikkelt de ziekte zich wel aanmerkelijk langzamer.'

Leo pakte het geelwitte verwijsbriefje aan. 'Kan het niet ook op een andere manier? Ik slik vitamines en mineralen en heb de indruk dat het al beter gaat.'

De politiearts schreef iets op. Een telefoonnummer. 'In *Neuss* is een vereniging die u het adres van een zelfhulpgroep kan geven. Daar leert u mensen kennen die hetzelfde probleem hebben. U bent niet de enige. U kunt ermee leren omgaan.'

'Zei u Parkinson?'

De dokter knikte.

'Ik kan het me niet veroorloven arbeidsongeschikt te worden. Bovendien heb ik plezier in mijn werk.'

'We zullen zien wat we kunnen doen. We hebben ook twee medewerkers met multiple sclerose bij de politie. En als het in de actieve dienst niet meer zou gaan, dan zoeken we iets op het hoofdkantoor. De financiële afdeling of zo. Maakt u zich maar geen zorgen. We nemen onze zorgplicht serieus, meneer Köster.'

'Eigenlijk wilde ik alleen maar een paar dagen ...'

'Natuurlijk, de ziekmelding. Dat doen we uiteraard ook', zei de dokter terwijl hij een turkooisblauw papiertje uit het brievenbakje pakte.

Toen Leo langs de administratie naar buiten liep, glimlachte het jonge ding met de walkman en de lange benen naar hem. Hij besloot niet in paniek te raken. Die dokter had het niet goed gezien. De witte jas had het zelf gezegd: Parkinson kreeg je normaal gesproken pas boven je zestigste en de man was chirurg, geen neuroloog.

43

Ela stapte voor de vesting uit de tram. Het was deze middag nog altijd stralend weer.

De portier keek op van zijn krant - niet hoger dan Ela's borsten.

In het kantoor voor dat van Dresbach rook het naar verse koffie. De secretaresse glimlachte: 'Klopt u maar gewoon.'

Dresbach zat net op de laatste hap van een broodje te kauwen. Hij verfrommelde het papier en gooide het in de richting van de prullenbak. 'Ik verwachtte u al, mevrouw Bach.'

'Ik kom niet vanwege de speciale commissie', antwoordde Ela. 'Ik heb fouten gemaakt en verlang niet van u dat u mij die commissie weer laat leiden. Ik ben hier vanwege de zaak Matysek. Ik heb uw hulp nodig.'

Ze vertelde wat ze wist over Matysek, over Larue en over de jetset-tandarts. Over Arnold Haffke en Ilka Fischer als afpersers die in de *Body and Soul* uit de weg waren geruimd. Toen Ela haar theorie herhaalde, merkte ze dat ze er zelf in begon te geloven. Dat Zander haar die had ingefluisterd, vermeldde ze niet.

'Dat zou een interessant keerpunt in de zaak betekenen', concludeerde het hoofd van de recherche.

Ela vroeg zich af hoe ze hem duidelijk kon maken dat ze niet met de leider van de speciale commissie, Poetsch, wilde samenwerken.

Maar Dresbach was haar voor: 'Voor we de speciale commissie op zijn kop zetten, moesten we een paar betrouwbare mensen van de drugsrecherche en van Intern Onderzoek die aanwijzingen maar eens laten nagaan.' Hij drukte op een knop van zijn telefoontoestel. 'Paula, wil je tegen Thann zeggen dat hij even naar mij toe komt? En Juretzki van RA34. Ja, nu meteen. Dank je.'

Ela dacht na. *Voor we de speciale commissie op zijn kop zetten* - ook het hoofd van de recherche beschouwde kennelijk haar groeps-chef, gifkikker Poetsch, als onbetrouwbaar.

Thann was niet weinig verwonderd Ela op het kantoor van zijn baas aan te treffen. Drugsrechercheur Juretzki bevestigde dat hij bekend was met geruchten uit de scene, maar dat er tot nu toe niet genoeg aanknopingspunten waren om een verzoek in te dienen om de telefoon van de tandarts af te luisteren of zijn huis te doorzoeken. Hetzelfde gold voor zijn zoon, een voormalig musicus, die in de binnenstad een winkel in fetisjmode dreef.

Dresbach liet zijn secretaresse koffie serveren. Daarna zei hij: 'We krijgen toestemming om de telefoon af te luisteren zodra we de verklaring van die meubelmaker over Ilka Fischer en haar vriend Haffke zwart op wit hebben. Juretzki, u gaat daar achteraan. Tot het zover is, moet het observatieteam de tandarts in de gaten houden en meteen ook zijn zoon en die Larue. Dag en nacht. Thann, dat is uw taak. Mevrouw Bach, u houdt zich verder met de moord op Matysek bezig. Geen woord tegen de speciale commissie en ook binnen RA34 mag niet bekend worden, dat wij een onderzoek instellen naar de handel en wandel van de tandarts.'

Toen de bespreking ten einde liep, wist Ela dat ze er goed voor-stond. Thann vergezelde haar op de gang. Tot aan het trappenhuis moest hij dezelfde kant op.

'Gefeliciteerd', zei hij.

Ze vroeg: 'Hoe zit het met Poetsch?'

'Laten we het liever over Martin Zander hebben.'

'Morgenochtend vroeg.'

Voor de paternosterlift bleven ze staan. Thann keek haar aan en zei: 'Zander heeft jou op het spoor van die meubelmaker gezet. Hij wil jou in zijn kamp.'

'Zander is een vos. Het is mogelijk dat je bij hem tegen een muur oploopt. Ik wed dat hij weet wat er niet deugt aan Poetsch. Daarmee kan hij dan de politietop manipuleren.'

'Hij kan helemaal niets.' Thann leunde losjes tegen de muur, ging met zijn tong langs zijn lippen terwijl hij Ela aandachtig opnam. 'Mocht er aan Poetsch inderdaad iets niet deugen, zoals jij zegt, dan is dat een zaak die alleen Poetsch betreft. Wij nemen netjes afscheid van hem, het hoofdbureau blijft buiten schot en de poging van Zander loopt op niets uit. Zo staan de zaken.'

'Huichelaar die je bent.'

'Ik wil alleen maar voorkomen dat je je een verkeerde voorstelling van de krachtsverhoudingen maakt. Poetsch is naïef. Zander is een lelijk stuk chagrijn. En het zou doodzonde zijn als een collega die nog maar net aan het begin van haar carrière staat, over hem zou struikelen.'

'Is dat een bedreiging of een aanbod?'

'Daar praten we morgen over. Om acht uur op mijn kantoor.'

44

In de etalages stonden figuren die er met hun maskers en pakken uitzagen als personages in een sciencefictionfilm - een kruising tussen een insect en een mens. Zander vond het een belachelijk idee dat iemand die bij zijn volle verstand was, zoiets zou aantrekken.

Hij hoorde geen winkelbel toen hij binnenstapte. Het felle licht in de zaak verraste hem. Muren en vloeren waren van een koel wit - Zander had een muffige tent verwacht met veel rood licht. De vrouw aan de toonbank zat te telefoneren en lette niet op hem.

In het voorste gedeelte van de winkel hing de kleding net als in een boetiek aan een stang. Alleen was alles bijna uitsluitend zwart en van rubber. Op een tafel lagen reclamefoldertjes: *Instituut voor excentrieke rubbermode, voor bijzonder pikante party's* - die gekken kwamen steeds schaamtelozer uit voor hun voorliefde.

Het winkelmeisje, dat veel ringetjes in haar gezicht had, was nog altijd aan het bellen. Zander slenterde verder. De klerenstandaards werden afgewisseld door stellingen. Kettingen, riemen, klinknagels. Klemmetjes en gewichtjes. Kappen, knevels, dildo's met pompjes.

Rubberen broeken en gasmaskers. Zadels, zweepjes, stalen halsbanden. Een opblaasbare bodysack van dubbelwandig rubber voor 495 euro. Een strafmasker met ventiel en ademzakje voor 425 euro. De daaraan te bevestigen mondknevel van het merk *Butterfly* was in de aanbieding. Een handboek met als titel: *De dienstmaagd met de latex broek* - Zander staarde naar de foto op de omslag en wist niet of hij moest lachen of kotsen.

Eindelijk had Sina Dorfmeister hem ontdekt. 'Bent u niet de rechercheur die vorige week bij mij was in verband met die inbraak? Is er nieuws?'

'Ja. De man schijnt ook elders actief geweest te zijn.'

Zander vroeg haar of ze Claudia of Darius Jagenberg kende.

Ze schudde haar hoofd.

Een vrouw van haar leeftijd die Verena Larue heette?

Ook niet.

Hij moest denken aan het gesprek dat hij had afgeluisterd: wat Jagenberg voor zijn minnares had meegebracht. *Het lijkt wel een duikerspak* - de gluurder had naar hen staan kijken, de latex body van Sina Dorfmeister gejat en die in Jagenbergs villa gedeponeerd.

Zander vroeg: 'Kent u een zekere Jasmin?'

'Ja, natuurlijk. Jasmin heeft hier een paar keer als oproepkracht gewerkt toen ze nog studeerde. De baas kende haar van vroeger. Ze hebben wel eens samen muziek gemaakt.'

'Hebt u misschien haar adres?'

'Nee, maar ik geloof dat ze ergens in *Bilk* woont. *Martinstrasse, Merkurstrasse* of zoiets. Iets met een M.'

'Wanneer is ze ermee gestopt?'

'Een paar maanden geleden, toen ze haar diploma had en voor zichzelf is begonnen. Ze organiseert inmiddels cursussen psychologie voor managers of zo. Ze verkeert nu in een ander circuit dan een winkelmeisje als ik.'

Dat klopt, dacht Zander. Jasmin had toch maar mooi de topman van *Geminag* aan de haak geslagen.

In de Honda van Arnie reed hij door *Bilk*. De *Martinstrasse* af naar beneden, omhoog de *Merkurstrasse* op. Hij keek op de plattegrond en besloot om ook de *Merowingerstrasse*, de *Max-Brandts-Strasse* en de *Mühltalerstrasse* aan de andere kant van de zuidelijke ring mee te nemen.

Naast hem lagen de walkman en de radio-ontvanger - Zander raakte de afstemknop niet aan. Hij had Schmiedinger advies gevraagd. De oude man dacht dat Zander iets zou moeten horen zodra hij op een afstand van minder dan tweehonderd meter langs de woning met de afluisterapparatuur zou rijden - als er tenminste in een van de kamers geluid gemaakt werd.

Zander draaide de geluidssterkte hoger. Uit Arnies boxen kwam slechts geruis.

45

Leo had Brigitte in de waan gelaten dat hij naar zijn werk was gegaan.

De tijd tot het rendez-vous kroop maar langzaam voorbij. Hij slenterde langs de *Kö* en bestudeerde onder de arcaden bij uitgeverij *Pressehaus* de uitgestalde exemplaren van *Blitz* en de *Morgenpost*. Leo had nooit eerder zo veel belangstelling getoond voor het economiekatern. Dat stond vol berichten over de ex-geliefde van Jasmin. *GSM-topman Jagenberg strijdt voor arbeidsplaatsen in Düsseldorf,* schreef *Blitz.* De *Morgenpost* kopte - pessimistischer - op de voorpagina: *Samenwerking met France Telenet op de tocht - verliest Geminag bondgenoot in strijd om onafhankelijkheid?* Onder een grafiek stond: *Aandelen mobiele telefonie schommelen sterk.*

Leo vond een openbare telefoon, belde met de Italiaan en reserveerde een tafeltje voor twee personen. In de telefooncel speelde hij met de gedachte iets te snuiven. Hij deed het niet - voor het avond was, zouden de ontwenningsverschijnselen verdwijnen. Dan zou hij het spul niet meer nodig hebben, hoopte hij.

Hij slenterde doelloos door de *Hofgarten.* Hier en daar verschenen enkele wolken aan de hemel, voor de nacht was er onweer voorspeld. Een jonge vrouw die hem tegemoet kwam joggen, deed hem aan Ilka denken. Een man met donker haar die op het gras zat te lezen,

255

herinnerde hem aan Massimo. Aan de rand van de vijver stond, leunend op zijn looprek, een oude man. Leo vervloekte de spoken die hem achterna zaten. Zou hij zelf binnenkort een looprek nodig hebben? Hijzelf en die politiearts leken wel gek. Parkinson - wat dacht die witte jas wel om hem zo de schrik op het lijf te jagen? Leo verfrommelde het verwijsbriefje en het papiertje met het nummer van de zelfhulpgroep en gooide ze allebei in de dichtstbijzijnde papierbak. Hij liep over een parkeerplaats in de doodlopende straat naast de stadspoort. De roltrap bracht hem op het niveau van het café en het restaurant. Hij was te vroeg, zijn tafeltje was nog niet vrij. Leo verbaasde zich erover hoe vol het er was. Hij bestudeerde de gerechten, die met krijt op een bord waren geschreven. Als hij zich beperkte tot een gerecht met pasta, zou het niet te duur worden. Jasmin zou waarschijnlijk zeetong of kalfsfilet kiezen - ze was verwend. Door Jagenberg.

Op het toilet nam hij nu toch maar een snufje coke. Hij bedacht dat geld ook niet alles was - Jasmin had de directeur de laan uitgestuurd. Leo was minstens vijftien jaar jonger. Hij was sportief en zag er goed uit. Ook een psychologe had hij heel wat te bieden.

Om half acht was er nog steeds niets vrij. De chef liep bedrijvig door zijn restaurant, zei om de andere tafel: 'Scusi, eten komt direct' of: 'Signore, Signori, heeft gesmaakt?'

Leo klaagde en kreeg een glas Prosecco. Vanaf zijn plaats aan de bar kon hij het hele café overzien, het verhoogde gedeelte voor de ingang, de brug die vanaf de parkeergarage hierheen leidde.

Precies om acht uur kreeg hij zijn tafeltje voor twee, vlak bij het raam dat uitkeek op het *Bürgerpark* en op het parlementsgebouw van de *Landtag*. Een kelner bracht twee menukaarten, boter en rauwe groente, blijkbaar gratis. De chef kwam langs: 'Va bene?'

Leo bestelde een grote fles mineraalwater. Toen de kelner die bracht, zei Leo dat hij nog even met het eten wilde wachten totdat zijn vriendin er was. De kelner had daar begrip voor.

Tien over half negen. De San Pellegrino was voor de helft leeg. Zijn buren zaten te smoezen over Leo, die steeds weer opstond om te kijken wie er het restaurant binnenkwam.

Hij gaf het op en bestelde een portie *Penne alla Siciliana*.

46

Zander deed de deur open. In de hal liep Beate op hem toe en viel hem snikkend om zijn nek. Haar hele lichaam schokte, haar ogen waren rood en opgezet.

'Zullen we weer lief zijn voor elkaar?' vroeg hij.

'Ja, graag.'

'Je hoeft niet te huilen. Alles komt goed.' Zander kon niets anders bedenken.

'Gooi die tabletten alsjeblieft weg', zei ze.

'De dokter denkt dat ze helpen.'

'Ze maken me alleen maar moe. Ik moet toch de hele tijd aan Basti denken. Waar zou hij nu zijn?'

'Ik weet het niet.' Hij wist hoe graag ze zou horen dat Sebastian in de hemel was. Dat de Heer hem bij zich had geroepen. Maar die domineestaal kreeg Zander niet over zijn lippen. Hij voelde aan dat ze daarmee evengoed niet tevreden zou zijn.

Beate zei: 'Hij zou nog in leven zijn als hij in een gordel had gezeten.'

'Dat is pure speculatie.'

'En ik heb veel te hard gereden.'

'Dat heeft de tegenpartij beweerd. Maar dat klopt niet. Je weet toch dat de rechtbank heeft bevestigd dat je niet te hard reed. Je moet niet zo piekeren, Beate. De chauffeur van die Mercedes was dronken. Het was zijn schuld.'

'Met nul komma zeven promille ben je niet dronken.'

'Alsjeblieft, stop daarmee. We hebben dat toch al duizend keer doorgenomen.'

'Zeg tegen me dat je de zaak niet hebt gemanipuleerd.'

'Onzin. Dat heb ik niet.'

'Hoe kwam je zo snel op de plaats van het ongeluk?'

'Dat weet je toch. Ik was onderweg en had de radio aan.' Hij had inderdaad geen invloed hoeven uitoefenen. Toen Zander aankwam, vonden zijn collega's het zelfs niet nodig Beates remspoor op te meten. De agent die de zaak op het bureau behandelde, noteerde in het proces verbaal gegevens die hij zelf had verzonnen. Dat de andere

257

partij van links was gekomen en duidelijk minder goed in staat was om te rijden, had de zaak vereenvoudigd. Sinds die tijd speelde Zander af en toe een spelletje schaak met degene die de zaak had behandeld. Die agent vroeg hem telkens hoe Beate het had verwerkt.

Ze klampte zich aan hem vast. Het deed bijna pijn. 'Ik ben zo blij dat ik je heb.'

Na het actualiteitenprogramma *Tagesschau* ging Zander naar de badkamer en controleerde de lade met medicijnen aan Beates kant van de spiegelkast. Een pakje *Tavor* was het enige dat hij vond. Hij besloot de pillen niet weg te gooien - dr. Heinrich kende Beate al vele jaren.

Zander legde Beate uit dat hij nog even weg moest.

De Honda van Arnie - de scanner en walkman lagen op de passagiersstoel.

Na twintig minuten bereikte Zander de wijk *Bilk*. Hij doorkruiste nog eens twintig minuten lang de straten tot er plotseling gekraak uit Arnies boxen kwam. Hij stopte direct, reed een stukje terug en het geluid werd duidelijker: radiomuziek. *Eins Live*, de jongerenzender van de *Westdeutsche Rundfunk*.

Zander hoorde een telefoon overgaan en de stem van Jasmin: *Ja? ... Je wilde je spullen toch laten afhalen. Ik heb de hele tijd op je chauffeur ...*

Plotseling was er alleen nog geruis in de ether.

Hij was te ver gereden. Hij gaf gas, sloeg driemaal rechtsaf en stond weer stil op de hoek van de *Martinstrasse*.

Jasmin vroeg: *Waar bel je vandaan? Nee, ik wil niet dat je komt. Stel niet van die domme vragen. Ik moet eerst over alles nadenken.*

Wist ze dat ze afgeluisterd werd? Zander sloeg de *Martinstrasse* in, dit keer in de andere richting. Als het geluid net zo duidelijk was als op Haffkes cassettebandjes, zou Zander weten dat hij haar huis had bereikt.

Nee, Darius. Kom alsjeblieft niet!

Een klik - ze had opgehangen.

Zander reed stapvoets verder. Hier ergens woonde ze. Binnen een straal van tweehonderd meter.

47

Leo betaalde en maakte dat hij wegkwam. Hij kon nu niet gewoon naar huis rijden.

De nieuwbouw in de *Merkurstrasse*.

Op de derde etage brandde licht. Jasmin.

Hij verborg zich in de ingang van het huis aan de overkant en staarde naar boven, naar de verlichte ramen. Af en toe schoof er een schaduw voorbij.

De deur van het portiek achter hem zat niet op slot. Leo beklom een afgesleten stenen trap. Hij maakte geen licht. Hij hoorde geluiden uit de huizen komen: muziek, tv's, gelukkige mensen.

Zachtjes liep hij verder omhoog. Hij stelde zich voor dat er plotseling een deur openging en een bewoner hem zou vragen wat hij hier deed. Hij wilde alleen maar even een blik op Jasmin werpen.

Op elke etage hetzelfde: geen ramen, alleen glazen bouwstenen waar je niets doorheen kon zien. Hij had het pand ernaast moeten nemen.

De treden stopten voor een stalen deur. Hij kwam op de zolder die zich over de volle breedte van het huis uitstrekte.

Het was er warm en benauwd, geen zuchtje frisse lucht. Aan het eind klonk gezoem. Door kleine, schuine raampjes drong maar weinig licht binnen – slechts de zwakke weerschijn van de straatlantaarns.

Leo liep verder, stootte tegen balken aan, raakte verstrikt in lege waslijnen. Zijn schoenen veroorzaakten opwervelend stof – er lag gedroogde duivenpoep. Langs de schoorsteen leidde een stalen ladder naar een luik in het dak. Hij klom naar boven.

De grendel klemde. Leo sloeg ertegen met zijn vlakke hand tot het pijn deed. Eindelijk maakte de pin een knarsend geluid en kon Leo het luik openen en naar buiten klimmen.

Hij durfde niet te proberen of de dakspanten zijn gewicht konden dragen - hij bleef waar hij was en hurkte tegen de schoorsteen.

Er waren wolken voor de sterrenhemel geschoven. Vanaf de zuidelijke ringweg bracht de wind het geluid van het avondverkeer naderbij en ergens op een van de binnenplaatsen was een feestje gaande dat juist zijn hoogtepunt bereikte. Leo moest aan het verjaardagsfeestje van Olschweski denken. Als Olli en Adomeit hem nu eens hierboven konden zien.

Met zijn ogen zocht hij de tegenoverliggende huizenrij af en vond de woning van Jasmin. Vanuit zijn hoge positie herkende hij het fruitkistje en het bed in de ene kamer, de palm en de bank in de andere. De foto's aan de muur vielen buiten zijn blikveld. Toen Jasmin naar de keuken liep en daar het licht aandeed, zag hij door de openstaande kamerdeur niet meer dan een deel van de vloer. Af en toe haar benen.

Ongeveer vijf minuten bleef ze daar, daarna liep ze tussen de twee kamers op en neer alsof ze aan het opruimen was. Leo was ervan overtuigd dat ze alleen was.

Ze verdween weer in de keuken.

De wind werd nu koeler. De eerste regendruppels kletterden op het dak. Leo besloot zijn post te verlaten. Hij was toch verdomme niet zo'n gluurder die stond te wachten tot de jonge psychologe zich zou uitkleden.

Hij wist niet waarom ze hem had laten zitten, maar was blij dat Jagenberg niet bij haar was. Hij stak zijn hand uit naar het luik.

Op dat moment stopten er beneden twee zwarte auto's achter elkaar voor de huisdeur, naast de geparkeerde auto's. Mercedes S-klasse. Uit de voorste stapte een man die aanbelde. Leo zag dat het voor Jasmin was, want ze liep gelijk de hal in terwijl ze haar handen aan haar broekspijpen afveegde. Ze deed de voordeur open, liep terug en stak de kaarsen aan die ze op het fruitkistje had gezet.

Er stonden nu vier mannen op het trottoir de straat naar beide zijden af te spieden – zagen eruit als bodyguards. Uit de kofferbak haalden ze een koffertje zoals piloten die hebben, staken een paraplu op en openden een deur achterin de tweede limousine. Het was harder gaan regenen.

Een andere man, ook in pak, stapte uit, nam het koffertje aan en haastte zich naar de voordeur, sneller dan een van de mannen met de paraplu hem kon bijbenen.

De bodyguards stapten weer in de auto's en de limousines reden rustig weg.

Leo zocht de ramen op de derde etage.

Eerst zag hij alleen maar twee paar benen in de hal. Toen liep Jagenberg de woonkamer van Jasmin binnen. Zijn overjas en zijn koffertje was hij al kwijt. Hij maakte zijn stropdas los, gooide die door de kamer en liet zich op de bank vallen.

Jasmin liep naar het raam. Haar haren glansden in het licht van de lamp. Het meisje maakte het koordje van een jaloezieën los en de lamellen zoefden naar beneden.

Leo wist dat hij verloren had.

Op dat moment hoorde hij iemand snikken. Ergens links van hem, nog geen vijf meter bij hem vandaan.

48

Zander zette met een tikje de ruitenwisser aan. Hij had moeite om de conversatie te verstaan. Misschien werd de ontvangst gestoord door de regen.

Iets klopte er niet met die twee. Jasmin klonk schel, ze had het erover dat ze bedenktijd nodig had. Dat het zo niet verder kon - alsof zij de getrouwde vrouw was van wie de partner vreemdging. Jagenberg negeerde haar stemming. Vol euforie praatte hij over de zaak.

Tweeënzeventig miljoen. Alles in kannen en kruiken. En wel zo, dat Claudia er niet aan kan komen. Mijn advocaat regelt de scheiding. Binnenkort ben ik zo vrij als een mens maar kan zijn. Wij zullen alles samen delen.

Waarom snap je niet dat het niet gaat?

Zander werd bang dat de verbinding verbroken zou worden. Hij bedacht dat de *Merkurstrasse* binnen de afstand van tweehonderd meter lag. Hij startte de Honda.

Eerst waren er alleen maar storende geluiden te horen, daarna werd de ontvangst beter dan ervoor. Zander liet de recorder aanstaan. Een paartje dat een relatiecrisis beleefde.

Hij probeerde zich in Haffke te verplaatsen. Waar was het hem om te doen geweest?

Leo luisterde ingespannen om het snikken te lokaliseren. Het kwam van het dak van het huis ernaast vandaan, vlak achter de volgende schoorsteen.

Hij stond op en had bijna geen gevoel meer in zijn benen. Er barstte een hevige regenbui los. De pannen onder zijn voeten glommen en waren glibberig geworden.

Leo balanceerde verder. Hij wilde weten wie die tweede toeschouwer was. Een dakspaan piepte, een andere kraakte. Leo hoopte dat de striemende regen meer geluid maakte dan zijn voetstappen. Hij klom op het dak van het huis ernaast, dat ongeveer vijftig centimeter hoger was - de brede schoorsteen dook vlak voor hem op als een donkere kubus. Voetje voor voetje naderde hij de schoorsteen en klom aan de kant van de nok verder naar boven.

Hij kon de ander nu bijna vastpakken. Een gedrongen gestalte met kort haar, even groot als Leo, maar jonger dan hij.

De geluidskwaliteit was nu buitengewoon goed. Zander wachtte tot ze iets zouden zeggen over drugs, gluurders of inbrekers. Moord voor zijn part. Had Haffke de topman van *Geminag* afgeperst?

Het meisje was op van de zenuwen. Ze huilde en zei: *Ik moet denken aan hoe we elkaar hebben leren kennen.*

Jagenberg zei: *Via jouw advertentie in het Handelsblatt. Mentale coaching voor managers. Ik wist meteen dat je mij bedoelde. Of was je eropuit om oude knakkers met dikke portefeuilles aan de haak te slaan?*

Zeg niet van die onzin. Weet je wat ik me afvraag?

Er braken dakpannen. Het geluid werd overstemd door het kletteren van de regen. De onbekende richtte zich op en liep voorzichtig naar een opbouw met een schuin houten toegangsluik.

'Blijf staan!' riep Leo.

De ander greep naar het handvat van het houten luik. In zijn andere hand hield hij een metalen voorwerp dat in het licht van de straatlantaarns oplichtte - een wapen, dacht Leo.

Hij sprong eropaf en greep de mouw van de jongen vast. Onder Leo's schoenen raakten dakpannen los. Hij gleed uit en moest de jongen loslaten om zich aan de nok van het dak vast te klampen. Hij hing te spartelen. Dakpannen spatten op straat in stukken uiteen.

Niet naar beneden kijken, zei Leo tegen zichzelf. Het is maar een oefening.

De jongen naast hem opende het luik.

Aan de andere kant van de straat kletterden dakpannen op het asfalt. De ruitenwissers stonden op stand twee. De autoruiten besloegen aan de binnenkant. Zander wreef ze droog maar kon desondanks nog steeds niets zien.

De stem van het meisje sloeg haast over: *Wist jij wie ik was toen je op die advertentie in het Handelsblatt reageerde?*

De directeur antwoordde: *Ik ben altijd naar je op zoek geweest. Het was een openbaring om je naam in die advertentie te lezen.*

Grote God!

Ik wist dat het fantastisch zou worden.

Hoe kon je toch zoiets doen?

Het is voorbestemd. Met jou begint voor mij een tweede leven. Het is net als in mijn studententijd. Nee, het is beter. Het is perfect.

Ik wil dat je nu weggaat.

Voor de sterken gelden speciale wetten. Dat heb jij me zelf geleerd. Weet je nog?

Dat is niet waar. Toen wij elkaar ontmoetten, geloofde je daar ook al in.

Maar jij hebt dat geloof bij mij versterkt.

Leo trok zich omhoog en voelde weer grond onder zijn voeten.

Hij pakte het houten luik precies op het moment vast dat de ander hem vanbinnen dicht wilde doen. Leo haalde zijn handen open aan de ruwe houten rand.

Wie het eerst losliet, had verloren.

De onbekende hing met zijn hele gewicht aan de handgreep aan de binnenzijde van het luik. Leo gleed uit. Hij beefde.

Leo liet los.

De deur viel met een klap dicht. Hij hoorde iets knarsen, voetstappen op de zolder onder hem. Hij rukte aan het luik, maar er kwam geen beweging in. Het was vanbinnen vergrendeld.

Zo snel hij kon, liep hij terug, waarbij hij zijn evenwicht moest zien te bewaren. Leo bereikte de eerste schoorsteen en het luik waardoor hij op het dak was gekomen.

Naar binnen waar het droog was. Waslijnen, duivenpoep, eindeloos veel traptreden. Hij hoopte dat niemand het kabaal op het dak had gehoord.

Hij stapte eindelijk naar buiten, de straat op en keek om zich heen.

Er reden auto's voorbij, motoren werden gestart. De regenbui had een eind gemaakt aan het feestje op de binnenplaats. Er woeien regensluiers over de straat.

Toen zag Leo de gestalte. De man stond in het donker bij de ingang van het huis aan de overkant schreeuwend aan de deur te rammelen.

Toen Zander de schoten hoorde, was hij klaarwakker. Hij dacht eerst dat het geluid uit de boxen achter hem kwam, uit het zendertje in de flat van Jasmin. Daarna realiseerde hij zich dat er in de straat groot tumult was ontstaan.

Mensen die zojuist in hun auto wilden stappen, renden gillend in paniek terug hun huis in.

Jasmin: *Wat was dat?*

Jagenberg: *Niet opendoen.*

Hij schreeuwt dat we hem moeten binnenlaten. Wat is er aan de hand daar beneden?

Ik roep de politie erbij.

Zander sprong uit de auto en was meteen nat. Hij probeerde zich te oriënteren.

Hij hoorde nog een knal en zag vuur dat uit de loop van een wapen kwam. Twee huizen verderop.

Het eerste schot raakte Leo's been. Bij het tweede had hij op tijd achter zijn auto dekking gezocht. Er gilde een vrouw. Mensen renden in paniek over straat. De verwarde man richtte zijn geweer op Leo aan de overkant van de straat. Het blik van Leo's Fiesta werd doorzeefd met een lading hagel.

Nu stond de schutter weer in de deurtelefoon te schreeuwen. Hij richtte zijn wapen op het slot van de deur. Een daverende knal en de deur sprong open.

Buckshot. Nul-nulmunitie.

Leo rende achter hem aan.

'Moordenaar!' schreeuwde de gek, daarbij kennelijk doelend op iemand die zich hoger in het gebouw bevond.

Leo nam twee treden tegelijk. Zijn been deed pijn, maar het kon geen ernstige wond zijn. Hij tastte naar zijn holster, kreeg zijn pistool te pakken en boog zich over de trapleuning om omhoog te turen, maar er was niemand te zien.

'Blijf staan!' riep Leo om hem uit zijn schuilplaats te lokken. Hij sprong gelijk terug en drukte zich tegen de muur.

Een donderend lawaai, houtsplinters vlogen in het rond en de trapleuning op Leo's verdieping spatte uiteen. Leo stapte naar voren, vuurde in het wilde weg naar boven en trok zich weer terug.

Een roffelend geluid. De ander rende verder omhoog. Leo erachteraan.

Twee schoten uit het jachtgeweer, snel achter elkaar. Geschreeuw. De verwarde man had de flat van Jasmin bereikt.

'Moordenaar! Klootzak!'

Dood Jagenberg, maar niet het meisje, dacht Leo.

Hij bereikte de derde etage, door zijn pijnlijke been kon hij nu alleen nog maar strompelen. Hij stond voor de openstaande deur.

De gek stond in de hal en richtte zijn geweer een kamer in.

Leo vuurde met zijn P6 - mis.

De man lette niet op Leo. Hij liep door en schreeuwde: 'Kom naar buiten, gore klootzak!' Hij opende de slaapkamerdeur en richtte opnieuw.

Met zijn linkerhand stabiliseerde Leo de hand waarmee hij schoot en haalde vervolgens de trekker over. Hij gaf een schreeuw toen hij merkte dat hij weer niet raak had geschoten.

De man verdween in de kamer en gooide de deur achter zich dicht.

Leo telde nog drie schoten snel achter elkaar. Voor zijn ogen verschenen de beelden uit de sauna: kapotgeschoten lichamen, bloed en nog eens bloed.

Het was stil nu. Leo begreep dat die gek zijn magazijn had leeggeschoten - dé kans om hem te grijpen. Als de moordenaar de moeite nam om alle negen patronen te vervangen, zou hij daarvoor ongeveer vijfentwintig seconden nodig hebben.

In het trappenhuis klonken voetstappen. Leo draaide zich snel om en zag een gezette man van eind veertig. In zijn ene hand hield hij een pistool, de andere zwaaide met een groene identiteitskaart van de politie. Een collega.

Leo riep: 'Jij geeft me dekking, ik ga naar binnen!'

Toen de ander niet meteen in beweging kwam, trapte Leo tegen de deur en sprong naar binnen.

Donker. Een gestalte, maar niet die van Jasmin.

Leo vuurde - eenmaal, tweemaal.

Toen kreeg hij in de gaten dat hij op de badjas stond te schieten die aan de kapstok hing. Het raam stond open en het gordijn waaide heen en weer.

Zijn collega kwam hem achterna. 'Waar heb je dat geleerd?'

Leo keek uit het raam. Een betonnen binnenplaats. Precies onder hem lagen dozen en zakken in een afvalcontainer. Een sprong was mogelijk, dacht Leo. Je moest wel lef hebben. Of gek zijn.

'Martin Zander, recherche', zei de ander en stak hem zijn hand toe. 'Ook bij de politie?'

'Leo Köster. Vijftien jaar ME, nu op de meldkamer van de recherche.' Hij drukte op de lichtschakelaar. De spiegel en de foto van Jagenberg waren geraakt.

'Jij bent Leo?' vroeg Zander terwijl hij hem opnam alsof hij tot een zeldzaam ras behoorde.

'Ja, hoezo?'

'Ik geloof dat ik wel eens van je gehoord heb.'

Leo controleerde de flat. Toen hij de badkamerdeur opentrok, vloog hem een wc-borstel tegemoet. Jagenberg stond halfnaakt met een bad-handdoek te zwaaien met een knoop erin.

'Politie', zei Leo. 'U bent veilig.'

Hij hielp Jasmin uit de douchecabine waarin ze zich had verstopt. Het meisje was niet aanspreekbaar, maar had geen letsel opgelopen. Ze leek Leo helemaal niet te zien. In de hal zakte ze in elkaar.

Er kwam versterking, politiemensen met getrokken wapens. Zijn collega van de recherche gaf de geüniformeerde agenten opdracht om het huizenblok een cordon te leggen. De noodarts verzorgde Leo's been. Ambulancemedewerkers hulden Jasmin in dekens en droegen haar naar buiten.

De directeur verklaarde dat hij geen idee had wie die gek was.

De andere rechercheur voerde een telefoongesprek. Hij vroeg om nog meer personeel om de huizen ernaast uit te kammen en bracht het parate team van Moordzaken op de hoogte.

Leo wist dat het zinloos was. Het was Matysek tenslotte ook ge-lukt te vluchten.

49

Ela verhoorde de directeur meteen ter plekke in de woonkamer van Jasmin. Zander had - heel praktisch - een cassetterecorder bij zich, die hij uit de auto had gehaald. Darius Jagenberg verklaarde dat hij naar zijn vriendin was gegaan om met haar plannen te bespreken voor de tijd dat hij niet meer zou werken. Ongeveer om kwart over tien was er aangebeld. Ze hadden niemand verwacht. Jasmin had de huistelefoon opgenomen, maar had niet opengedaan. Toen de eerste schoten vielen had hij, Jagenberg, de politie gealarmeerd. Toen het geluid van schoten dichterbij kwam, waren ze de badkamer in ge-vlucht.

Tussendoor belde Ela het ziekenhuis waar Jasmin Horn naartoe was gebracht. De jonge vrouw kon niet eerder dan morgen worden verhoord. De dokter had haar een zwaar slaapmiddel gegeven.

Desgevraagd verklaarde Jagenberg dat hij haar in juni van dit jaar had leren kennen. Zijn secretaresse had de jonge vrouw in zijn opdracht ingehuurd als een soort psychologisch deskundige. Met haar hulp had de directeur zich voorbereid op zijn talloze PR-optredens in het kader van zijn strijd voor het concern tegen vijandige overnamepogingen. In die tijd hadden ze elkaar beter leren kennen. Zonder dat Ela ernaar had gevraagd, benadrukte Jagenberg dat zijn huwelijk al lange tijd alleen nog op papier bestond en dat hij wilde scheiden. Morgen was zijn laatste dag als directievoorzitter van *Geminag*. Zodra de raad van toezicht instemde met alle ins en outs van de fusie met de Engelsen, zou hij een persconferentie geven en het resultaat bekendmaken. Overmorgen zou hij met Jasmin op reis gaan. Als ze tenminste weer op de been was.

'Op voorwaarde dat we met haar hebben gesproken en haar de stad uit laten gaan.', zei Ela.

'Daar twijfel ik niet aan', antwoordde Jagenberg.

'En u gelooft dat u geen vijanden hebt?'

'*Geminag* heeft meer dan honderdduizend werknemers. Onze deelname in andere bedrijven over de hele wereld niet meegerekend. Geen enkele directeur is bij iedereen geliefd. Niet eens bij al die aandeelhouders voor wie hij zijn werk verricht. Maar ik kan geen motief bedenken voor zo'n doldrieste aanval.'

Zander bemoeide zich ermee. Hij vroeg: 'U bent nooit bang geweest voor uw leven? Ook niet bijvoorbeeld in een situatie die misschien op een ongeluk had moeten lijken, zoals een verkeers-ongeluk?'

'Nee, nog nooit. Ik heb bijna continu vier bodyguards om me heen en ik heb ze nog nooit nodig gehad. Tot vanavond. Fijn, dat u er zo snel was.'

Ela verzocht Jagenberg om na de persconferentie van morgen naar het hoofdbureau te komen voor de ondertekening van zijn verklaring. De directeur pakte wat spullen bij elkaar en liet zich door een met een mobilofoon uitgeruste politiepatrouille naar een hotel brengen. Hij wilde niet in zijn huis in Düsseldorf overnachten. Er was blijkbaar sprake van ernstige onenigheid tussen hem en zijn vrouw.

'Wat was dat voor stomme vraag over een verkeersongeluk?' wilde Ela weten toen de baas van het concern vertrokken was.

Zander haalde een handvol cassettebandjes uit de zak van zijn jack.

Een ervan duwde hij in de recorder. 'Let op', zei hij en drukte op de startknop.

Ela hoorde de stem van Jagenberg: *Als ik aan die jeep denk, word ik er nog beroerd van.*

Een jonge vrouw antwoordde: *Voor jullie huis?*

'Dat is Jasmin Horn', legde Zander uit.

Vlakbij. Ik moest over een tuinmuurtje springen om mezelf in veiligheid te brengen.

Hij was vast dronken.

Ik weet niet.

Zander schakelde de recorder uit. 'Je reinste doodsangst. Die man had op het tijdstip van die opname net een moordaanslag overleefd. Ik wed dat hij pas daarna zijn vier lijfwachten heeft ingehuurd.'

Op dat moment kwamen Thilo Becker en Köster van de meldkamer terug, de laatste een type met rood haar en zomersproeten om zijn neus. Becker zei: 'De technische recherche meent dat de munitie nul-nulhagel was, van hetzelfde soort dus als die in de *Body and Soul* is afgevuurd. Als het lab van de nationale recherche een beetje voortmaakt, weten we morgen of die uit hetzelfde wapen afkomstig is. Köster denkt dat hij een afgezaagd automatisch geweer heeft gezien.'

De roodharige knikte ter bevestiging.

'Köster heeft de identificatiedienst ook de plaats laten zien waar die idioot het dak op is gegaan. Vingerafdrukken genoeg.'

'Wat doet Biesinger?' vroeg Ela. Ze had de twee medewerkers van haar onderzoekscommissie opgedragen naar de plaats delict te komen.

'Praat met de mensen die op het tuinfeestje waren, twee huizen verderop.'

'Vraag hem of hij hulp nodig heeft.'

Becker verliet de flat.

'Kan ik ook gaan?' wilde Leo Köster weten.

'Nee', zeiden Ela en Zander tegelijk.

Ela wilde iets van hem weten: 'Vertel ons eerst eens hoe je hierbij betrokken bent geraakt.'

'Ik woon niet ver hier vandaan. Ik ben wat gaan wandelen en toen viel me op dat die kerel daar bovenop het dak zat. Toen hij het huis uitkwam, schoot hij om zich heen en ik ben hem gevolgd.'

Kösters verhaal klopte niet, vond Ela. Zou zij al wandelend zien dat er iemand hoog boven haar over de daken klauterde? Om te beginnen zou ze bij dit weer niet eens het huis uit gaan.

Zander stopte een tweede cassettebandje in de recorder. Hij spoelde hem terug, toen vond hij de passage die hij wilde laten horen. Het begon met gekraak en geritsel.

Een stem die klonk als die van Jasmin: ... *two, testing, alles in orde? De Golden Twins nu ook live uit de slaapkamer. Je hebt iets gemist, liefje. Ik weet nu wie de brief gaat bezorgen.*

Daarna: *Ik ben het, Leo. Heb jij me opgepiept?*

De man met het rode haar verborg zijn hoofd in zijn handen. Het viel Ela op dat haar collega beefde.

Betekent dat dat ik bij de eenheid blijf?

Zander stond op en onderzocht de telefoon, de stopcontacten. Hij tastte de cv-radiator met zijn vingers af, woelde in de kamerplanten.

'Werd dat in deze woning opgenomen?' vroeg Ela.

Köster knikte.

'Mijn partner Arnie en Ilka Fischer hebben dit vertrek en de kamer hiernaast voorzien van afluisterapparatuur', legde Zander uit terwijl hij de boekenkast aftastte. 'En trouwens, Ela, vergeet dat hele cocaïnegedoe maar. Vergeet die tandarts en vergeet Larue. Arnie Haffke heeft Jagenberg afgeperst. Behalve onze voormalige rambo staat namelijk alleen nog maar het gezeur van die directeur op de band. En daaruit blijkt duidelijk dat de chef van het concern bezig is zijn aandeelhouders te belazeren. Ten gunste van de Engelsen, die hem daarvoor een dikke provisie betalen. Dat heet ontrouw en zoals ik Arnie ken, wilde die zijn aandeel veiligstellen.'

Hij kwam terug met een zwart kastje. 'Loopt op een batterij, klein zendbereik. Arnie is zuinig geweest. Maar het heeft gedaan wat het moest doen.'

Zander legde zijn arm om de man met het rode haar. 'Wees eerlijk, Köster. Ilka had het over jou. Heb jij die afpersingsbrief inderdaad bij Jagenberg bezorgd?'

De man van de meldkamer haalde diep adem en zweeg.

'Ja dus', zei Zander.

'Ik wist niet wat erin zat. Ik wilde haar alleen maar een plezier doen.'

Zander grijnsde. Ela stelde voor om het gesprek op haar kamer voort te zetten.

50

'Je kunt zo iemand als Köster wel uit de ME halen, maar je krijgt de rambo er niet uit', zei Zander nadat Leo Köster alles had opgebiecht. Ze zaten op Ela's kamer op de derde etage van de vesting. Het koffiezetapparaat liet al voor de tweede keer borrelend een lading slootwater de pot in lopen - de cassettebandjes van Haffke lagen er nog.

'Wat doet iemand zonder hersens die gewend is bevelen te krijgen, als men hem vraagt een brief af te geven?' vroeg Zander en antwoordde zelf: 'Hij doet het zonder te vragen waarom.'

'Houd je kop', blafte Köster.

Ela deed het eerste cassettebandje in de recorder.

Zander wist welke passages ze kon overslaan, omdat daar niets dan muziek op stond. Het duurde evengoed ruim twee uur voor ze alles hadden afgeluisterd wat Arnold Haffke had opgenomen. Behalve de bekentenis van ontrouw tegenover de aandeelhouders waren er drie andere passages die Ela interessant vond.

Jasmin had zich ongerust gemaakt omdat een voyeur haar in de gaten hield - de aanvaller had haar dus al langer in het vizier. Jagenberg had het over een inbraak in zijn villa waarvoor zijn vrouw hem merkwaardigerwijs verantwoordelijk stelde. En de auto, die hem in de buurt van zijn huis bijna had overreden, duidde de directeur aan als een jeep.

De gele terreinwagen - het zou kunnen passen.

Er was nog iets waarover Ela zich verbaasde. Köster had verteld dat Jasmin de relatie met Jagenberg had verbroken. Zanders opname van de minuten voor de schietpartij toonde aan dat het meisje de directeur aan de telefoon gevraagd had niet naar haar toe te komen.

Toen hij bij haar was, sommeerde ze hem weg te gaan. Het klonk weliswaar niet erg overtuigend, maar dat er tussen die twee iets niet klopte was duidelijk.

Jasmin voelde zich niet op haar gemak in de buurt van Jagenberg. Ze hield afstand en de directeur wilde daar niet aan.

Ela vroeg haar collega's wat die ervan dachten.

'Natuurlijk wil die man dat niet geloven', zei Zander. 'Dat economisch genie denkt uiteraard dat hij overal boven staat. Hoe zei hij dat ook alweer? Voor de sterken gelden speciale wetten. Zo'n man die honderdduizend slaven aanstuurt, moet vroeg of laat wel aan grootheidswaanzin gaan lijden.'

Köster speculeerde: 'Ze heeft gezien dat Jagenberg voor zijn miljoenen over lijken gaat, dat hij totaal niet geïnteresseerd is in arbeidsplaatsen, maar alleen in zijn eigen winst.'

'Nee, dat is niet waarom ze er een eind aan heeft gemaakt', oordeelde Ela. 'Dat wist ze eergisteren en al die tijd ervoor ook al. Ze kent hem sinds juni. De directeur Jagenberg interesseert haar niet. Ze beoordeelt hem als man.'

'Als man is hij veel te oud voor haar.'

'Ze valt nu eenmaal op oudere mannen. Misschien heeft ze haar vader op jonge leeftijd verloren. Het ligt niet aan zijn beroep, noch aan zijn leeftijd. Er moet iets gebeurd zijn, en wel pas op woensdag.'

Ze piekerden erover. Ela zag in dat ze te moe waren voor plotselinge ingevingen.

Zander verdeelde het laatste restje koffie. 'We zoeken in de verkeerde richting. Vergeet het meisje. Arnie Haffke heeft hem afgeperst. Jagenberg heeft een moordenaar ingehuurd. En misschien heeft hij die niet betaald, en dan keert de moordenaar zich tegen de opdrachtgever. We moesten Jagenberg meteen morgen na zijn verdomde persconferentie maar eens oppakken en voorlopig vasthouden.'

'Zonder bewijs?' vroeg Köster.

'Laat hem aan mij over en hij zal gaan zingen.'

Ela zei: 'Met jouw methoden kom je deze keer niet ver. Jagenberg heeft meer geld dan God, en gegarandeerd betere advocaten.'

Er werd geklopt. Ela keek op de klok: tien over twee. Nog iemand die overwerkte.

De sporendeskundige kwam binnen met verscheidene papieren in zijn hand.

'Ik dacht, ik vertel het jullie meteen maar, nu jullie er nog zijn.'

Hij spreidde de papieren uit op het bureau. 'Ela, herinner je je nog die onvolledige afdruk op de glazen suikerpot bij Larue? De papillairlijnen waren met spuitwas aan elkaar geplakt, behalve een klein gedeelte van de pink. Slechts zes kleine herkenningspuntjes, niet voldoende bewijs. Dit hier zijn de vingerafdrukken op het luik in het dak in de *Merkurstrasse*. Hij heeft weer spuitwas gebruikt maar nog onvollediger dan bij de overval op Larue. Hij is slordig geworden.'

'Denk je dat het in beide gevallen om dezelfde dader gaat?'

'Ik heb hier ook een rechterpink en de zes kenmerken komen overeen. Zoals gezegd, te weinig voor een bewijs. Maar een duidelijke indicatie.'

'Het maatje van Matysek?' vroeg Zander. 'Dan heeft Jagenberg zijn moordenaar uit de drugsscene gerekruteerd.'

Ela pakte het dossier uit haar la. Ze haalde de videoprint eruit en liet die aan het voormalige ME-lid zien.

Het profiel van een middelgrote jongeman in het halfdonker tussen de stellingen van een shop bij een benzinestation. De grofkorrelige vergroting van een beelduitsnede. Genomen onder de hoek van een bewakingscamera die aan het plafond hing. Afgelopen zondag om 16.51 uur.

'Het zou hem kunnen zijn', zei Köster.

Ela zei: 'De prinses vond dat hij een beetje gezet was.'

Zander vroeg: 'Welke prinses?'

'Mijn bijnaam voor Verena Larue, het slachtoffer van de verkrachting.'

Köster knikte: 'Ja. Dat is die kerel op het dak.'

Deel vijf

Als de as gloeit...

"Op een dag begon het leven hem uit te lachen, en daarna bleef het lachen."

Philip Roth, *Amerikaanse pastorale*

Bedrijfsblad van het hoofdbureau van politie te Düsseldorf Nr. 15/00 van vrijdag, 4 augustus:

Vacature - intern

CCB / RG 1 / RA11/ L
Voornaamste taken:
Beoordelen van binnenkomende zaken met het oog op juridische kwalificatie en urgentie; coördineren van de taakinzet binnen het team; analyseren en beoordelen van de ernst van criminele situaties; leiden van acties.

Eisen:
Bereidheid tot het zelfstandig en voor eigen verantwoording uitvoeren van taken; leidinggevende ervaring; ruime politie-ervaring.
Nadere informatie vindt u in de functieomschrijving van de RA-leider.

Voor deze vacature geldt het volgende:
De functie dient per 1 september a.s. te worden vervuld; op deze functie kan politiepersoneel in actieve dienst (m/v) solliciteren in salarisschaal A12/A13 BBP.
De politie van Düsseldorf beoogt, overeenkomstig de wet op het bevorderen van arbeidsdeelname van vrouwen in de deelstaat Noordrijn-Westfalen, een uitbreiding van het aantal vrouwen in alle sectoren van het werk en roept derhalve vrouwen uitdrukkelijk op te solliciteren.

Vrijdag, 4 augustus, *Blitz*, voorpagina:

SKYPHONE LIJFT DUITSLANDS PARADEPAARDJE GEMINAG IN

Door Alex Vogel. *Het ene concern is een van de grootste Duitse firma's in mobiele telefonie, het andere is marktleider in Groot-Brittannië. Samen zullen ze een kleine 30 miljoen klanten en een beurswaarde van meer dan 400 miljard euro hebben - en staan daarmee riant aan de top van de lijst van de Global Player. Vandaag zullen Darius Jagenberg (Geminag) en Brian Burns (Skyphone-Telecom) hun handtekening onder deze megafusie zetten. Naar verluid gaan hun raden van toezicht hiermee akkoord. De hebzucht van de aandeelhouders heeft gezegevierd, de verliezer is Jagenberg (50), die zich wekenlang tegen de vijandige overname heeft verzet en voor wie in de nieuwe directie geen plaats meer zal zijn. De megadeal kost de Engelsen 130 miljard, te betalen in aandelen. Tot driemaal toe heeft de topman van Skyphone, Burns, zijn aanbod verhoogd; ten slotte gingen de aandeelhouders voor de bijl.*

Burns heeft het behoud van de arbeidsplaatsen in de sector mobiele telefonie van Geminag gegarandeerd. Over het lot van vele duizenden werknemers in andere divisies is niets bekend.

Naar het zich laat aanzien, zullen om 12.00 uur vandaag de Geminag-letters, die op het hoofdkantoor van de firma bovenop de torenflat aan de Rijnoever in Düsseldorf staan, worden neergehaald. Vaststaat dat het nieuwe concern de naam Skyphone zal dragen. Nadere details zullen in de loop van de dag door de onderhandelaars Jagenberg en Burns bekend worden gemaakt.

51

Nul zeshonderd - Martin Zander besloot dat het geen zin had nog langer slapeloos in bed te blijven liggen.

Beate bewoog niet. Zander pakte zijn spullen bij elkaar om zich in de badkamer aan te kleden en sloop in het donker de kamer uit. Hij nam zich voor met haar naar de Eifel te gaan: wandelen, frisse lucht happen, gewoon eens aan iets anders denken. Misschien morgen al - hij voelde dat hij op het punt stond de moord op zijn partner op te helderen.

Het was opgehouden met regenen. De hemel was loodgrijs, het licht mat. Vergeleken met de afgelopen zomerse dagen was het koel geworden. Toen Zander in de rode Honda van Haffke stapte, schoot hem te binnen dat zijn dienstauto nog steeds in *Flingern* geparkeerd stond, bij de ingang van het wegsleepbedrijf. Waarschijnlijk had de firma Bender de bruine Vectra al op sleeptouw genomen en naar haar depot gebracht - Zander bereidde zich erop voor dat hij opnieuw zesenzeventig piek zou moeten dokken.

Hij reed naar het kantoor van de basiseenheid, legde zijn voeten op zijn bureau en dacht na.

De prinses.

Zander las zijn aantekeningen door over het verhoor van Verena Larue, geboren Meweling. Hij besloot haar nog eenmaal op te zoeken. Hij moest haar nog vragen of ze Jasmin Horn kende.

De moordenaar had Jasmin ook in de gaten gehouden. Verena, Jasmin en latexverkoopster Sina Dorfmeister - alle drie waren ze van dezelfde gestalte en ongeveer even oud. Was de moordenaar gefixeerd op een bepaald type vrouw?

Claudia Jagenberg viel buiten het kader. Groter, duidelijk ouder. Jagenberg.

De directeur vormde de verbindingsschakel. Echtgenoot van de een, minnaar van de ander. En vroegere buurman van de prinses.

Zander haalde de foto's uit de envelop en legde ze net zo neer als hij ze op het bed van de directeur had aangetroffen. Hij pakte het latex spul uit de kast en drapeerde de pijpen om het geheel heen. De pornofoto's: een oudere man en een jonge vrouw. De zwarte overall:

een verwijzing naar Jasmin, die een baantje had gehad in de winkel met de fetisjmode en die voor haar geliefde die latex rommel droeg.

Misschien had de moordenaar het meisje met Jagenberg in diens echtelijk bed gezien - de gek keek vanaf het terras toe als die twee het bij afwezigheid van de echtgenote in de villa in *Golzheim* deden.

Waarom was hij in godsnaam in juni ook voor de ramen van de familie Larue opgedoken?

Gedachtespelletjes.

Zander deed alle lichten aan om de collage beter te kunnen bestuderen. Manager van het jaar. Jagenberg als coureur. Foto's van ongelukken.

Als ik aan die jeep denk, word ik er nog beroerd van.

De moordenaar had een paar dagen geleden geprobeerd om de baas van het concern dood te rijden - de opgeplakte krantenfoto's waren duidelijk een dreigement dat hij het opnieuw zou proberen.

Als een stroomstoot flitste de herinnering aan de noodlottige gebeurtenissen in het leven van Verena Larue door Zander heen. Hij kreeg het afwisselend warm en koud. *Kort na onze terugkomst had mijn vader een verschrikkelijk auto-ongeluk. De bestuurder van de andere auto vluchtte en de dader is nooit gevonden.* Vader Meweling, die vier jaar geleden het eerste dodelijke slachtoffer van een psychisch gestoorde moordenaar was.

Zander koos het privénummer van Ela Bach. Nadat de telefoon voor de tweede maal was overgegaan, nam ze op. Ze klonk klaarwakker, ondanks het vroege tijdstip. Het meisje was er net zo aan toe als hij.

'Ik geloof dat ik weet wie onze man zou kunnen zijn', zei hij.

'Zeg op.'

'Die handlanger van Matysek - jij verdacht Larue ervan dat hij hem kende?'

'Ja. Ik geloof dat ze met elkaar gesproken hebben. De reclamejongen wilde hem zover krijgen dat hij Matysek zou tegenhouden.'

'En verder?'

'Dat is echt een wonderlijk verhaal. Larue beweerde dat Matyseks handlanger gehuild zou hebben toen die de prinses verkrachtte.'

'En als het nu eens niet Larue was die de handlanger van Matysek kende, maar omgekeerd? Dat die handlanger de prinses kende?'

'Waar wil je naartoe?'

'Verena Larue vertelde me dat de zoon van Jagenberg, Marco, op dit moment in de bak zit. Ze kan zich vergissen. We moeten dat nagaan.'

'Je bedoelt dat zijn eigen zoon Jagenberg wil ombrengen?'

'Ja en wellicht ook Jasmin. Herinner je je wat die topman van het concern over zijn gezin zei?'

'Ja. Mijn vrouw zuipt en mijn zoon ziet ze vliegen.'

'Let op: de familie Jagenberg en het gezin waarin Verena opgroeide waren buren. De kinderen waren met elkaar bevriend. Vier jaar geleden begon Marco vreemd gedrag te vertonen. Hij ging van school af en kreeg verkeerde vrienden. Dat heb ik van Verena. Wat als Matysek nou eens een van die verkeerde vriendjes was? Een drugsgebruikster heeft me verteld dat hij indertijd samen met een melkmuiltje rondzwierf. Marco kwam in de bak terecht. Omdat hij de Opiumwet had overtreden? Dat moeten we uitzoeken. En nog iets: het is eveneens vier jaar geleden dat de vader van Verena bij een verkeersongeval werd gedood en haar moeder zelfmoord pleegde. De omstandigheden rond het ongeluk zijn volgens Verena nooit opgehelderd.'

'Mijn God.'

'Marco was zo goed als verloofd met Verena. Kun je je voorstellen hoe hij zich gevoeld moet hebben toen Matysek hem meenam naar de familie Larue en hij moest toekijken wat die klootzak deed met Marco's vroegere prinsesje?'

52

Toen hij met zijn auto over de zuidelijke brug voortjoeg, werd hij achtervolgd door dagdromen over zangeressen in rode broekpakken. Zijn linkerdijbeen klopte op de plek waar de hagel van die gek hem gisteren had geschampt. Het kon hem niets schelen dat hij door de flitspalen gefotografeerd werd. Hij reed met blauw licht, toeterde de man voor hem de rechterrijstrook op en gaf meer gas. Hij reed weer in een GTI - de auto vloog over de weg.

Het was Leo duidelijk geworden dat die rechercheur van Moordzaken groot gelijk had.

Er moet iets gebeurd zijn, en wel pas op woensdag.

Jasmin had het zelf gezegd: Tot woensdag was ze de geliefde van Jagenberg geweest. 's Avonds had ze de relatie verbroken. Wat was er gebeurd?

Leo had de psychologe woensdagmiddag bij de ouders van Ilka Fischer gezien, toen hij de teddybeer afgaf waar Jasmin zo aan gehecht was.

Hij reed langzamer en sloeg de rustige straat met woonhuizen in. Rijtjeshuizen, voortuintjes met dezelfde hekjes. Hij vond het huis meteen terug.

Marianne en Rolf Fischer stond er op het bordje bij de bel - dit keer liep Leo niet weg.

Een kleine, in het zwart geklede vrouw deed open. Ze rook sterk naar hetzelfde parfum dat Ilka ook had gebruikt. Haar ogen waren rood en opgezet.

Hij legitimeerde zich en zij ging hem voor naar de woonkamer.

De kamer werd gedomineerd door een dressoir dat op een altaar leek. Er stonden keurige rijtjes foto's in zilveren en houten lijstjes. Ilka als kind, als tiener, als jongvolwassene. Alleen en met haar ouders. De Golden Twins op het toneel.

Midden tussen de fotoverzameling troonde Gordon.

Leo voelde zich verward. 'Ik dacht dat die teddybeer van Jasmin was. Heeft ze hem niet meegenomen?'

'Jawel. Dit is Ilka's beer. Zij had dezelfde. Toen ze nog klein was, was ze erg dol op hem.'

Mevrouw Fischer vroeg hem plaats te nemen. Ze dwong zich te glimlachen en wachtte op zijn vragen.

'Eigenlijk ben ik hier gekomen vanwege Jasmin Horn. Ze was woensdag bij u. Ik zou haar er liever zelf naar vragen, maar er was gisteren een tweede moordaanslag en …'

'Nee!'

'Er is niemand gewond geraakt. Mevrouw Horn heeft alleen maar een shock opgelopen en kan op dit moment niet verhoord worden.'

De ogen van de kleine vrouw waren vochtig geworden. 'Wil hij me allebei mijn dochters afnemen?'

Leo ging zitten.

'Zegt u me alstublieft eerlijk hoe het met haar gaat.'

'Jasmin is ... Ik dacht dat de Golden Twins ...'

'Wat is er met Jasmin?'

'Het zijn alleen de zenuwen maar. Ze ligt in het ziekenhuis, maar ik denk dat ze daar op zijn laatst morgen uit ontslagen wordt.'

De kleine vrouw opende trillend een koektrommel, nam zelf een koekje en schoof de trommel naar Leo toe.

Hij zei: 'Ik dacht dat het alleen maar een reclamestunt was. Tegen mij zei Jasmin dat ze geen zusjes waren.'

'Ze wist het zelf niet. Ze is er om zo te zeggen pas door Gordon achter gekomen.'

De vrouw begon te vertellen en Leo hoorde hoe Marianne Fischer als jonge studente verliefd was geworden op een man wiens ouders haar beneden hun stand vonden. Hoewel ze zwanger was, luisterde hij naar zijn ouders en zij bood Jasmin, haar eerste dochter, ter adoptie aan. De scheiding van haar kind bezorgde haar een zenuwinzinking. Kort daarop sloot ze een overhaast huwelijk met Rolf Fischer, een jonge, hardwerkende en vakbekwame bankwerker. Ruim een jaar na Jasmin kwam Ilka ter wereld. Een tijdlang onderhield mevrouw Fischer contact met haar eerste dochter, maar dat was tegen de zin van haar man en van de adoptieouders. Bij haar laatste bezoek bracht de moeder voor de kleine Jasmin een teddybeer mee. Dezelfde beer die ze ook voor Ilka had gekocht.

Gordon-broertjes voor de zusjes.

De familie Horn heeft hun geadopteerde dochter pas jaren later onthuld dat die aardige vrouw, die haar dat teddybeertje cadeau had gedaan, haar moeder was.

De vrouw in het zwart zei: 'Toen Jasmin eergisteren op de stoep stond, kon ik niet anders. Mijn God, ze had er toch recht op om het eindelijk te weten. In de dagen ervoor had ik er met Ilka zo vaak over gesproken, dat ik dacht dat ze het tegen haar zus had gezegd.'

'Ilka wist ervan?'

'Eerst niet. Ze kenden elkaar weliswaar van vroeger en zijn zelfs een paar keer samen als zangeres opgetreden zonder iets in de gaten te hebben. Pas nadat ze bij Jasmin was ingetrokken, ontdekte Ilka de Gordon van haar zus en begon het haar te dagen. Je kunt haar misschien verwijten dat ze oppervlakkig was, maar ze is altijd een bijdehand meisje geweest.' Marianne Fischer wiste een traan van haar gezicht terwijl ze op een koekje zat te knabbelen.

Leo zag voor zich hoe verrast Jasmin moest zijn geweest, toen ze hoorde dat deze vrouw haar moeder was. Het bleef echter onduidelijk wat dit nieuwtje betekende voor Jasmins verhouding met Jagenberg. En wat was het verband met de moord op Ilka en de andere vijf mensen in de sportschool?

De moeder van de Twins stopte twee koekjes tegelijk in haar mond, alsof ze haar opwinding wilde verstikken. Er kleefden kruimels aan haar lippen.

'Ilka was erg slim, maar niet altijd verstandig. Ik denk dat Jasmin heel anders is. Wat Ilka dreef, begreep ik niet altijd. Ze leerde steeds nieuwe mensen kennen en had altijd geld nodig. Het is me dan ook een raadsel waarom ze haar laatste baan opzegde. Afgelopen week heeft ze ons gevraagd of ze weer bij ons kon komen wonen. Die avond kwam het hele verhaal op tafel. Het begon ermee dat mijn man naar de *Tagesschau* keek en zei, kijk eens, Marianne, hoe beroemd je vroegere vriend is geworden.'

Leo staarde de vrouw aan.

'Ik begin u te vervelen', zei ze.

'Helemaal niet.'

'Er gaat immers geen dag voorbij zonder dat Darius in het nieuws is. In ieder geval hadden we het die avond alleen nog maar over dat ene onderwerp. Hoe ik Darius heb leren kennen. Wat voor een schoft hij was dat hij me liet zitten. Hoe ik me gevoeld heb toen ik Jasmintje weg moest geven. Ilka kon er niet over uit. Dat haar dat niet veel eerder was opgevallen. Die gelijkenis. Wat haar zus daar wel niet van zou vinden. Op een gegeven moment werd het me te bont, want Ilka had het erover hoe rijk die familie Jagenberg wel niet was. U moet weten dat mijn man altijd al jaloers was op Darius. Het verwondert me dat Ilka niet meteen aan Jasmin heeft verteld dat ze dezelfde moeder hebben.'

Leo voelde zich duizelig. 'Jagenberg is dus de vader van ...'

'Ja, de vader van mijn eerste dochter. Ik had Jasmintje misschien niet mogen weggeven. Maar toentertijd was ik te trots om de familie Jagenberg om geld te vragen voor ons levensonderhoud. Darius heeft nooit iets van zich laten horen. Plotseling, twee decennia later, stond hij hier op de stoep. Dat is vier jaar geleden. Maar, rechercheur, u moet me iets beloven.'

'Wat?'

'Geen woord hierover tegen mijn man. Rolf kan echt verschrikkelijk jaloers zijn.'

'Beloofd.'

'Darius was een belangrijk manager geworden, maar tegenover mij deed hij net zo vertrouwelijk als vroeger. Hij leek tamelijk wanhopig. Hij wilde per se zijn dochter leren kennen. Hij wist niet dat ik Jasmintje had weggegeven. Ik gaf hem de naam van de adoptieouders. Ik denk niet dat hij ze gevonden heeft, want de familie Horn was allang verhuisd. Darius klaagde tegenover mij dat zijn huwelijk mislukt was en dat zijn zoon totaal niet op hem leek. Ik had moeite om weer van hem af te komen. Daarna is hij niet meer opgedoken. Godzijdank. Rolf zou helemaal uit zijn dak zijn gegaan.'

Bij Marianne Fischer had de directeur zich daarna niet meer laten zien, dacht Leo. Maar wel bij zijn dochter.

Ik ben altijd naar je op zoek geweest.

Leo reed terug naar de stad zonder het verkeer om zich heen bewust waar te nemen. Op de brug liet hij het raampje aan de passagierskant zakken en gooide de rest van de cocaïne de Rijn in.

53

Er begon fijne motregen te vallen die de stad nog verder afkoelde. De koolmezen, die door de kronen van de platanen hipten, leek het niets uit te maken. Zander wachtte in de auto op Ela en keek hoe de druppels op de voorruit samenvloeiden en in grillige banen naar beneden liepen. Aan de binnenkant raakte de ruit langzaam beslagen.

Zander schrok toen zijn collega de deur aan de andere kant van de auto opende - hij had haar dienstauto helemaal niet gehoord. Ze stapte bij hem in de Honda coupé en ontdekte de ontklede barbiepop die aan de achteruitkijkspiegel bungelde - tepels en vagina waren er met een viltstift op getekend.

'Jullie mascotte bij de regionale opsporingsgroep?'

'De privéauto van Haffke.'

'Waarom moet ik aan een lijk denken als ik dat ding zie?'

'Ik heb het niet opgehangen.'

'Is al goed.'

'En ik houd er niet van als mensen mijn overleden partner afkraken.'

'Doe ik niet.'

'In ieder geval beter dan een geurboompje ...?' Zander streelde de barbiepop om Ela te irriteren.

Ze vroeg: 'Wil je niet weten wat ik te weten ben gekomen?'

Hij antwoordde: 'Marco werd begin juni uit de gevangenis ontslagen.'

'Hoe weet jij dat?'

'Rond die tijd begon de gluurder Verena Larue te achtervolgen. Marco's ex-verloofde die intussen met die reclamejongen was getrouwd. Overtreding van de Opiumwet?'

'Ja. Ze hebben hem te pakken gekregen toen Matysek er net bij de drugsrecherche was uitgevlogen en hem niet meer kon beschermen.'

'Waarom geen voorlopige straf? Waar waren de topjuristen van Jagenberg?'

'Er waren geen topjuristen. Blijkbaar heeft Jagenberg voor zijn zoon geen vinger uitgestoken.'

'Dan gaan we maar.'

Ze stapten uit de auto en staken de straat over. Uit de struiken van de voortuin vielen dikke druppels. Mevrouw Stiegler, de huishoudster, opende de deur en zei dat mevrouw bezoek had. Hotelhouder Königstein, voegde ze eraan toe - alsof Zander en Ela de man zouden moeten kennen. Of de politie niet 's middags kon terugkomen.

Het gaat om Marco, antwoordde Zander.

De huishoudelijke hulp liet hem en Ela in de hal wachten. Door de half geopende deur zagen ze Claudia Jagenberg met een oudere heer in een donkerblauw pak aan de keukentafel zitten. In opperbeste stemming, twee glazen sekt op tafel.

Mevrouw Stiegler kwam terug en bood hun aan plaats te nemen in de woonkamer. Zander keek door het raam naar het werk in de tuin. De struikjes waren geplant. De werklui metselden nu een waterreservoir. Aan zulke dingen gaven rijke mensen een vermogen uit als ze daar zin in hadden. Ze volgden bepaalde trends uit Parijs of Hongkong en huurden beroemde tuinarchitecten in.

Eindelijk voegde Claudia Jagenberg zich bij hen - nog rimpeliger en magerder dan dinsdag.

'Wat is er met mijn zoon?' wilde ze weten.

Zander zei: 'We vermoeden dat hij in uw slaapkamer heeft ingebroken.'

'En al was dat zo. We hebben geen aangifte gedaan. Ik begrijp niet wat u nu nog wilt.'

'Wanneer hebt u uw zoon voor het laatst gezien?' vroeg Ela.

'Op dinsdag. Eenmaal per week komt hij zijn post afhalen. Hij heeft me overigens zijn excuses aangeboden. De zaak is afgedaan.'

'Waar woont Marco?'

'Wat wilt u van hem?'

'Hij wordt ervan verdacht zes mensen te hebben vermoord. En hij heeft gisteravond geprobeerd uw man te doden.'

'Dat kan niet waar zijn!'

'U doet hem geen plezier door voor ons geheim te houden waar hij uithangt', legde Zander uit.

'Ik weet het echt niet', zei de vrouw van de directeur. 'Een kennis van hem heeft een woning voor hem gevonden. *Rath, Unterrath*, ergens in het noorden van de stad. Marco komt alleen thuis als mijn man er niet is.'

'Hoe maakt u contact met hem?'

Claudia Jagenberg noemde een mobiel nummer. Zander noteerde het.

Ela gaf haar de videoprint - Zander zag aan mevrouw Jagenberg dat ze haar zoon herkende.

Ela zei: 'Hij is zondag met een handlanger de flat van Christoph en Verena Larue binnengevallen. Verena Larue is daarbij verkracht.'

'Dan moet er sprake zijn van een verwisseling', sprak de magere dame. 'Marco heeft het meisje vroeger aanbeden. Die twee kennen elkaar van jongs af aan. Marco zou Verena nooit iets aandoen.'

'Kent u Dirk Matysek?'

'Ik herinner me alleen dat de kennis die hem aan zijn woning hielp, Dirk heette.'

De gsm van Ela piepte. Ze verdween ermee de keuken in.

Zander bracht de vrouw des huizes op de hoogte: 'Dirk Matysek is een buitengewoon slecht heerschap. Cocaïnesmokkelaar, vechtjas en verkrachter. Hij was met Marco bij Verena. De dag erna is hij doodgeschoten. Als u het mij vraagt, was dat eveneens uw zoon. Misschien hadden die twee ruzie over de verkrachting - en pang.'

'Wat weet ú nou van Marco!'

Zander antwoordde niet. Hij wachtte tot mevrouw Jagenberg het hem vertelde.

'Alleen omdat hij ooit een drugsprobleem had, kunt u hem niet gelijk al uw onopgeloste zaken in de schoenen schuiven.'

'Waardoor raakte uw zoon op het slechte pad?'

'Verkeerde vrienden. U weet toch hoe dat gaat.'

'Wat gebeurde er vier jaar geleden?'

'Ik begrijp niet wat u bedoelt.'

'De dood van uw buurman Meweling. Heeft uw zoon dat ongeluk veroorzaakt?'

Hij registreerde dat de vrouw zenuwachtig aan haar parelketting voelde. Ze zei: 'Marco had in die tijd niet eens een rijbewijs.'

Ela kwam terug.

'Köster heeft gebeld. Hij heeft met de moeder van Ilka gesproken. Ze is ...' Ela wierp even een blik op de vrouw des huizes voordat ze verder sprak. 'Marianne Fischer is de moeder van Ilka *en* Jasmin. En raad eens wie de vader van Jasmin is.' Weer keek ze naar mevrouw Jagenberg.

De magere vrouw staarde naar buiten, de tuin in.

Zander begreep het. 'Dat betekent dat hij naar bed gaat met zijn ...?'

'Volgens Köster was hij zelfs op de hoogte van zijn vaderschap toen hij haar tot zijn minnares maakte.'

Claudia Jagenberg rechtte haar rug en hief haar kin op. Zander had de indruk dat het binnen in haar kookte.

Ze zei: 'Darius heeft Holger Meweling vermoord. Hij heeft hem met zijn auto de weg afgeduwd. Heel bewust.'

Zander schoof een lege cassette uit zijn voorraad in de walkman, zette die op tafel met de kant van de microfoon naar haar toe: ze had toegestemd in de opname. Zijn collega Bach legde haar uit dat ze mocht weigeren om tegen haar man te getuigen.

Claudia Jagenberg schudde heftig met haar hoofd. Ze wilde praten.

'Hij heeft nooit van Marco gehouden', zei ze terwijl ze zich naar Zander keerde alsof de mannelijke agent automatisch belangrijker was. 'Hij wilde altijd een meisje. Hij heeft er al die jaren spijt van gehad dat hij toegegeven had aan zijn ouders. Voor hen was ik goed genoeg, maar niet voor hem. Hij treurde om zijn vroegere vriendin en om het kleine meisje. Dat werd me in het eerste jaar van ons huwelijk wel duidelijk.'

Zander knikte - laten praten, belangstelling tonen.

Claudia vertelde hoe ze zich op Jagenberg wreekte door een verhouding te beginnen met een knappe man uit de buurt. Holger Meweling was in haar ogen het tegendeel van haar man: beleefd, bescheiden. Hij was, net als Jagenberg bij *Geminag*, als telg uit een oud geslacht aan een goede baan gekomen, maar op eigen kracht. Claudia Jagenberg had er in al die jaren nooit over gedacht haar huwelijk op te geven. Met de vrouw van Meweling, Petra, ging ze om als met een zus. De buurvrouw had er geen vermoeden van, Darius evenmin.

Claudia gaf toe aan het verlangen van Jagenberg naar een kind, maar stopte echter pas met de pil nadat ze vijf dagen alleen met Holger had geslapen. De aardige man bevruchtte beide vrouwen. Er zat slechts een periode van drie dagen tussen de geboorte van Verena en die van Marco.

Achttien jaar lang leed Claudia onder Jagenbergs kilte, en putte troost uit het feit dat Marco uitgroeide tot het evenbeeld van Holger. Dat het dubbele vaderschap van haar minnaar op een dag een probleem zou kunnen worden, verdrong ze.

Holger werd overgeplaatst en ging met zijn gezin naar Dresden. In die tijd ontmoette Claudia haar geliefde slechts één keer in een hotel. Holger had een polaroidcamera bij zich en ze zetten elkaar op de foto, obscene plaatjes die Claudia ter herinnering bewaarde in een bijouteriedoosje waarin de sieraden van haar grootmoeder zaten.

Het was uitgerekend Darius die op een dag een hoge functie op het hoofdkantoor van *Geminag* voor Meweling bedacht. Claudia vermoedde niet dat er nog een liefdespaar was dat zich op de terugkeer van de buren verheugde: Marco en Verena hadden elkaar in de vakantie opgezocht en waren tot de conclusie gekomen dat ze voor elkaar bestemd waren.

In juni, vier jaar geleden, trok de familie Meweling weer in hun oude huis in de *Andresenstrasse*. Weer was het Darius' idee om hun thuiskomst op de langste dag van het jaar op grootse wijze te vieren. Traditioneel gezien een gebruikelijk tijdstip voor familiefeesten - het was ook Marco's verjaardag en tegelijk de gouden trouwdag van de oude Jagenbergs, de ouders van Darius.

Het moest een bijzonder feest worden.

Op de vroege ochtend van de 21ste juni verraste een van vreugde stralende Marco zijn moeder met de mededeling dat hij en Verena Meweling 's avonds hun verloving bekend zouden maken. Claudia probeerde hem duidelijk te maken dat hij daarvoor nog te jong was. Marco bleef bij zijn besluit - trots liet hij de ringen zien die hij had gekocht.

Claudia had uren nodig om haar zoon uit te leggen waarom die liefdesband onmogelijk was. Toen hij haar eindelijk beloofde met niemand over haar geheim te praten, dacht ze dat ze ook dit keer een ramp had kunnen voorkomen.

Het noodlot sloeg diverse keren toe.

Marco pakte zijn spullen en verdween.

Tegen twaalf uur diezelfde middag raakte Holger Meweling, die op weg was naar een zakenlunch, van de rijbaan, botste tegen een boom en verloor het leven. Op zijn auto werden witte laksporen gevonden, een aanwijzing dat er nog een andere auto bij betrokken moest zijn geweest.

De ouders van Darius vierden echter hun gouden bruiloft alsof dit alles hun niets aanging. Claudia had geprobeerd Petra Meweling en Verena te troosten - en rouwde zelf om haar geliefde.

Toen Darius sliep, rommelde ze in het oude bijouteriedoosje met haar familiesieraden. De polaroidfoto's waren weg.

De politie stelde een onderzoek in wegens dood door schuld, maar schoot niet erg op. Claudia hield haar verdenking voor zich. Ze had aanknopingspunten maar geen bewijs.

Haar man had Meweling gevraagd naar restaurant de *Dijkgraaf* te komen om een hapje te eten. De sneeuwwitte cabrio van Darius, waar al jarenlang geen wegenbelasting meer voor werd betaald en die in de garage stond, was verdwenen. Toen Claudia haar man ernaar vroeg, liet hij haar een verkoopcontract zien. Ze dacht dat het papier vervalst was.

Over de verdwenen foto's sprak ze niet met hem.

Bij de politie ging geen lichtje branden - het motief was alleen bekend bij Claudia. Bovendien had Darius een naam, geld en invloedrijke vrienden. Hij leidde een concern dat juist bezig was om het paradepaardje van Duitsland op de beurs te worden. Het was in de villa een komen en gaan van vertegenwoordigers van grote clubs, raden van toezicht en politici. Jagenberg gold als een van de meest invloedrijke mannen in de Bondsrepubliek.

Vier jaar lang zweeg Claudia over haar verdenking. Om de kinderen te ontzien, zoals ze zei. En uit schaamte, nadat Petra Meweling uit verdriet om de dood van haar man haar polsen had doorgesneden.

'Ik begrijp het best', zei Zander - uiteindelijk zou de naam van de ambassadrice van Unicef er flink onder geleden hebben als uit de krantenkoppen was gebleken dat ze betrokken was bij een crime passionel.

Na een paar weken keerde Marco terug en Claudia Jagenberg hoopte op zijn minst de schijn van een normaal gezin te kunnen ophouden. Maar toen bleef de zoon definitief weg - de baas van het concern joeg hem het huis uit door Verena, die van dit alles geen idee had, in zijn gezin op te nemen.

Darius bekommerde zich om mij als een tweede vader - Zander begreep dat de jongen het niet kon verdragen om met de prinses, die hij niet mocht liefhebben, onder één dak te leven.

Pas na zijn ontslag uit de gevangenis ontmoette Marco zijn moeder weer regelmatig. Ze praatten over hun geheimen en zwoeren elkaar bij te staan in hun strijd tegen de gehate Darius Jagenberg. Ze gaf hem geld en sloot haar ogen voor de veranderingen die in de jongen hadden plaatsgevonden.

Darius Jagenberg had zijn belangstelling ondertussen op jongere vrouwen gericht. Hij zocht naar vriendinnen die leken op de jonge studente die hij vijfentwintig jaar geleden had liefgehad.

Ergens in juli had Claudia een laatste poging ondernomen om de breuk in het gezin te lijmen. 'Als je mij die bastaard maar van het lijf houdt', was zijn antwoord geweest.

'We hebben nog een paar vragen.' Zander draaide het cassettebandje om. 'Claudia Jagenberg, kant twee.'

'Klaag Darius maar aan', zei de vrouw des huizes. 'Maar laat mijn jongen met rust.'

Ela vroeg haar om een recente foto van haar zoon.

'U gelooft toch niet echt dat Marco een moordenaar is?'

Moeders, dacht Zander.

Ela vroeg: 'Wat gebeurde er dinsdag?'

'Ik belde Marco op om met hem over die domme inbraak te praten. Hij kwam langs en maakte zijn excuses.'

'Haalde hij ook zijn post af?'

'Ja. De post en het geld waarmee ik hem af en toe ondersteun. Hij zei dat hij Darius had gevolgd en hij wilde hem schrik aanjagen. Hij was ervan uitgegaan dat de kranten melding zouden maken van de inbraak. Daarom deze enscenering met verwijzingen naar zijn affaires en naar het ongeluk van vier jaar geleden. Marco was kwaad dat ik er van af had gezien aangifte te doen. Ik probeerde hem uit te leggen dat geen krant ter wereld over die kwajongensstreek zou hebben bericht.'

Zander vroeg: 'Zat er bij de post ook een afpersingsbrief?'

'Over die vuiligheid wil ik niets zeggen.'

'Kunnen wij die brief krijgen?'

'Marco heeft hem meegenomen.'

'Hij wist dus van de afpersing?'

'Ik heb hem gezegd dat zelfs Darius niet zo gewetenloos zou zijn om met zijn eigen dochter ...'

Zander knikte naar Ela. Het was zoals hij gedacht had.

Ela vroeg: 'Wat gebeurde er toen?'

Zander zag het voor zich: Haffke en de kleine Ilka Fischer, die samen overlegden hoe ze hun coup zouden uitvoeren. Toen Claudia Jagenberg niet meteen antwoordde, vroeg hij: 'Hebben de afpersers zich ook telefonisch gemeld?'

'Ja.'

'Wat zeiden ze?'

'Het was een vrouw. Ze zei: Jasmintje, het weeskind, is de hoer van haar eigen vader geworden en als u prijs stelt op discretie, doet u er goed aan het bedrag vandaag nog gereed te houden.'

'En verder?'

'Mijn zoon nam de onderhandelingen over.'

'En?'

'Luister eens, ik kan me wel voorstellen waar u op uit bent. Ik ga niet getuigen tegen mijn eigen zoon. Zet dat ding af en gaat u weg.'

'We hebben genoeg bewijzen tegen Marco', zei Ela. 'Er zijn vingerafdrukken. We zullen het bij de misdaad gebruikte wapen vinden. Hij zal de daad mogelijk zelfs bekennen. Marco heeft hulp nodig. Als u ons vertelt wat u weet, maakt u het ons mogelijk hem te begrijpen. Wellicht was hij op het tijdstip van de moord niet toerekeningsvatbaar. Dat zou grote invloed hebben op het vonnis.'

Zander bewonderde de handigheid waarmee zijn collega het vermeed om valse beloftes te doen. Ontoerekeningsvatbaarheid zou de jongen bij psychiaters doen belanden - dat hij dan voor altijd opgesloten zou zitten, was dan zelfs nog waarschijnlijker.

Mevrouw Jagenberg had een ogenblik bedenktijd nodig. Toen zei ze: 'In heel zijn jeugd heeft hij van Darius nooit het gevoel gekregen gewenst te zijn. En ik kan me herinneren dat Marco zei dat hij elke keer als hij aan Verena dacht, hij het in zijn hoofd voelde tikken. Na dat telefoontje was Marco woest. Hij dacht dat het Jasmin zelf was die had opgebeld. Ik probeerde hem te laten inzien dat je zulke laster maar het beste kunt negeren.'

'Heeft hij een afspraak gemaakt met de belster?'

'Ik geloof van wel. Hij zei dat Darius het lachen voor eens en altijd zou vergaan.' Zander en Ela keken elkaar aan.

Toen ze naar hun auto's liepen, zei Zander: 'Van jouw verhoortactiek kan ik nog wat leren.'

'Het wil er bij mij niet in dat Jasmin de afperser was.'

'Dat was ook niet zo. Zou jij je echte naam noemen als je iemand afperst?'

'Denk je dat het Ilka Fischer was?'

'Ja, en het plan kwam van Haffke.'

Zander kon zich goed voorstellen hoe zijn partner Arnie tegen het meisje fluisterde: *Zeg tegen die gozer dat ie naar de Body and Soul komt, vanavond vlak voor tienen als er bijna geen mensen meer zijn. Zeg tegen hem dat hij het geld in de kleedruimte moet verbergen en ons in de sauna de sleutel van het kastje moet brengen.*

Waarschijnlijk had Ilka de hoorn afgedekt en gevraagd: *Waarom in godsnaam naar de sauna?*

Volkomen zeker van zijn zaak had Haffke geantwoord: *Omdat ze dat kort geleden in die speelfilm precies zo deden. Als alle betrokkenen naakt zijn, kan niemand immers wapens of microfoons bij zich hebben. En zeg tegen die gozer dat jij met je verhaal naar alle talkshows stapt als hij het geld niet meebrengt.*

Badmeesterfantasieën.

Baby, you can turn me on.

Toen Zander aan Arnie Haffke dacht, doofde in hem het laatste vonkje begrip dat hij even had gevoeld voor Marco Jagenbergs haat jegens de blaaskaak Darius.

Ela's mobiele telefoon jengelde terwijl hij het portier van de Honda opende.

'Met Bach ... Vergeet het maar... Je kan de pot op.'

Toen zijn collega haar mobiele telefoon weer in haar rugzak stopte, vroeg Zander: 'Probeer je soms je populariteit weer een beetje op te vijzelen?'

'Dat was Thann van Intern Onderzoek.'

'En?'

'Blijkbaar zint het hem niet dat wij samenwerken.'

Zander lachte. 'Een ambitieus, knap collegaatje en een aantrekkelijke man in de kracht van zijn leven - wat zou hij daar nu tegen kunnen hebben?'

54

Op weg naar de vesting kocht Ela de *Blitz*. De vrijdageditie stond propvol berichten over Jagenbergs *Geminag*. De schietpartij in de *Merkurstrasse* was nog niet tot het blad doorgedrongen. Op haar kamer ging de telefoon. De hoge omes wilden een rapport over de gebeurtenissen van de afgelopen nacht. Ze besloot het kort te houden om er niet te veel tijd aan kwijt te zijn.

Thann belde voor de tweede keer en kookte van woede, omdat ze de afspraak met hem niet was nagekomen. Hij zette haar onder druk om de opgestelde verklaring die Zander moest belasten, te ondertekenen. Dat de speurder daar zo aan vasthield, was voor haar het bewijs dat hij niets substantieels tegen de oude macho in handen had. Thann probeerde haar met halfzachte beloftes te lokken - ze zei tegen hem dat hij met die verklaring zijn gat kon afvegen.

Ze gaf opdracht om naar Marco Jagenberg te zoeken. Persoonsbeschrijving, foto, een gele terreinwagen als vermoedelijk vluchtvoertuig. Ela veronderstelde dat de jonge man zich nog in de stad bevond.

Haar collega Thilo Becker klopte op de deur. Hij had zijn verslag van de zoektocht naar de winkel waar Marco de kampeerspullen voor Matysek had gekocht, nog eens doorgenomen. In twee gevallen had Becker niet met de verkopers gesproken die op die dag gewerkt hadden. Hij beloofde dat alsnog te zullen doen.

De man met de blonde kuif zei: 'Poetsch doet net alsof Matysek jouw laatste zaak is voor RA11. Weet hij iets wat ik niet weet?'

'Geen idee. Is er nog nieuws van de speciale commissie?'

'We weten nu wie in mei bij de ingang van de *Body and Soul* brand heeft gesticht. Een paar jaar geleden werden Schwarzenberg en zijn broer in Turkije gearresteerd. Hasj. Schwarzenberg schoof de schuld op zijn broer. Terwijl de bodybuilder carrière maakte, zat de ander in een Turkse gevangenis te smoren. Toen hij naar Duitsland terugkwam, eiste hij zijn aandeel in het fitnesscenter op en deed er alles aan om die eis ingewilligd te krijgen. Poetsch denkt dat die broer mogelijk de moordenaar is, maar hij komt er niet doorheen.'

'Wat te verwachten was.'

'En de saunamoordenaar is overigens inderdaad niet gevlucht in de luxe jeep van de baas van die rocktent. De experts hebben bevestigd dat die Cherokee al langer in het meer lag.'

'Ook duidelijk.'

'Na de ochtendbespreking heb ik overigens voor de lol nog eens bij de autodiefstallen gekeken. En raad eens wat deze Thilo Becker gevonden heeft.'

'Maak het niet zo spannend.'

'Een zekere Norbert Scholl kwam gisteren thuis van vakantie en ontdekte dat iemand zijn garage had opengebroken. Een gele Nissan Patrol ...'

'Adres?'

'*Robert-Bernadis-Strasse 4.*'

Bij de familie Jagenberg om de hoek - Marco las in de krant dat men vanwege de brandstichting in de disco op zoek was naar zo'n auto en jatte de gele Nissan in de buurt. Wellicht wist hij zelfs dat die Scholl op vakantie was. Hij ging er terecht vanuit dat de politie bij elk misdrijf waarbij zo'n auto als vluchtwagen diende, het eerst de brandstichter zou verdenken. 'Goed gedaan, Thilo', zei Ela.

'Een complimentje uit jouw mond. Ik zal deze dag op de kalender aanstrepen!'

Ze pakte de krant en keek snel de voorpagina door. Het artikel over de overname van *Geminag* eindigde met de zin: *Nadere details over de fusie zullen de onderhandelaars Jagenberg en Burns in de loop van de dag bekendmaken.*

Ela veronderstelde dat Marco het niet zou opgeven. De persconferentie bij *Geminag* zou een gelegenheid kunnen zijn. Ela stelde zich voor hoe de jonge man met het afgezaagde geweer zich onder de gasten mengde om Jagenberg te doden.

Hij zei dat het lachen Darius eens en voor altijd zou vergaan.

Drie keer had de jongen het al geprobeerd. Met de gestolen Nissan Patrol wilde hij Jagenberg overrijden, de directeur kon zich met een sprong over een tuinmuurtje in veiligheid brengen. Dinsdag, in de sauna, had Marco Ilka Fischer - de verkeerde - doodgeschoten. Gisteravond had hij in de flat van Jasmin, dankzij het ingrijpen van Köster, geen kans gekregen.

De psychologe lag in het ziekenhuis, ze kon nog altijd niet verhoord worden. Ela zorgde voor bewaking - twee agenten op de gang voor haar kamer.

Ela belde het *Geminag*-concern en liet zich doorverbinden met de afdeling Veiligheid. De chef heette Feldkamp en barstte met zijn ronkende stem van het zelfvertrouwen. De directievoorzitter verzette geen stap zonder lijfwachten, zei hij. Elke journalist werd gecontroleerd. Videocamera's bewaakten zaal, foyer en perscentrum. Zonder aanmelding kon er niemand naar binnen.

Vertegenwoordigers van meer dan tweehonderd redacties en persagentschappen uit binnen- en buitenland waren geaccrediteerd. Tv-ploegen van tussen de dertig en veertig zenders, vooral uit landen als Duitsland en Engeland. *Phönix* en *N-TV* zouden de persconferentie live uitzenden. *ARD, ZDF* en *RTL* hadden al vroeg in de ochtend hun busjes met zendapparatuur voor het hoofdkantoor geplaatst om zich snel in verbinding te kunnen stellen met hun verslaggevers zodra er nieuws was.

Volgens veiligheidschef Feldkamp zou de grootste bedrijfsfusie uit de economische geschiedenis die dag elke andere gebeurtenis in de wereld in nieuwswaarde overtreffen. Ervan uitgaand dat er geen aanslag zou plaatsvinden op de Amerikaanse president, zei de districtschef en lachte daarna in de telefoon op een manier die Ela aan de Rottweiler van haar buurvrouw deed denken.

55

Toen Zander met de Honda van zijn dode partner in de ochtendspits naar huis reed, besefte hij opeens hoezeer hij Beate sinds de dood van Sebastian met haar verdriet alleen had gelaten. Dat hij nog een prachtige dochter had, was hem tot troost geweest en zijn baan had voor afleiding gezorgd.

Waarom is het leven zoals het is? Zander wist dat alleen diegene voor wie het niet perfect is, zich dat afvraagt. Jarenlang had het geluk hem en zijn gezin toegelachen - een gewoon geluk dat hij af en toe op ongewone wijze een handje had geholpen. De dood had een streep gehaald door dit normale bestaan en de vraag naar de zin van het leven op de ergst denkbare manier beantwoord.

In de supermarkt om de hoek kocht Zander eieren voor het ontbijt, leverpastei, croissants en een bos rozen. Hij nam twee treden tegelijk toen hij de trap opstormde. Hij draaide de sleutel om, de deur sprong meteen open - zijn vrouw was dus thuis.

Toen Zander zag dat ze nog sliep, ging hij koffie zetten en schikte de bloemen in een pan omdat hij niet wist waar Beate de vazen bewaarde. Hij koos het servies dat ze anders alleen op feestdagen gebruikten. Voor twee - Pia vermaakte zich nog aan de Noordzee.

De koffie pruttelde. De croissants waren nog warm en de geur ervan deed aan vakantie denken. Hij legde ze in het broodmandje, bracht dat bij Beate op bed en hield het onder haar neus.

'Goedemorgen', zei hij zachtjes.

Ze reageerde niet. Zander vervloekte de kalmerende middelen. 'Bea, ontbijt!'

Hij stootte haar aan en riep. Hij schudde haar door elkaar en gaf haar klapjes op haar wangen.

Hij schreeuwde.

Hij brulde tegen haar en sloeg haar, tot het hem duidelijk werd dat het allemaal geen zin had.

Zijn vrouw was koud en bijna stijf.

Zander lichtte de noodarts in, daarna belde hij dr. Heinrich. Hij rende naar de badkamer en vond het lege buisje van de tabletten. Hij doorzocht de hele woning - geen laatste groet die ze voor hem had achtergelaten.

Hij hield haar hand vast alsof hij zijn warmte op haar lichaam kon overbrengen.

De twee artsen kwamen tegelijk binnen. Dr. Heinrich, die Zander moed insprak, zag er zelf wanhopig uit. De politiearts nam Beates temperatuur op en schatte het tijdstip van haar overlijden tussen vier en vijf uur in de ochtend. Zander begreep dat ze al dood was geweest toen hij 's ochtends was weggegaan.

Hem schoten alle gevallen te binnen van zelfmoord en pogingen daartoe die hij ooit had meegemaakt. Vrouwen, tabletten, geen afscheidsbrief - hij stortte in toen hij besefte wat die combinatie betekende.

Beate had erop gerekend dat hij haar op tijd zou vinden. Ze had de pillen geslikt om hem duidelijk te maken dat ze hem dringender nodig had dan Arnie Haffke en al die andere doden die Claudia Jagenbergs bastaardkind op zijn geweten had.

Zander had de roep om hulp van zijn vrouw niet opgemerkt. Later dan hij van plan was, was hij thuisgekomen. Moe was hij aan zijn kant in het huwelijksbed gekropen, zonder zich om Beate te bekommeren. Hij had niet gemerkt dat ze al bewusteloos was. Terwijl hij sliep, had zij de strijd met de dood verloren.

Hij verzette zich niet toen de politiearts hem een spuitje gaf. Hij had een tijdje nodig voor hij in de gaten had dat dr. Heinrich hem iets vroeg.

'Kan ik iets voor u doen, meneer Zander?'

'Nee.'

Hij dacht aan Pia. *Pas goed op mam als ik in Nederland ben.* In films was er altijd een tweede kans. Zander zou alles gegeven hebben voor een tweede kans.

56

Nog twee uur voor het begin van Jagenbergs persconferentie. Ela joeg over de *Jürgensplatz*. Aan de andere kant van het plein glipte ze over de strook die voorbehouden was aan politieauto's en schoof haar auto tussen het verkeer dat de *Cavaleristrasse* inreed.

Köster vroeg: 'Waarom arresteren we Jagenberg niet gewoon?'

'Omdat er geen bewijzen tegen hem zijn. Mewelings auto belandde op de schroothoop nadat het onderzoek werd gestaakt. Jagenbergs oude cabrio is spoorloos verdwenen. Als zijn vrouw beweert dat hij haar zelf de moord heeft bekend, zal hij dat voor de rechtbank bestrijden. We staan met lege handen. De officier van justitie ziet dat net zo.'

De man naast haar zweeg.

Ze bereikten de torenflat. Een man in een blauw uniform leidde hen met gebaren de ondergrondse garage binnen. Op de eerste kelderverdieping was een gedeelte gereserveerd voor auto's van de pers. Ela vond een parkeerplaats - het spul was nog niet echt begonnen. Kaal beton, rijen blik met neonbuizen erboven. Groene lichten die naar de uitgang wezen. Het plafond van de garage was zo laag dat Ela onwillekeurig haar hoofd boog.

Zware brandwerende deuren leidden naar het trappenhuis. Er stond een lift gereed. Ela drukte op de knop voor de begane grond. Er gebeurde niets.

Ze namen de trap en kwamen bij een sluis met metaaldetectoren. Omdat de liften buiten gebruik waren gesteld, was er geen andere toegang tot het gebouw. De eerste journalisten stonden in de rij te mopperen. Ela stelde vast dat iedereen die naar de persconferentie wilde, aan de hand van zijn accreditatie werd gecontroleerd en geregistreerd. Het zag eruit als op een vliegveld. Mobiele telefoons, camera's, portemonnees en sleutelbossen werden in mandjes buiten de sluis om doorgegeven. Veiligheidsmensen van de firma *Fichte Security* fouilleerden de bezoekers en controleerden de apparatuur van de tv-ploegen. Er stond zelfs een hond klaar die springstoffen kon opsporen.

Ela herinnerde zich dat Dirk Matysek bij dezelfde bewakingsfirma had gewerkt - Marco kon diens legitimatiebewijs hebben bemachtigd. Als hij zijn uniform droeg, zou hem dat te klein zijn en zou hij opvallen.

Wat buiten alle drukte ontdekte Ela de veiligheidschef van het concern. Feldkamp was een hoekige gorilla in een grijs pak en met een nek die net zo breed was als zijn hoofd. En met een nog grotere, optimistische uitstraling. Köster liep naast hem om de mensen van *Fichte* te controleren.

Ela bekeek de zaal waar de persconferentie zou plaatsvinden. Aan het eind was een deur die slechts van buitenaf geopend kon worden.

Daar zou Jagenberg door naar het podium lopen. In een vertrek ernaast stonden telefoons, faxapparaten en modems. Frisdranken op de tafels. Medewerkers van de afdeling voorlichting van het concern deelden stapeltjes papieren uit met informatie - jubelende woorden in druk over de megafusie waaraan de raden van toezicht op dit moment hun zegen gaven.

Hier zou Marco niet dichtbij Jagenberg kunnen komen, of hij nu gewapend was of niet.

Ela nam het verdere draaiboek door: na zijn optreden voor de media zou de baas van het concern zich door zijn bodyguards naar een hotel laten brengen dat hij pas tijdens de rit zou bepalen. Een gele terreinwagen die hem zou volgen, moest wel opvallen.

Ela besefte waar het zwakke punt zat: de ondergrondse garage - bij de ingang waren zij en Köster niet gecontroleerd.

Ze liet zich uitleggen waar de directie haar auto's parkeerde: op niveau vijf, het onderste parkeerdek.

Op de trap kwam haar nog een horde journalisten tegemoet. Ze hoorde flarden van woorden in het Engels en Spaans. Ze zag Japanse gezichten, Afrikanen. Camera-assistenten sleepten met statieven en kabelhaspels, verslaggevers stonden in hun mobieltje te schreeuwen.

Onder het eerste niveau was Ela nog de enige.

De laatste ondergrondse verdieping. De trap eindigde voor een rood gelakte deur. Ze deed hem open - een kale ruimte. Toen achter haar de buitenste deur met veel lawaai in het slot viel, kromp ze ineen. Ze pakte de greep van de binnendeur en duwde er met haar hele gewicht tegen. Het massieve staal gaf knarsend mee. Parkeerdek vijf lag volledig in het donker.

Ela voelde haar hartslag. Haar voetstappen weerklonken tegen betonnen wanden verderop.

Hij heeft de lampen kapotgeschoten.

Alleen de bordjes met de bewegwijzering gaven nog een groen, schemerachtig licht. De geparkeerde auto's waren donkere schaduwen. Duizendeneen mogelijkheden voor een moordenaar om zich te verschuilen.

Ela constateerde dat er geen glassplinters op de vloer lagen. De neonbuizen waren intact. Ze haalde opgelucht adem - het moest aan de stroomvoorziening liggen. Geen reden voor paniek.

Haar ogen wenden aan het matte licht. Er was geen geluid te horen, behalve haar ademhaling en het kraken van haar zolen op het kale beton.

Ze liep op de tast verder naar een groepje limousines, Mercedes - het wagenpark van de directie. Ela liep om de wagens heen en spiedde zorgvuldig langs de rijen andere auto's. Ze liet zich op haar knieën vallen en was blij nergens een paar voeten te ontdekken.

Toen ze opstond, meende ze vanuit haar ooghoeken een beweging waar te nemen. Ze draaide zich snel om - niemand die wegliep of haar naderde, geen silhouet achter de raampjes.

Alleen maar een zacht zoevend geluid. De ventilator van een auto waarvan de motor kennelijk kort geleden nog tot een hoog toerental was opgejaagd.

Ela liep er langzaam naartoe. Een enorm voertuig. Het chroom lichtte op. Een lichte lak - in het groenige licht kon Ela de kleur niet met zekerheid vaststellen. Ze bewoog haar hand in de richting van de holster met haar dienstwapen en maakte hem open.

Achter haar klonk een enorme klap die Ela van schrik in elkaar deed krimpen. Het was de zware deur. Nog iemand die niveau vijf had betreden.

Ela trok haar pistool en hield haar adem in. Ze lette niet op de voetstappen die vanaf de ingang dichterbij kwamen en liep verder in de richting van het logge voertuig. Al haar aandacht richtte ze op de voorruit, zonder dat ze daarachter iets kon onderscheiden.

Nog maar een paar meter. Ela richtte de P6 op de auto. Een terreinwagen.

'Politie! Kom naar buiten!'

Als antwoord begon de motor te loeien, schijnwerpers verblindden haar, de versnellingsbak kraakte.

Ela zag de contouren van de bestuurder die zich zojuist nog verstopt had.

Banden gierden en de terreinwagen raasde op Ela af.

'Pas op!' schreeuwde de stem van Köster achter haar.

Met een sprong bracht Ela zich in veiligheid. De zware, logge auto daverde in de richting van de uitgang en verdween. Het piepen van de banden in de bochten van de uitrit klonk nog na.

Haar collega liep naar Ela. 'Ik dacht dat je je zou laten overrijden. Je stond daar als het konijntje voor de slang.'

'Was de wagen geel?'

Köster knikte.

Ze renden de trappen op naar niveau één, vonden de dienstauto en stoven naar buiten.

Köster reed, Ela hanteerde de mobilofoon. Alle surveillancewagens die binnen het stadsgebied onderweg waren, namen deel aan de zoektocht. Voortdurend werd de gele Nissan Patrol ergens gezien en bleek vervolgens een busje of een gewone stationcar te zijn. Met elk vals alarm verdween Ela's hoop op een snel succes.

Weer was die kerel voor de ogen van de politie ontkomen.

'Hij zal het nog een keer proberen', zei Ela.

'Denk je dat hij terugrijdt naar de *Geminag*?'

'Geen idee.'

Jagenberg was gewaarschuwd. Zijn veiligheidsmensen doorzochten de garage op bommen die Marco verstopt zou kunnen hebben.

'Misschien probeert hij het bij Jasmin als hij niet bij Jagenberg kan komen', dacht Köster hardop.

'In het ziekenhuis? Daar zitten twee collega's voor haar deur.'

Ze doorkruisten de straten van de villawijk in *Golzheim*. Ze belden aan bij Claudia Jagenberg en negeerden haar protesten terwijl ze het huis en de tuin doorzochten.

Geen moordenaar te zien en nergens in de wijde omtrek een terreinwagen.

Op de mobilofoon was men overwegend van mening dat de voortvluchtige over een van de Rijnbruggen was ontkomen en allang uit het zicht was verdwenen.

Köster dacht daar anders over. Hij hield intussen een uiteenzetting over de vernietigende kracht van een nul-nulmunitie en de snelheid waarmee de schoten door de gasdruklader achter elkaar konden worden afgevuurd. Een gevaar, maar tegelijkertijd een kans - de schutter zou in de verleiding komen om de munitie er snel doorheen te jagen. Om het staafvormige magazijn opnieuw te vullen, had zelfs een geroutineerde schutter als hij ten minste twintig seconden nodig, schatte Köster - de kans om tot actie over te gaan.

Ela bedacht wat Marco met die tien eerste schoten zou kunnen aanrichten. Gruwelijke beelden kwamen bij haar op: bloed tot aan haar enkels, versplinterd hout, lijken en witte lakens.

Köster stelde voor om naar Jasmin te gaan. Hij vond de twee agenten in de kliniek niet voldoende. Marco zou hen omverduwen voordat ze hun pistolen gegrepen hadden.

Automatisch greep Ela haar pakje sigaretten. Plotseling schoot het haar te binnen.

'Draai om!' riep ze tegen haar collega.

'Waar wil je naartoe?'

'Denk na, Köster. Bij wie zou die jongen zijn toevlucht kunnen zoeken?'

'Bij zijn moeder.'

'Oké, maar daar is hij niet.'

'Verder heeft hij niemand. Matysek is dood.'

'Van wie houdt hij het meest van al?'

'Verena', riep de man met het rode haar en aan zijn blik kon Ela zien dat hij daar net zo van overtuigd was als zij. Waarschijnlijk was de prinses om deze tijd alleen thuis. Haar man had een kantoor in de binnenstad.

Köster joeg de Opel Omega in oostelijke richting: *Kleverstrasse, Jülicherstrasse.* Achter de *S-bahn* sloegen ze af naar het zuiden in de richting van de *Brehmplatz.*

Via de mobilofoon regelde Ela versterking. Ze vroeg de agenten in de surveillancewagens de sirene af te zetten zodra ze in de buurt kwamen van het adres van de familie Larue.

Köster reed als een gek. Ze kwamen bij het park. De *Faunastrasse* stond vol politiewagens. Ela telde: vijf, zes, zeven groen-witte auto's. Overal flikkerde blauw zwaailicht.

De gele terreinwagen was omringd door agenten in uniform. Voor de ingang van nummer negen stonden nog meer collega's Ela vragend aan te kijken.

Ze begon voor het leven van de prinses te vrezen.

57

De oude dame die op de eerste etage woonde, liet Leo binnen. Nadat hij zich gelegitimeerd had, leende ze hem zelfs een ladder waarmee hij van haar balkon op dat van de familie Larue kon komen.

De glazen deur naar de slaapkamer stond open - hij stapte naar binnen zonder lawaai te maken.

Huisbezoek - Ela en hij hadden besloten niet te wachten tot de ME er was.

Waar Leo zich zorgen over maakte, was zijn Sig Sauer P6 met zijn volmantelpatronen, die in het ergste geval dwars door een tegenstander heen gingen zonder deze te stoppen.

Wat hem nog minder beviel, was het trillen van zijn hand. Het was de laatste uren niet minder geworden.

Leo luisterde aandachtig.

Als Marco Verena Larue al had gedood, dan had hij dat niet met het jachtgeweer gedaan - zelfs de hardhorende oude vrouw op de etage eronder zou het schot hebben gehoord.

Leo moest er rekening mee houden dat Marco zich in de hal bevond. Als dat het geval was, zou hij de trekker overhalen zodra Leo de slaapkamerdeur opende.

Die ging naar links open. Leo moest het wapen in zijn rechterhand nemen. De herinnering aan de diagnose van de politiearts maakte dat hij uit al zijn poriën zweette - de diepste afgrond waarin hij de laatste dagen was gestort.

Met zijn linkerhand gooide hij de deur open - de hal was leeg.

Uit de badkamer kwam geen enkel geluid. Vloerplanken kraakten zachtjes onder zijn zolen. Hij bereikte de keukendeur en legde zijn oor tegen het hout. Zachte stemmen, waarschijnlijk daarachter, in de woonkamer. Het meisje leefde.

Ditmaal moest Leo de deur openduwen - hij zou pas iets zien als die helemaal open was gezwaaid. Te veel tijd voor de tegenstander om te reageren.

Zachtjes opende Leo de deur slechts op een kier. De adrenaline schoot door zijn aderen, zijn slapen klopten. Zo te horen hadden ze geen ruzie. Hij veronderstelde dat ze elkaar veel te vertellen hadden.

Misschien kon hij Marco inderdaad overrompelen.

Hij stootte de deur open, rende door de keuken naar de woonkamer, stabiliseerde zijn hand met het wapen met zijn linkerhand, richtte op de bank en schreeuwde: 'POLITIE. GEEN VERZET.' Marco staarde hem aan. Verena Larue liet een korte gil horen.

De jongen zag er precies zo uit als op de foto die Ela van Claudia Jagenberg had gekregen. Alleen zijn donkere haar met de scheiding in het midden was langer en dwars over zijn voorhoofd liep een tatoeage in de vorm van prikkeldraad - een aandenken aan de bajes. Marco droeg zijn wijde jeans laag op de heupen, zijn broek viel tot over zijn gympen.

Achter hem vloog de voordeur van de flat aan gruzelementen. Ela Bach en drie, vier agenten in uniform stormden door de hal naar binnen.

Ela schreeuwde: 'POLITIE! LEG DAT WAPEN NEER!'

De jonge Jagenberg drukte de mond van het afgezaagde geweer tegen Verena's wang. De prinses staarde naar Leo. Haar ogen waren vol angst.

Een patstelling.

Marco trok Verena van de bank omhoog. Hij streek zijn haar terug, dat over zijn voorhoofd was gevallen. Hier en daar stonden baardstoppels op zijn kin. Bijna nog het gezicht van een kind, dacht Leo.

'Doe jullie wapens weg', zei de jongen met gebroken stem, volkomen doorgedraaid of bijna zover.

Leo wist dat hij nu de trekker moest overhalen. Die stomme ziekte maakte het hem onmogelijk - Marco en zijn gijzelaar stonden te dicht bij elkaar. Leo liet het pistool zakken maar hield het wel in zijn hand. Als de moordenaar Verena zou doodschieten, zou Leo het tweede schot afvuren.

Hij deed moeite om rust uit te stralen. 'U wilt uw vriendin toch niets aandoen. Het is echt het beste voor u als u nu opgeeft. Kijk eens naar beneden op straat. U zult niet ver komen.'

Ela hield haar wapen nog steeds op de bank gericht, geflankeerd door de agenten in uniform. Ook zij durfden niet te schieten - noch de rechercheur noch de agenten waren voldoende getraind en hadden het lef niet om de trekker over te halen.

Marco schonk totaal geen aandacht aan de agenten achter hem. Hij duwde zijn gijzelaar in de richting van het raam en zag de stoet politiemensen beneden.

Leo dacht aan het team van Adomeit. Nog twintig minuten. Zijn maat Olli zou nu zijn plaats als nummer één wel hebben ingenomen. Waarschijnlijk brachten de jongens het onderhandelingsteam mee - specialisten in het omgaan met gijzelnemers.

Tot het zover was, moest Leo de man aan het lijntje houden. Een volkomen nieuwe situatie voor hem. Hij zei: 'Stop er toch mee, jongen. Je maakt het alleen maar erger. Denk aan de zorgen die je moeder zich maakt.'

'Wat weet u nou van mijn moeder!'

'We hebben met haar gepraat, Marco, en zij vindt ook dat je nu beter kunt opgeven. Laten we de zaak rustig regelen. We begrijpen dat je woedend bent op je vader en misschien ...'

'Hij is mijn vader niet!'

'Dat weten we, jongen. En ook wat hij jou en Verena heeft aangedaan. We willen hem opsluiten. Jij en ik hebben hetzelfde doel.'

Marco grijnsde om te laten zien dat hij geen woord geloofde van wat de politieman zei.

'Om te zorgen dat Jagenberg zijn verdiende straf krijgt, hebben we jou als partner nodig, niet als tegenstander. Leg je wapen dus neer en laten we praten over wat je weet. We hebben jouw getuigenverklaring nodig, Marco.'

Leo zag dat Ela hem toeknikte. Hij was op de goede weg.

'Samen krijgen we hem te pakken. Laat Verena los. Je weet heel goed dat zij er niets aan kan doen.'

Marco's gezicht liep felrood aan. Zijn blik ging nerveus heen en weer tussen Leo en de mensen op straat. Hij zwaaide met het geweer en schreeuwde: 'Rot toch op, stomme smerissen! Jullie hebben hem indertijd laten lopen, ook dit keer zullen jullie weer niets doen!'

De jongen stootte het wapen weer tegen Verena's hals - voor de tweede keer had Leo de mogelijkheid voorbij laten gaan om Marco neer te schieten.

'De hele wereld moet weten wat Darius Jagenberg heeft gedaan! Ik zal zijn aanklager en rechter zijn!'

Marco duwde zijn gijzelaar voor zich uit. Leo geloofde niet dat de jongen zijn dreigement zou uitvoeren en Verena zou doodschieten. Maar hij wilde de zaak niet op de spits drijven. Hij moest toezien hoe de twee naar de keuken opschoven en had het gevoel dat hij een doodgewone kantoorbediende was, een burgermannetje.

De dader en de gijzelaar bereikten de keuken. Toen Leo achter hen aan wilde lopen, knalde Marco de deur achter zich dicht.

Ela rende er naar toe en greep de klink. Leo trok haar opzij.

Een oorverdovend schot en er verscheen een gat in de opdekplaat van de deur. Een tweede knal deed splinters door de kamer vliegen. De deur was aan flarden.

'Dank je, Leo', zei Ela.

'Kent Marco de flat?' vroeg Leo.

'Hij is hier zondag met Matysek geweest.'

'De jongen weet dat hij aan de voorkant - de straatzijde - geen kans heeft. Hij zal waarschijnlijk over het balkon klimmen en proberen via de tuinen te vluchten.'

Ze renden naar beneden en gaven de agenten opdracht de hele wijk af te sluiten om te voorkomen dat de dader zou ontsnappen. Maar geen arrestatiepoging zolang de jongen zijn gijzelaar bedreigde.

Nog vijftien minuten voor de jongens van de eenheid en de onderhandelingsspecialisten zouden arriveren.

Leo en Ela sprongen in haar dienstauto en reden rondjes om het blok huizen, twee groen-witte Vectra's volgden hen. In gedachten probeerden ze na te gaan waar Marco en Verena zouden uitkomen op hun vlucht door de achter de huizen gelegen binnenplaatsen.

In de *Graf-Recke-Strasse* stond een man midden op de rijweg naar hen te zwaaien. Leo draaide het raampje naar beneden.

De man was buiten zichzelf - rode wangen, het zweet op zijn voorhoofd. 'Die klootzak heeft mijn auto gepikt!'

58

De jongen kon niet zo'n grote voorsprong hebben. Terwijl Köster in de *Lindemannstrasse* meer vaart maakte, gaf Ela via de mobilofoon de gegevens van de nieuwe vluchtauto door: zilverkleurige Mercedes, C-klasse, diesel. Ze gaf de wijziging ook door aan het team van de ME, dat al op weg was en zich halverwege het vliegveld en de binnenstad bevond. Die gek reed kennelijk met zijn gijzelaar terug naar de kantoortoren van *Geminag*.

Bij het eerste rode stoplicht zette Ela het blauwe zwaailicht op het dak. Köster drukte op de claxon en stak de kruising over. Daarna gaf hij weer gas.

'Klopt het dat jij ertegen was dat ik naar jouw afdeling zou worden overgeplaatst?' vroeg hij.

'Sorry. Je was een rambo en jullie hadden net Matysek laten ontkomen.'

'Je houdt niet van types zonder hersens die gewend zijn bevelen te ontvangen.'

'Intussen ken ik je beter, Leo.'

Köster haalde zijn rechterhand van het stuur en hield die omhoog. 'Binnenkort deug ik hoogstens nog voor kantoorwerk.'

'Wat is dat?'

'Parkinson.'

'Joh, de wetenschap maakt vorderingen. Heb ik pas nog gelezen.'

Ze ontdekten de Mercedes. Er zaten drie auto's tussen.

Ela zette het blauwe licht uit om de gijzelnemer niet te provoceren. Köster probeerde in te halen en voor de Mercedes terecht te komen, maar er was te veel verkeer.

Kruppstrasse, Oberbilker Allee - in een grote boog reden ze om de binnenstad heen en naderden het *Geminag*-hoofdkantoor vanuit oostelijke richting. Twee keer reed de auto voor hen door rood licht. Ook Köster gaf plankgas. Een paar seconden sloot Ela haar ogen.

Nu joegen ze vlak achter de Mercedes aan. Ze vlogen op flikkerend blauw af. Politieauto's.

'Dat gaat niet goed', riep Köster. 'Die brengen de gijzelaar in gevaar!'

Drie groen-witte politieauto's blokkeerden de rijweg. Daarachter ineengedoken zaten agenten in uniform met getrokken wapens.

'Wie heeft er opdracht gegeven voor die afzetting daar?' riep Ela in de zender.

Marco raasde met hoge snelheid op hun collega's af.

Köster ging langzamer rijden. Ela zette zich instinctief schrap.

De agenten schoten in de lucht, de vluchtauto bleef op ramkoers.

Op het laatste ogenblik maakte de zilveren Mercedes een scherpe bocht - de auto kreeg last van overstuur, gleed met veel lawaai over de stoeprand, schampte een lantaarn en schuurde langs de gevels. Er vlogen vonken in het rond, de Mercedes slingerde.

Geschreeuw, nog meer schoten. Ongericht - de collega's wilden voorkomen dat de gijzelaar werd geraakt.

De banden van de Mercedes kregen weer grip op de weg en de wagen raasde ervandoor.

Ook Köster reed hortend en stotend over het trottoir. Aan de andere kant van de afzetting maakte hij vaart en reed als een gek om hem bij te houden.

De kantoortoren dook voor hen op. Met hese stem gaf Ela via de mobilofoon aan de anderen hun positie door - aan wie er ook maar mocht luisteren.

Van het dak werden op dat moment de eerste neonletters van de naam *Geminag* naar beneden getakeld - de fusie was een feit, de oude firma bestond niet meer. Ela vermoedde dat de persconferentie al was begonnen.

Met gierende banden slingerde de Mercedes over de inrit naar de ondergrondse garage.

Ela stelde via haar gsm de veiligheidsafdeling van het concern op de hoogte en gaf opdracht de foyer te ontruimen en alle deuren te vergrendelen, vooral de toegang tot de plaats waar de persconferentie plaatsvond. Marco mocht niemand tegenkomen. Het gevaar was te groot dat hij op alles en iedereen zou schieten, als hij zijn doel om Jagenberg te doden niet zou bereiken.

De ME zou over hoogstens tien minuten arriveren.

De Mercedes voor hen schuurde langs de betonnen muur. Het werd donker. Parkeerdek nummer vijf. Ze stapten uit en liepen in elkaar gedoken langs de rijen geparkeerde auto's. In het zwakke licht van de groene bewegwijzering volgden ze de schimmen van Marco en zijn gegijzelde vriendin.

Licht - de dader opende de deur naar de gang.

Ze renden erachteraan.

De jongen richtte het geweer op zijn gijzelaar. Dezelfde patstelling als eerder in de flat van Verena.

'Wapens neer of ik schiet!' schreeuwde Marco.

Ze gehoorzaamden.

'Laat Verena gaan', vroeg Ela. 'Zij kan er niets aan doen. Laat haar gaan en neem mij in haar plaats.'

Ela voelde de vragende blik van Köster op zich gericht.

Maar de jongen ging niet op haar aanbod in. Hij trok het meisje de lift in. Ela wist dat dit het eindstation zou zijn. De liften waren uitgeschakeld. Ze zouden hier alle vier vastzitten tot de ME kwam.

Een patstelling - nog maar een paar minuten.

Marco tikte op de toetsen van een kastje waarop een hoorn lag. De lifttelefoon voor noodgevallen, dacht Ela. Tot haar verrassing sloot de liftdeur zich en de aanduiding versprong: - 4, - 3 ...

De lift gleed naar boven.

Het besturingspaneel voor het management - blijkbaar had Marco als kind geleerd hoe Darius Jagenberg de lift gebruikte. Een topmanager stopte onderweg niet voor anderen.

'Geeft niks, hij zit in de val', hijgde Ela toen ze de trap opstormden. 'Hij kan de foyer niet uit. Alle uitgangen zijn geblokkeerd.'

Ze bereikten de begane grond. De veiligheidssluis lag er verlaten bij en in de grote hal was geen mens te zien. De glazen deuren naar de uitgang en naar de gangen opzij waren gesloten. Achter de deur die naar de persafdeling ging, stonden enkele veiligheidsmensen. Ela herkende oppergorilla Feldkamp die aan het bellen was.

Nergens Marco en de gijzelaar.

De aanduiding boven de liftdeur stond op + 1.

'Hij is ons te slim af geweest!' vloekte Ela. 'Er is nog een manier om de zaal binnen te komen. Marco kent die. Ik volg hem via de eerste etage. Jij loopt hem tegemoet door de zaal.'

Leo klopte tegen de ruit en wenkte de veiligheidschef om hem open te doen. In de ruimte voor de zaal van de persconferentie richtten kelners een koud buffet aan. Leo liep tussen de tafels door naar de grote dubbele deur.

Hij wist niet hoe Ela de moordenaar wilde stoppen. Als Marco die zaal vol mensen zou bereiken, betekende dat volgens de criteria van de politietactiek de grootst mogelijke ramp. Jagenberg was aan het woord. Honderden journalisten luisterden aandachtig. Leo's ogen ontdekten de deur waardoor de jongen volgens Ela met zijn gijzelaar zou binnenkomen. Aan het andere eind, links van het podium. De weg daarheen werd versperd door camera's en verslaggevers die er bij elkaar stonden.

Hij griste een persmap naar zich toe om zijn getrokken dienstwapen te verbergen en begon zich tussen de journalisten door te werken, zijn ogen voortdurend op de deur gericht.

Ela voelde steken in haar zij. De eerst etage zag er heel anders uit dan de foyer. Ze sloeg geen acht op het aantal keren dat ze in het trappenhuis van richting was veranderd en koos de gang aan haar rechterhand.

Geopende kamerdeuren, lege vertrekken. Ze liep door en hoorde de stem van Jagenberg uit een vergaderzaal. Medewerkers dromden om een monitor waarop de beelden van de persconferentie te zien waren. Op de gang kwam Ela een vrouw tegemoet.

Ela hield haar aan. 'Hoe kom ik bij de persconferentie?'

De medewerkster staarde naar het wapen dat Ela in haar hand hield.

'Politie', verklaarde ze. 'Wat is de kortste weg naar de zaal?'

Zonder woorden wees de vrouw in de richting waaruit Ela was gekomen.

Een ogenblik dacht Ela dat ze zich in de richting vergist had. Ze probeerde rustig te blijven. 'Nee, de weg die de managers nemen.'

'Daar vooraan is een deur. Maar zonder de code ...'

De veiligheidschef kwam aanstuiven en buiten adem riep hij tegen Ela: 'Kom!'

Ze liepen naar de deur die de medewerkster had genoemd. Een kastje met toetsen, net als in de lift. Feldkamp tikte het geheime nummer in, er klonk gezoem en de gorilla duwde de deur open.

Van beneden kwamen haar luide stemmen tegemoet.

'Dat heeft toch geen zin, Marco!'

Een kaal trappenhuis zonder ramen. Ela begon te rennen.

'Er zijn daar zo veel mensen. Hij kan de waarheid niet langer achterhouden. Die zal hem vernietigen.'

'Je bent gek! De politie zal je doodschieten!'

Ela struikelde, hervond haar evenwicht en rende haastig verder.

'Dat durven ze niet.'

Verena slaakte een gil.

'Als je me nu in de steek laat, schiet ik jou als eerste dood!'

Ela bereikte de begane grond. Een lange, smalle gang. Aan het andere eind trok Marco een deur open en duwde de prinses met geweld de zaal in.

Een videowand maakte Darius Jagenberg voor iedereen zichtbaar. Zijn stem kwam luid en duidelijk uit de luidsprekers. De topman van *Geminag* verzekerde dat er door de fusie slechts één enkele arbeidsplaats verloren ging - de zijne. Hij wenste Brian Burns, die tot nu toe zijn tegenspeler was geweest, veel succes en straalde alsof hij gewonnen had en niet de Engelsman.

De journalisten mopperden toen Leo zich naar voren drong. Hij hield zijn politielegitimatie omhoog, toch was er nog een ingehuurde medewerker van het veiligheidsbedrijf die met hem in discussie wilde gaan.

Boven op het spreekgestoelte deed Jagenberg een beroep op de aandeelhouders van *Geminag* om in te gaan op het ruilaanbod van *Skyphone*. Hij was tot de slotsom gekomen dat hun waardering van de aandelen overeenkwam met de feitelijke waardeontwikkeling. Als bewijs waren op de videowand grafieken en tabellen te zien.

Toen de deur openging, was Leo er nog ongeveer twintig meter van verwijderd. Het wapen in Marco's hand glom in het licht van de schijnwerpers. Meteen wierpen bodyguards zich op Jagenberg en trokken hem achter de tafel. In de zaal werd ingehouden gefluisterd, daarna was het stil.

Verena verzette zich niet. De jongen drukte het afgezaagde geweer in haar zij.

De camera's bleven lopen. *Phönix* en *N-TV* waren in de lucht. Leo vermoedde dat de programmaleiders wel in hun handen zouden wrijven. De uitzending van een woeste aanval - zelfs de herhaling zou voor een record aantal kijkers zorgen en de prijzen voor tv-reclame opdrijven.

Ela stapte in de deuropening en richtte, met twee handen aan haar P6. Door de adrenalinestoot kon Ela haar hart in haar hals voelen kloppen. Ze wist dat ze niet genoeg getraind had om een goed geplaatst schot af te vuren. De gijzelaar stond te dicht bij Marco. Ela schoof aarzelend naar voren. Ook Leo Köster kwam aangeslopen. Waar bleef de ME, verdomme?

De doorgedraaide jongen duwde Verena naar het podium. Ela nam zich voor om te schieten zodra de moordenaar zijn wapen op Jagenberg zou richten.

Tot haar verbazing greep de jongen naar de microfoon.

'Ik zal u nu de waarheid ...' Het fluitende geluid van het rondzingen. Het ebde weg toen Marco meer afstand hield tot de microfoon. '... de waarheid over Darius Jagenberg onthullen. Mijn naam is ...'

De luidsprekers vielen stil. Een technicus had de volumeknop dichtgedraaid.

'Marco Jagenberg. En tot vier jaar geleden ...' Hij stopte en klopte op de microfoon. Geen geluid meer uit de boxen in de zaal.

De jongen begreep dat alleen die paar mensen die bij hem in de buurt stonden, hem nog horen konden. Zijn blik zweefde de zaal in. Daarna zocht hij naar Jagenberg. Verena begon te snikken.

Leo gaf Ela een teken dat ze niet begreep.

De lijfwachten dekten hun chef af. De andere directieleden drongen samen in een hoekje.

'Opzij!' schreeuwde Marco tegen de bodyguards die zich niet verroerden. Hij liet het meisje los en richtte zijn geweer op de mannen die de directeur afschermden. De eerste stapte aarzelend opzij.

Alleen zichtbaar voor Ela herhaalde Leo zijn signaal. Daarna werkte hij zich naar Verena toe en trok haar op de grond. Marco draaide zich om en zag Ela. Hij richtte het afgezaagde geweer op haar.

Ela schoot. Ze haalde de trekker nog een keer over toen de moordenaar in elkaar zakte. Het liefst had ze haar hele magazijn in het lichaam van die gek geleegd. Ze trilde over haar hele lijf, het wapen gleed uit haar hand en viel op de grond.

Achter haar ontstond tumult in de zaal. De cameramensen stormden naar voren om de man te filmen die bloedend op het podium lag. Verslaggevers probeerden Jagenberg over te halen commentaar te geven.

Ela was Leo dankbaar dat hij haar en de prinses tegen de meute afschermde en hen de zaal uitleidde.

De veiligheidschef opende een stalen deur die naar buiten voerde. Het plotselinge licht verblindde Ela. Verena zei dat ze zich niet goed voelde. Leo ondersteunde het tengere meisje en bracht haar naar het dichtstbijzijnde bankje. Op de Rijn puften schepen voorbij, toeristen flaneerden op de promenade alsof er niets was gebeurd.

'Snel, ga weg hier!', brulde plotseling een opgewonden stem.

Licht van schijnwerpers. Een kerel met een puntbaardje en een baseballpetje stormde op hen af en zwaaide met een klembord. 'We zijn over tien minuten in de lucht!'

Ela staarde in een camera. Technici, kabels, een verslaggever die een oordopje stevig vastdrukte en naar een presentator ver weg luisterde. De opnameleider duwde Ela en de anderen langs een transportvoertuig buiten het gezichtsveld van de camera. *ARD* stond er op het voertuig - een reportagewagen.

Er raasde een skater met een hond voorbij. De wandelaars draaiden zich om naar Verena, toen werd hun aandacht getrokken door de tv-ploeg.

De prinses liet zich op het bankje vallen. 'Hij heeft hem vier jaar lang bij zich gedragen.'

Ela begreep dat ze de ring bedoelde die ze tussen haar vingers ronddraaide.

Verena vroeg: 'Is hij dood?'

'Ik weet het niet.'

Steeds meer mensen bleven staan en keken naar de verslaggever, die bij het praten zijn hoofd van de ene naar de andere kant bewoog en knikte als de presentator hem iets vroeg.

'Ik herkende Marco eerst bijna niet. Hij zat vol haat. Hij huilde van woede, zo kwaad was hij. Hij dacht dat het tikken in zijn hoofd de laatste tijd luider was geworden.'

Uit het gebouw van het concern kwamen collega's van de Mobiele Eenheid rennen. Ze waren vermomd en helemaal in het grijs. De opnameleider werd zichtbaar wanhopig. De verslaggever was in de war, de voorbijgangers vonden het spannend. Verena keek er niet naar. Ze sloeg haar armen om haar magere lichaam alsof ze het koud had. 'Marco heeft me iets voorgedragen. Hij noemde het ons verlovingsgedicht. Jammer genoeg heb ik alleen het slot onthouden.'

De prinses bewoog zich alsof de wind aan haar rukte. Ze sprak zo zacht dat Ela moeite had om de versregels te verstaan. Het gedicht waar ze uit kwamen, moest wel erg oud zijn, dacht Ela. Zo romantisch drukt vandaag de dag niemand zich meer uit.

Aan de voorkant van het *Geminag*-gebouw klonk nu muziek van een blaaskapel. De camera van het *ARD*-team zwenkte omhoog naar het dak, waarvandaan een reusachtig doek werd neergelaten. Het bolde op in de wind en droeg het logo van het concern dat gewonnen had. Het regende confetti en de omstanders applaudisseerden toen het gejuich dat aan de andere kant losbarstte, naar hen overwaaide. Zelfs de leden van de ME keken omhoog.

Verena keek Ela recht aan en herhaalde: 'Als de vonk sproeit, als de as gloeit, haasten wij ons naar de oude goden.'

Zaterdag, 5 augustus, *Blitz*, voorpagina:

HUWELIJKSFEEST CONCERNS OVERSCHADUWD DOOR AANSLAG
ONBEKENDE RICHT WAPEN OP GEMINAG-TOPMAN

WANHOOP OVER ONTSLAG?

Zondag, 6 augustus, *Blitz op zondag*, voorpagina:

MET 72 ... (MILJOEN!) ... MET PENSIOEN
RECORD GOUDEN HANDDRUK VOOR SCHEIDEND GEMINAG-TOPMAN

Blitz op zondag, voorpagina - verder naar beneden:

ALLERWEGEN KRITIEK OP POLITIEOPTREDEN

HOE KWAM VERWARDE GIJZELNEMER KANTOORTOREN BINNEN?

Maandag, 7 augustus, *Blitz*, voorpagina:

SCHANDAAL ROND GEMINAG-OVERNAME: AANDEELHOUDERS BEDROGEN?

JUSTITIE STELT ONDERZOEK IN

MENEER JAGENBERG, WAAR ZIJN DIE 72 MILJOEN VOOR?

59

Zes collega's uit Kösters vroegere ME-team rolden de kist naar de plaats van het graf. Ela vond dat de rambo's er zelfs in een parka niet als gewone politiemannen uitzagen. De pastoor werd gevolgd door de familie: dikke Italiaanse mamma's in het zwart, kleine mannen, kinderen met bossen bloemen. De colonne van de politie die daarachter aansloot, was schier eindeloos. Een stille demonstratie tegen de postume schorsing van Massimo Buonaccorso - de autoriteiten wilden de dode met terugwerkende kracht wegens het begaan van een ernstige dienstfout buiten spel zetten om onder het betalen van een weduwepensioen of verzekeringsaanspraken uit te komen.

Het politiecombo was net klaar met zijn treurmuziek ter ere van Buonaccorso, toen Ela het graf bereikte - ze gooide wat aarde op het deksel van de kist en knikte naar de ouders, die te zeer met zichzelf bezig waren om de politiemedewerkster te kunnen opmerken.

Köster hield zich afzijdig. Hij droeg een zonnebril ondanks het bewolkte weer. Een collega praatte op hem in en Ela begreep dat die Leo ertoe wilde overhalen om zijn baan niet op te zeggen.

317

Toen Köster naar de uitgang liep, onderschepte ze hem en pakte hem bij zijn arm.

Hij zei: 'Nog een begrafenis red ik niet.'

'Doe het toch maar.'

'Liever niet, ik jank niet graag in het openbaar.'

Ela bracht hem naar haar auto en duwde hem op de passagiersstoel. Toen ze wegreed, haalde hij een mobiele telefoon tevoorschijn - pas aangeschaft. Hij toetste een nummer in en zei luider dan nodig was: 'Wacht maar niet met het eten. Ik moet nog naar de tweede begrafenis.' Hij stopte het mobieltje weg.

'Was dat je vrouw?' vroeg Ela.

'Nee. We zijn gescheiden.'

'Interessant.'

'We hebben een zoon.'

'Ik begrijp het. En hoe zit het met Jasmin?'

'Hoe kom je daarbij?'

'Ik heb lang genoeg met haar gepraat.'

'En?'

'Het is jouw beurt, Köster.'

Door de tunnel en over de *Kennedydamm* deden ze er twintig minuten over. De kapel op het *Nordfriedhof* was leeg, de rouwstoet was al op weg. Na een korte zoektocht vonden ze de kleine groep.

Zander zag er oud uit in zijn te nauwe zwarte pak. Dat knappe meisje aan zijn zij moest zijn dochter zijn.

Toen Ela aan de beurt was, omhelsde ze Zander. Leo drukte zijn oudere collega lang de hand.

Op de terugweg leidde Pia Zander haar vader alsof ze hem moest ondersteunen. Het grindpad was nog vochtig door de nachtelijke regen. Op de parkeerplaats maakte Zander zich los van zijn dochter. Zijn blik zocht Ela. Hij maakte de indruk zich de gastheer te voelen en belangstelling voor haar te moeten tonen, zonder echt met zijn gedachten bij datgene te zijn bij waarover hij begon. 'Hoe is het eigenlijk met die gek die je te pakken hebt gekregen, Ela?'

'We hebben hem met zijn drieën gepakt. Leo, jij en ik. En ooit zullen we dat nog eens vieren.'

Köster vertelde: 'Zijn moeder heeft de beste advocaten ingehuurd die er in de hele Bondsrepubliek te koop zijn.'

'Ik heb gehoord dat de officier van justitie een tip van een insider over Jagenbergs provisie heeft gekregen', zei Ela. 'Was jij dat soms, Zander?'

'Een schaakpartner van mij is getrouwd met een andere officier van justitie. Ik geloof dat ik per ongeluk de afgeluisterde bandjes van Haffke bij hem heb laten liggen.'

Ela bracht Köster met de auto naar huis. Hij zei: 'Wat vind je ervan als we vanavond eens een biertje met Jasmin … ik bedoel, van haar verklaring hangt toch wel het een en ander af. Zij zou zich moeten losmaken van die klootzak van een Jagenberg en de officier van justitie vertellen wat ze over de zwendel bij die fusie weet.'

'Doe dat maar alleen. Ik moet vanavond een woning bezichtigen.'

Het begon weer te regenen. Er was veel verkeer, alsof iedereen al van vakantie terug was.

Na een poosje zei Ela: 'In jouw plaats, Köster, zou ik het nog een keer proberen. Ik denk dat RA11 iemand als jij goed zou kunnen gebruiken.'

'Hangt er vanaf wie de chef is.'

In de koelkast vond Ela een yoghurtje waarvan de datum nog niet was verlopen. Onder het lepelen pakte ze het overplaatsingsverzoek waarop ze de laatste dagen en nachten had zitten broeden. Elke gedachte aan groepschef Poetsch vervulde haar nog altijd met woede en ze wist dat haar besluit juist was.

In plaats dat hij het succes van haar onderzoek erkende, had Poetsch haar tegenover het hele team van de speciale commissie verweten dat ze Marco Jagenberg tot de gijzeling had geprovoceerd. Ze had er rekening mee moeten houden dat de labiele jongen zou doordraaien zo gauw hij onder druk kwam te staan. In het bijzonder had ze moeten voorkomen dat hij de zaal binnenkwam - en dat terwijl Ela al genoeg leed onder het feit dat ze een mens had neergeschoten. Bovendien had de gifkikker zijn aantijgingen blijkbaar ook aan de pers doorgegeven.

In de vesting gonsde het van de geruchten. In de wandelgangen werd gezegd dat het tussendoortje van Dresbach als hoofd van de recherche spoedig voorbij zou zijn. Op het ministerie zou een hoge functie zijn vrijgekomen waar hij allang op had zitten azen.

Over de opvolging van Engel als leider van RA11 waren eveneens veel geruchten in omloop. Dat het ditmaal de beurt was aan een vrouw, leek wel zeker. Als favoriete kandidate gold op dit moment Hillu Sachs, chef Zedenmisdrijven.

Ela had zich na haar onenigheid met groepschef Poetsch voorgenomen om te solliciteren naar een rustige functie in de provincie. Misschien ergens aan de benedenloop van de Rijn, waar hoogstens op schuttersfeesten nog werd geschoten. Een overzichtelijk, traditioneel districtsbureau, waar geen intriganten als Poetsch en Gerres rondliepen. Terwijl de *Entre-deux-mers* rijkelijk vloeide, had ze erover gediscussieerd met Ingo Ritter, haar probleemloze Tom Selleck met wie ze in een woning in *Grafenberg* had afgesproken. Hij had getracht haar de overstap uit het hoofd te praten. Zijn argumenten hadden haar enigszins gestreeld, maar ze had haar buik vol van de intriges in de vesting.

Ze las de brief aan de politieleiding nog eens door. Geen spelfouten. De woordkeus zou iets scherper kunnen, dacht ze.

Haar mobieltje ging. Ze had de gebruiksaanwijzing gevonden en een andere beltoon gekozen, alleen maar om vast te stellen dat het niet aan Mozart had gelegen. Het nieuwe gerinkel werkte net zo goed op haar zenuwen.

Het was Friedrichsen.

'Waar blijft u, collega Bach? Het tijdstip voor de persconferentie hebben we vastgesteld op 15.00 uur en u moet daar beslist bij zijn.'

'Ik dacht dat de groepschef ...'

'U hebt de moordenaar te pakken gekregen, dus u doet dat. Er was natuurlijk intern een beetje gedoe omdat de familie van de moordenaar in deze stad toch ... hoe zal ik het zeggen, de minister is een jachtvriend van Jagenberg en de moeder van de dader staat als ambassadrice van Unicef in hoog aanzien. Maar nadat Jagenberg volgens krantenberichten blijkbaar nooit genoeg heeft ...'

'Heeft de minister zijn vriend natuurlijk direct als een baksteen laten vallen.'

'Dat zijn uw woorden, collega Bach. Voorbespreking om half drie. Klopt het eigenlijk dat u de drugsrecherche de tip heeft gegeven die heeft geleid tot de arrestatie van die tandarts en zijn zoon?'

'Hoe staat het met Christoph Larue?'

'Hij wordt nog geschaduwd, maar tot nu toe zijn er geen aanwijzingen dat hij bij de kring van dealers betrokken is.'

'Hij was het wel. Maar ik hoop voor zijn vrouw dat hij het voortaan uit z'n hoofd laat.'

'Tot half drie dus.'

'Zal Poetsch er ook bij zijn?'

Friedrichsen aarzelde. 'U roert daar een heel onaangenaam punt aan. Ik had een gesprek met inspecteur Zander van bureau Noord. Na alles wat hij me over die affaire Matysek mee te delen had, zal hoofdinspecteur Poetsch op zoek moeten naar een andere baan.'

Ela had bewondering voor Zander, die ondanks zijn verdriet de kracht had gevonden om de gifkikker uit te schakelen. Mogelijk had de oude macho dat zelfs voor haar gedaan. Te laat, dacht Ela. Ze wilde tegen Friedrichsen zeggen dat ook zij van plan was ontslag te nemen, maar de districtschef had de verbinding al verbroken.

Ze stak een sigaret op en liep naar buiten, het balkon op. Een eenzaam kind balde met zijn voetbal tegen de muur van het huis. Eksters maakten ruzie in de kroon van een boom. De hemel klaarde op en een windstoot liet het druppels van de natte bladeren regenen.

Bij Ela kwam een oude herinnering boven: haar vader in een huisjasje en pantoffels, hoe hij haar moeder overschrijvingsformulieren wilde meegeven. Zij moest die bij de bank afgeven waar hij ooit als kassier had gewerkt. Na de tweede overval was hij ziek gemeld en de aanvraag van prepensioen was in behandeling. Een arbeidsdeskundige had hem al schriftelijk meegedeeld dat hij als gevolg van een traumatische stoornis niet meer in staat was om een ruimte met loketten te betreden.

Kurt Bach liep achter zijn vrouw aan terwijl hij haar met zijn uitgestrekte hand de formulieren wilde geven - ze negeerde hem om te demonstreren dat ze zijn zwakheid afkeurde. Ela's moeder knoopte omstandig haar sjaal om, glipte in haar jas en was al bij de deur toen ze eindelijk medelijden kreeg, de formulieren uit de hand van de oude man griste en die in haar boodschappentas stopte. Moeders blik opzij naar Ela zei: kijk toch eens wat een slapjanus hij is geworden.

Ela verscheurde het verzoek om overplaatsing en gooide de snippers in het toilet. Daarna stopte ze haar mobieltje en haar pistool in haar rugzak en ging op weg naar de persconferentie.

***

Dankwoord

Mijn hartelijke dank gaat uit naar mijn broer Klaus en mijn vrouw Kathie. Zij hebben mij op kundige wijze geholpen om van een roman een betere roman te maken. Van de vakmensen die ik om raad mocht vragen, wil ik graag Achim Rode in het bijzonder bedanken. Hij heeft me vertrouwd gemaakt met de technische aspecten en werkprocessen die voor delen van deze roman van grote betekenis zijn en die voor mij een onontgonnen gebied waren. Klaus Dönicke en Jörn Weber behoren eveneens tot degenen die ondersteuning gaven als ik niet wist hoe ik in detailkwesties verder moest - vrienden en helpers in de beste zin van het woord.

Hulp bij diverse medische kwesties vond ik bovendien bij Karsten Kasperek, Dietrich Kissner en Christoph Müller. Ook hun ben ik veel dank verschuldigd.

De versregels die Verena Larue na haar bevrijding citeert, zijn de slotregels van Goethes gedicht *Bruid van Corinthe*.

HORST ECKERT